D0490206

AU CŒUR DU CANYON

DU MÊME AUTEUR

La Fille du Dr Duprey, Belfond, 2007 ; Pocket, 2010

Vous pouvez consulter le site de l'auteur
à l'adresse suivante :
www.elisabethhyde.com

ELISABETH HYDE

AU CŒUR DU CANYON

Traduit de l'américain
par Florence Bertrand

belfond
12, avenue d'Italie
75013 Paris

Titre original :
IN THE HEART OF THE CANYON
publié par Alfred A. Knopf,
une division de Random House, Inc., New York.

Si vous souhaitez recevoir notre catalogue
et être tenu au courant de nos publications,
vous pouvez consulter notre site internet :
www.belfond.fr
ou envoyer vos nom et adresse,
en citant ce livre,
aux Éditions Belfond,
12, avenue d'Italie, 75013 Paris.
Et, pour le Canada,
à Interforum Canada Inc.,
1055, bd René-Lévesque-Est,
Bureau 1100,
Montréal, Québec, H2L 4S5.

ISBN : 978-2-7144-4220-8

Pour Pierre

Car ce qu'on veut surtout, à bord d'un radeau, c'est que tout le monde soit content, à l'aise, et bien disposé envers les autres.

Mark TWAIN

Toutes les grandes aventures commencent par une erreur.

Anonyme

Les personnages

LES PASSAGERS

Peter Kramer, 27 ans, cartographe à Cincinnati

Evelyn Burns, 50 ans, professeur de biologie
à l'université Harvard

Les Frankel, d'Evanston, dans l'Illinois :
Ruth, 73 ans, peintre
Lloyd, 76 ans, médecin

Les Van Doren, de Mequon, dans le Wisconsin :
Amy, 17 ans
Susan, 43 ans

Les Boyer-Brandt, de Green River, dans le Wyoming :
Mitchell, 59 ans, historien passionné
Lena, 60 ans, institutrice de maternelle

Les Compson, de Salt Lake City :
Jill, 38 ans, mère au foyer
Mark, 40 ans, homme d'affaires
Matthew, 13 ans
Sam, 12 ans

LES GUIDES

JT Maroney, guide-chef, 52 ans, effectuant sa 125e descente du Colorado

Abo, barreur, 35 ans

Dixie Ann Gillis, 27 ans

Prologue

Au cœur du canyon, dans la chaleur cuisante, ils mettaient leur vie entre parenthèses.

La plupart des voyageurs n'avaient jamais rien connu de tel. Peter Kramer, qui avait passé un an à cartographier les jungles d'Amérique centrale, dont un mois à lutter contre une fièvre de cheval dans un hôpital sans air conditionné, ne parvenait à aspirer que de toutes petites bouffées d'air chaud. Evelyn Burns, professeur de biologie à l'université Harvard, pontifia toute la première journée sur la tolérance à la chaleur sèche (quarante en Arizona n'étant rien comparé à trente-deux à Boston), et fut prise de vomissements cinq minutes après le début du premier coup de vent. Le Dr Lloyd Frankel et son épouse, des vétérans du fleuve, étaient étendus sur leurs sacs de couchage, hébétés, indifférents aux guêpes orange et duveteuses qui tournaient aveuglément entre eux sur le sable chaud. Et Amy Van Doren, qui, à l'insu de sa mère, avait accusé cent sept kilos sur la balance du spa de l'hôtel la veille du voyage, agitait vigoureusement le flacon de sauce épicée au-dessus de son assiette, car elle savait que les piments vous font transpirer, ce qui, en plus de la rafraîchir, lui permettrait aussi de perdre quelques kilos.

Pour JT, le guide-chef, il n'y avait rien de nouveau là-dedans. C'était sa cent vingt-cinquième descente du Colorado et il avait vu à chaque fois ses passagers transformés en zombies à la fin de la première journée, titubant sur la plage à la recherche d'un endroit où planter leur tente. Il appelait ça la Marche de la Mort, et répétait toujours à ses collègues de ne guère compter sur l'aide des volontaires au début d'un raid en juillet, le temps que les clients s'acclimatent aux températures suffocantes du Grand Canyon. C'était une question de physiologie, voilà tout : le corps humain n'était pas fait pour passer en une seule journée d'une confortable existence avec air conditionné à l'enfer préhistorique du canyon. Lorsque les campeurs assommés par la chaleur s'émerveillaient de son énergie, il se contentait de hausser un sourcil en disant : « Vous allez vous habituer. »

JT n'était pas un bavard.

La nuit, il faisait si chaud qu'on dormait sans couverture, et même sans drap, car bien après minuit les vents continuaient à diffuser la chaleur emmagasinée dans les parois rocheuses cuites par le soleil. Tôt le matin, lorsque l'on secouait ses vêtements pour s'assurer qu'aucun scorpion n'y avait élu domicile, l'air semblait tempéré, et on se sentait bien en maillot de bain ; mais dès que les rayons du soleil surgissaient dans le canyon, il fallait sortir les chemises en coton à manches longues, qu'on plongeait dans le fleuve, qu'on essorait et qu'on portait trempées pour se rafraîchir jusqu'à l'arrivée du crépuscule.

Durant la fournaise de midi, alors que les guides eux-mêmes se réfugiaient dans le moindre coin d'ombre venu et rêvaient collectivement du premier matin frais d'octobre où l'on verrait son haleine, JT affrontait la chaleur bille en tête. Seul sur son raft, il s'agenouillait contre les boudins latéraux, bras pendant par-dessus bord, fixant les falaises abruptes de l'autre côté du fleuve, comme en proie à une sorte d'hypnose. À la lumière plate de la mi-journée, avait-il découvert, elles finissaient par flotter vers l'amont, un mirage qui durait jusqu'à ce qu'il cligne des yeux, et puis elles reprenaient leur place jusqu'au mirage suivant. C'était son jeu, un jeu dont il n'avait jamais parlé à personne, de peur qu'on ne le croie sentimental, mystique, ou tout simplement dérangé.

En réalité, il était les trois à la fois. Le cœur de JT Maroney habitait ces lieux depuis le moment où, trente-cinq ans plus tôt, on lui avait tendu un gilet de sauvetage et une pagaie en lui lançant : « Alors, tu viens, oui ou non ? » et qu'il avait accompli sa première descente. Il était dans les falaises ocre et lisses de Marble Canyon, dans les strates poussiéreuses de grès marron de Coconino ; il était prisonnier pour toujours des parois noires et irisées des gorges intérieures, le pays des Géants. Il était dans les scorpions et les guêpes en habit de velours, et dans les fourmis rouges dont la piqûre vous envoyait courir chercher un flacon d'ammoniaque ; il était dans les tamaris plumeux, dans les notes tombantes du roitelet du canyon et dans le maussade condor de Californie aux ailes noires qu'il apercevait immanquablement en passant sous Navajo Bridge au commencement de chaque raid. Il était dans le courant qui s'enroulait autour de ses chevilles quand il pataugeait dans l'eau pour charger son raft ; et dans les gouttelettes scintillantes qui dansaient au-dessus du tonnerre des rapides.

Chaque raid le changeait un peu. Celui-ci le changerait beaucoup. Il les changerait tous, de diverses manières, que personne n'aurait pu imaginer.

Mais le 4 juillet, au début de la cent vingt-cinquième descente de JT, le changement n'était pas au programme. Ce qui l'était, en revanche, c'était de boire de la bière, de manger du gâteau, et d'inventer de nouvelles façons de faire honneur au drapeau américain sur le plus majestueux des fleuves de l'Ouest.

1

Lee's Ferry
Mile 0

À Lee's Ferry, la veille du départ, JT s'assit sur le boudin latéral de son raft, ouvrit une canette de bière, et tenta de se souvenir du nombre exact de fois où il s'était retourné dans Hermit.

Au cœur d'Inner Gorge, à quatre-vingt-quinze miles en aval de Lee's Ferry, le Colorado heurtait l'éboulis de Hermit Creek pour créer l'une des plus longues séries de montagnes russes du canyon. Une vague après l'autre, on était charrié de creux en crête, dans une folie d'écume. La cinquième vague, en particulier, avait tendance à s'incurver, ce qui pouvait facilement faire chavirer une embarcation. Le but de JT était toujours de foncer droit à travers les rapides, pour offrir à ses passagers le frisson attendu, mais sans courir de risques inutiles. Le problème, c'est que parfois le raft prenait un peu trop de vitesse, et que JT attaquait cette cinquième vague avec peut-être un peu trop de poids à l'arrière. Soudain, le raft décollait, restait suspendu dans les airs au milieu des rapides grondants, et JT pesait de tout son poids sur les pagaies alors même qu'il sentait que le retournement se produisait : happée par les tourbillons écumeux, l'embarcation était aspirée par le fond avant d'émerger de nouveau à la lumière. Et lui était toujours désorienté, jusqu'au moment où il repérait le dessous blanc du raft, en général tout près de lui. Il en avait été ainsi bon nombre de fois dans sa vie de guide, et même si ce n'était pas une expérience positive pour tout le monde, l'expression des autres passagers quand il les hissait sur le ventre retourné du raft en valait la peine – choc, adrénaline, joie, peur, joie, excitation, ou encore joie. Parce que, en général, c'était de la joie, l'exultation pure d'avoir survécu à un plongeon dans un des fleuves les plus puissants de l'hémisphère Nord.

JT compta les fois où il avait chaviré. Cinq en tout, si sa mémoire était bonne.

Il vida sa bière d'un trait et jeta la canette vide sur une bâche déployée sur la plage, puis plongea la main dans le filet accroché à l'extérieur du raft pour en prendre une autre. Le soleil était encore haut dans le ciel, l'eau vert foncé cruellement froide si on y laissait le pied plus de quelques secondes. De l'autre côté du fleuve, vers l'est, s'élevaient des collines brunes où poussaient ici et là des pins pignons, des buissons de sauge et des genévriers ; en aval, des falaises saumon clair marquaient l'entrée de Marble Canyon.

En tant que guide-chef de ce raid, JT devait prendre toutes les décisions importantes du quotidien : où s'arrêter déjeuner, quelles randonnées faire, décréter ou non une journée de repos. Si l'un des participants se révélait difficile, JT devait le remettre à sa place ; si quelqu'un était blessé, JT décidait ou non d'évacuer. Deux descentes par saison à ce poste lui suffisaient amplement ; car si on gagnait un peu plus, on ne dormait jamais vraiment.

Là-haut sur la plage, Dixie et Abo, ses adjoints, fourraient une par une des tentes dans un gros sac en caoutchouc. JT avait faim, il était fatigué, et il rêva brièvement qu'ils lui préparaient un bon dîner. Après une longue matinée passée à charger le camion au dépôt de Flagstaff, il leur avait fallu trois heures de route pour gagner Lee's Ferry, et ils avaient consacré tout l'après-midi à préparer leurs rafts sous le soleil brûlant du désert. Cette plage, le seul endroit de mise à l'eau sur le fleuve, était encombrée de gens et d'embarcations : deux gros rafts motorisés, environ une douzaine de solides rafts de six mètres, et une flottille de kayaks de couleurs vives. Et une telle quantité de matériel – caissons cabossés, sacs étanches, gourdes, rames, pagaies, gilets de sauvetage – qu'on aurait dit une brocante pour amateurs de sports en eau vive. Pourtant, malgré le chaos, tout le monde semblait savoir qui possédait quoi et pour quoi faire, et JT savait qu'avant dix heures le lendemain matin chaque chose serait rangée à la place qui lui revenait sur chacun des bateaux.

Haut dans le ciel, un urubu à tête rouge décrivait des cercles lents, ses ailes à bout blanc largement déployées. Les occupants du raft motorisé avaient installé des pliants et ouvert des parasols mais personne n'était assis ; il y avait trop à faire, même si l'on s'affairait une bière à la main. Sur la plage, Abo, le barreur, réparait un livre à l'aide de rouleau adhésif, tandis que Dixie, qui ramerait dans le troisième raft, préparait leur pique-nique du jour. Elle portait un maillot de bain jaune et un sarong bleu noué autour de ses hanches ; des tresses mouillées rebiquaient sur ses épaules.

— Comment ça se fait qu'il n'y ait que cinq sandwiches ?

— Quatre pour moi, un à partager entre vous deux, répondit Abo.

— Très drôle, Abo. L'un de nous va rester sur sa faim, observa Dixie, et ça ne sera pas moi.

JT sourit par-devers lui. Il était content d'avoir ces deux-là dans son équipe. Abo, sur qui on pouvait toujours compter pour détendre l'atmosphère, avait trente-cinq ans. Grand, dégingandé, il avait des cheveux châtains aux pointes décolorées et des yeux d'un bleu limpide. Personne ne connaissait son vrai nom. Issu d'une famille d'agriculteurs du Midwest, il était venu à l'université de l'Arizona étudier la géologie. Au terme d'une descente du fleuve, il n'avait jamais repris ses études. L'hiver, il construisait des maisons et se dégotait de petits boulots dans les stations de ski du coin. D'après la rumeur, il avait eu un fils avec une productrice de cinéma californienne rencontrée lors d'un raid. Aux yeux de JT, c'était un bon guide ; non seulement il savait faire rire leurs clients, mais en tant que géologue amateur, il connaissait mieux que personne les couches rocheuses du canyon.

Dixie, dont le nom complet était Dixie Ann Gillis, avait vingt-sept ans. C'était une nouvelle recrue, et JT n'avait fait qu'un seul autre raid avec elle, mais il avait été impres sionné en la voyant porter secours à un descendeur en difficulté dans le Rock Garden, au-dessous de Crystal Rapid. Elle avait des idées bien arrêtées sur pas mal de choses, et cela plaisait à JT. Si on l'avait pris par surprise, il aurait peut-être admis qu'il était à moitié amoureux de Dixie, mais elle avait un petit ami à Tucson dont elle gardait la photo scotchée à l'intérieur de sa caisse d'effets personnels, et JT n'était pas homme à gâcher le bonheur d'un autre. D'ailleurs, au bout de cent vingt-cinq descentes, JT savait comment les choses se passaient, et qu'on pouvait tomber amoureux en un clin d'œil – littéralement – avant même d'être sorti de Marble Canyon. Un guide passait sa vie à tomber amoureux, il le savait ; il avait connu sa part d'aventures ; mais s'il y avait une chose qu'il comprenait à présent, c'était qu'il valait mieux prendre du recul et ne pas attacher trop d'importance aux choses, descente après descente après descente.

JT ouvrit le caisson à ses pieds, sortit la liste des passagers et parcourut les noms et les notes qui leur étaient associés. Il aurait dû y en avoir quatorze pour ce raid, mais un couple avait annulé à la dernière minute, ce qui signifiait qu'il allait devoir jongler avec les placements pour équilibrer les rafts. Il y avait deux végétariens, trois personnes qui ne consommaient pas de produits laitiers, et une qui « adorait la viande rouge ». La plupart n'avaient aucune expérience du rafting, ce qui n'était pas surprenant, mais un participant ne savait pas nager, ce qui l'était. Et la présence de deux gamins le réjouit ; ces derniers avaient généralement un humour un peu dingue, absent chez les adultes, qui souffraient souvent d'un respect excessif pour les merveilles de la nature. Il se promit d'assigner une tâche aux garçons – celle d'écraser les canettes, peut-être –, de sorte qu'ils puissent se sentir utiles et indépendants de leurs parents.

Il continua à lire la liste. Y figurait un couple du Wyoming, Mitchell et Lena ; Lena, remarqua-t-il, était allergique aux cacahuètes, aux animaux à poil, à l'herbe et au pollen. Eh bien, il fallait espérer qu'elle emporterait un stock de Benadryl et un Epipen ou deux. Il y avait une mère et sa fille, Susan et Amy. Celui qui ne savait pas nager était un jeune homme de l'Ohio, Peter, vingt-sept ans, qui voyageait en solo.

JT nota son âge et jeta machinalement un coup d'œil à Dixie, qui renouait son sarong. N'y pense même pas, s'entendit-il dire à Peter. N'essaie même pas.

Ce soir-là, alors que le ciel commençait à s'assombrir, tous les descendeurs se réunirent et firent circuler une bouteille de whisky, partageant de vieilles anecdotes, en inventant de nouvelles, racontant des blagues. Vers vingt et une heures trente, JT, qui avait refusé la deuxième tournée de whisky, regagna son raft. Il se brossa les dents, puis déroula son sac de couchage sur la longue glacière à viande qui occupait le centre de l'embarcation.

La nuit était tombée, mais les parois du canyon continuaient à irradier la chaleur de la journée. JT mit sa lampe frontale, s'assit et s'essuya les pieds, méthodiquement, avec soin. Il les massa avec du baume à la cire d'abeille puis enfila une paire de chaussettes propres afin d'empêcher la peau de se craqueler. Enfin, il s'allongea sur le sac de couchage. Les bras repliés sous la tête, il contempla les étoiles éparpillées au-dessus de lui. Une brise chaude lui caressait la peau. Il reconnut la Grande Ourse, et Cassiopée.

Sur la plage, un éclat de rire jaillit parmi les fêtards, mais ses yeux avaient commencé à se fermer et sa vue à se brouiller. Il lutta en vain pour les garder ouverts afin d'admirer encore un peu le spectacle étoilé. Quelques minutes plus tard, il dormait profondément.

3 juillet

J'écris dans la salle de bains de l'hôtel parce que maman est dehors, toutes nos affaires étalées sur les deux lits, en train de PANIQUER à l'idée d'oublier quelque chose. Ce soir, nous avons eu notre réunion d'information. Maman et moi on était en retard et quand on est entrées, tout le monde m'a regardée. Sûrement à cause de mon T-shirt CLUB DES GROS. Pitié, pitié, pitié, qu'on ne me force pas à faire cette descente ! Il n'y a personne de mon âge et je vais passer tout mon temps à manger. Et il va faire une chaleur d'enfer et je ferai sans doute couler les bateaux.

Peut-être que si je me jette par la fenêtre, elle ne me forcera pas à y aller.

On est censées se lever à cinq heures et demie demain matin et le bus part à six heures et demie. Je ne sais pas ce que je vais faire avec ma mère sur le dos pendant deux semaines. Pourquoi est-ce qu'il a fallu qu'elle m'amène ? J'aurais pu rester toute seule à la maison. Oh ! non Amy, tu pars à l'université dans un an, je veux profiter un peu de toi ! Oh ! non Amy, un tueur en série pourrait venir à bout des vingt-deux serrures de la porte d'entrée !

Je crois que j'ai une intoxication alimentaire.

JOUR 1

Miles 1-16
Lee's Ferry – House Rock

2

Jour 1
Lee's Ferry
Mile 0

Le lendemain matin, comme lors de chaque descente, JT s'éveilla avec la sensation de flotter.

On était le 4 Juillet. Le jour de l'embarquement. L'air était tempéré, le ciel d'un bleu foncé. JT estima qu'il devait être autour de cinq heures. Pendant la nuit, il avait remonté le drap sur lui. Sans faire de bruit il s'assit, enfila un T-shirt, enjamba son matériel et sauta sur la plage. Il alluma le réchaud et mit une casserole d'eau à bouillir. Quand elle fut prête, il y laissa tomber un sachet de café moulu et remua. Comme il sentait bon, ce café rustique, dans le canyon !

Maintenant Abo et Dixie se redressaient à leur tour, en bâillant, cherchant leurs vêtements à tâtons. Lorsque la poudre se fut déposée au fond de la casserole, JT remplit trois tasses en plastique et les descendit au bord de l'eau.

— Joyeux 4 Juillet, murmura-t-il.

Abo prit sa tasse sans un mot, ferma les yeux et souffla dessus.

— Merci, merci, merci ! s'écria Dixie quand il lui tendit la sienne.

Sa voix était douce, empreinte de gentillesse et d'une fragilité inhabituelle. Il s'efforça en vain de ne pas y prêter attention.

— Tu as bien dormi, JT ?

— Comme un loir.

Ils restèrent un moment silencieux, admirant les ombres gris-bleu sur l'eau, les falaises qui se découpaient sur le ciel. Un troglodyte des canyons émit son cri plaintif, une longue série de notes descendantes. Une légère brise donna la chair de poule à JT.

— Je suis tellement content, dit enfin Abo d'une voix grave, encore rauque de sommeil, de ne pas être obligé d'être sociable tout de suite !

— Combien de whiskys as-tu bus hier soir ? demanda JT.

— Quel whisky ?

JT les laissa et alla bavarder avec les kayakistes, qui remontaient les uns après les autres le long de la plage, venus de leur petit campement un peu en aval. Apparemment, ils étaient tous membres de la même famille : deux frères grands et secs, accompagnés de leurs épouses et de plusieurs enfants. JT leur demanda où ils comptaient camper ce soir-là. Pendant ces mois d'été où le fleuve était encombré, l'idéal était que les groupes se répartissent dès le premier soir, afin de ne pas constamment tomber les uns sur les autres pendant le reste du voyage.

Quand sept heures arrivèrent, le soleil était déjà passé par-dessus les collines basses vers l'est et les randonneurs motorisés allaient et venaient sur les gros boudins de leur raft, arrimant leurs affaires. Certains des pêcheurs à la journée étaient arrivés et farfouillaient dans leur matériel au bord de l'eau. À huit heures, JT, Abo et Dixie avaient terminé leur petit déjeuner, après quoi ils passèrent plusieurs heures à resserrer des sangles, remplir des coffres à ras bord et déplacer du matériel, de manière à répartir la charge entre les différents rafts. Ils accrochèrent des seaux à écoper à leurs embarcations. Le soleil devint chaud, leur brûla les épaules, et ils enfilèrent des chemises à manches longues. Ils burent de longues goulées d'eau à même d'anciennes bouteilles de jus d'orange en plastique.

À dix heures et demie, JT fixait un drapeau américain à son siège – on était le 4 Juillet, après tout – quand il leva les yeux et vit un vieux bus scolaire gris descendre la colline en cahotant, soulevant un nuage de poussière sur son passage. Dixie plissa les yeux.

— C'est l'heure d'y aller, dit-elle. Tu en es où, Abo ?

Debout dans son raft, son collègue se brossait les dents au soleil. Son matelas pneumatique disparaissait sous une pile chaotique de vêtements, livres, pistolets à eau géants et matériel de photo. Il cracha dans l'eau.

— Je suis presque prêt, dit-il. Hé ! est-ce qu'un de vous deux pourrait caser une partie de ces trucs dans son bateau ?

— Sûrement pas, mon chou, rétorqua Dixie. Prêt, JT ?

JT se leva, urina dans l'eau en décrivant un arc étincelant, puis rajusta son short.

— Prêt, dit-il en sautant sur le sable. Que la descente commence !

3

Jour 1
Lee's Ferry

Un par un, les vacanciers descendirent du bus, titubant sous l'ardent soleil matinal. Leurs vêtements étaient propres, leurs chapeaux droits. Ils avaient le teint pâle et sentaient la crème solaire. Soucieux non seulement de se rendre utiles, mais aussi de faire dès le départ bonne impression sur les guides, ils s'attroupèrent autour de la soute, se bousculant pour décharger plus que leur part de matériel. JT s'efforça de mettre un visage sur les noms qui figuraient sur sa liste : Ruth et Lloyd Frankel, le vieux couple qui descendait le fleuve pour la énième fois ; Peter Kramer, de Cincinnati, qui effectuait le gros du déchargement ; le couple Compson, qui rappelait à l'ordre leurs deux fils partis au bord de l'eau afin qu'ils les aident. Le géant au chapeau à bord mou devait être le retraité du Wyoming, et son épouse la femme minuscule arborant le même couvre-chef. Il y avait l'adolescente, Amy – waouh, qu'elle était grosse ! –, et la femme blonde et mince qui lui parlait devait être sa mère.

On aurait le temps de se présenter plus tard.

Lorsque le bus fut vide et que tous les sacs furent éparpillés sur la plage, JT mena les nouveaux venus vers une pile de gilets orange, et les trois guides circulèrent de l'un à l'autre, vérifiant les tailles et tirant sur les sangles pour s'assurer que le vêtement était assez serré.

— Je ne peux pas respirer, dit la femme minuscule.

— Parfait, gloussa JT.

Puis il rassembla son monde à l'ombre de quelques tamaris pour le discours d'introduction. Il commença par se présenter, ajoutant qu'il en était à son cent vingt-cinquième raid.

— C'est un nombre qui compte, je suppose, dit-il, son regard allant d'un visage à l'autre. Mais je suis aussi passionné aujourd'hui que la première fois. Je crois que je ne pourrai jamais me lasser de cet endroit.

Comme il parlait, une grosse abeille jaune entra dans le cercle en bourdonnant paresseusement et s'arrêta devant son visage. JT lui sourit, et l'abeille prit la fuite.

— Pas seulement à cause des rapides, ajouta-t-il. Il y a aussi les marches dans les canyons secondaires, les condors, les falaises à pic, le cresson sauvage et… enfin, vous verrez ce que je veux dire.

Il poursuivit en leur rappelant qu'au cours des deux semaines à venir, ils apprendraient à bien se connaître.

— Voici comment je vois les choses, dit-il, espérant instaurer une bonne atmosphère dès le départ. Il n'y a pas d'inconnus, seulement des gens dont nous n'avons pas encore fait la connaissance.

À ces mots, la mère des enfants Compson donna un coup de coude aux garçons, qui froncèrent les sourcils et s'éloignèrent. JT venait sans doute de répéter ce qu'avaient dit leurs parents sur l'importance d'avoir l'esprit ouvert et de se faire de nouveaux amis. Ayant jeté un coup d'œil à tous les adultes, les garçons supposaient qu'ils allaient passer deux semaines à se faire réprimander constamment.

Eh bien, ils ne tarderaient pas à voir comment des adultes pouvaient se comporter au bout de deux jours de descente.

JT s'accroupit et déplia une carte topographique écornée sur le sable. Le groupe s'approcha. À l'aide d'un bâton, il désigna le coin supérieur droit.

— Bon. Nous sommes ici, à Lee's Ferry, dit-il, et deux cent vingt-six miles nous séparent de l'arrivée à Diamond Creek. Certains jours, nous couvrirons dix miles, d'autres trente, c'est variable. La seule chose que je vous demande, c'est d'être flexibles. Les plans peuvent changer pour toutes sortes de raisons.

— J'espère qu'on s'arrêtera à Havasu, intervint l'homme du Wyoming. À propos, je suis Mitchell Boyer-Brandt, dit-il en tendant la main.

— C'est à Havasu que l'eau est turquoise ? demanda la mère des garçons.

— Et qu'il y a des vignes, des fougères et des cascades, répondit Mitchell. J'attends d'y aller depuis l'âge de dix ans.

JT ne voulait pas se laisser entraîner hors de son sujet.

— Havasu est magnifique, admit-il, encore qu'avec une centaine de personnes sur la piste, l'endroit puisse perdre un peu de son charme. Cela dit, je ferai de mon mieux pour qu'on s'y arrête.

Il replia la carte avec soin.

— Bien. Je vois que vous avez tous un gilet. Règle de sécurité numéro un : VOUS NE DEVEZ PAS LE QUITTER quand vous êtes sur l'eau. Jamais. Quand vous descendez à terre, accrochez-le à quelque chose sur le raft ou à un buisson, n'importe, pour qu'il ne s'envole pas. Vous savez comment on appelle un passager sans gilet de sauvetage ?

Des rires nerveux fusèrent.

— Un marcheur, dit JT en souriant. Règle numéro deux : vous devez savoir où se trouve la pharmacie et soigner vos coupures et égratignures. Nettoyez-les bien. Mettez de la pommade. Un pansement. Une plaie insignifiante peut très vite s'infecter, et gâcher irrémédiablement une descente.

— Il y a des rapides, aujourd'hui ? demanda l'un des garçons.

JT regarda l'enfant qui plissait les yeux vers lui, puis son frère. Tous les deux avaient des cheveux clairs qui venaient d'être coupés ras. JT se demanda s'il arriverait à les distinguer l'un de l'autre.

— Comment t'appelles-tu ?

— Sam !

— Tope-là, Sam !

Ils se tapèrent dans la paume.

— Bien sûr qu'il y a des rapides aujourd'hui, et je vais justement procéder à une petite démonstration pour que chacun sache quoi faire au cas où il se retrouverait dans l'eau.

— J'espère bien que ça n'arrivera pas ! s'exclama le jeune homme de Cincinnati ; je ne sais pas nager.

— Ça n'arrivera sans doute pas, dit JT. Mais au cas où ça se produirait, voici ce qu'il faut faire. Vous risquez de vous retrouver sous l'eau pendant quelques secondes, mais je vous *garantis* que votre gilet vous fera remonter. Une fois hors de l'eau, regardez autour de vous. Il y a de grandes chances que vous soyez juste à côté du raft, parce que le courant vous emporte à la même vitesse. Alors accrochez-vous et grimpez à bord.

— Et si on ne remonte pas ? s'enquit Sam.

— On remonte, assura JT.

— Mais si on est aspiré par un tourbillon ?

— Je viendrai te chercher moi-même, bonhomme. Maintenant, si pour une raison quelconque vous n'êtes pas à côté du raft, il vous faudra peut-être franchir le reste des rapides à la nage. Dans ce cas, c'est très simple, vous voyez, on met les pieds en avant…

Il souleva un pied devant lui, sautillant un peu pour garder l'équilibre.

— … on se laisse aller en arrière, comme ceci…

Il illustra la position, les bras écartés.

— … on fait la planche jusqu'au bout des rapides, et un raft vous récupère plus bas. C'est très simple. Il suffit de faire attention. Si quelqu'un vous fait signe de nager sur la gauche, nagez sur la gauche.

— Mais si on est dans le coma ? insista le gamin.

— Oh ! Sam ! soupira sa mère.

— Mais si on est dans le coma, on ne peut pas faire grand-chose, persista-t-il.

— Ne sois pas crétin, lança son frère.

— Si tu es dans le coma, je m'occuperai de toi, affirma JT. Les guides sont formés pour ce genre de choses. Mais ça n'arrivera pas. Si tu tombes à l'eau, tout ira bien.

— N'empêche que cela soulève une question, fit Mitchell. Que se passe-t-il si quelqu'un est vraiment blessé ?

— On a un téléphone satellite, dit JT. Normalement, un hélicoptère peut nous être envoyé dans l'heure.

— Où sont les urgences les plus proches ? s'enquit la mère.

— Flagstaff.

— Il y a des serpents à sonnette, ici ? demanda Matthew, le frère de Sam.

— Oui. Si on les laisse tranquilles, ils nous laissent tranquilles aussi.

— Des scorpions ?

— Oui. Secouez vos vêtements avant de les mettre.

— Et le virus du Nil ? s'enquit le père des garçons.

— Non.

— La maladie de Lyme ?

— L'hantavirus ?

JT leva les mains.

— Waouh ! Soyons positifs, d'accord ? Il y a sans doute plus de probabilités d'avoir un accident de voiture en allant faire ses courses que de se faire mordre par un serpent.

— Quelle est la température au fond ?

La question émanait d'une femme d'une cinquantaine d'années, aux cheveux coupés au bol. Son chemisier à manches longues boutonné jusqu'au menton lui mangeait le cou.

— Tu es ?

— Evelyn.

— Je ne vais pas raconter d'histoires, Evelyn. Il fait sacrément chaud. Il a fait quarante-cinq à Phantom, hier. Mais on peut toujours se rafraîchir dans l'eau. Vous savez ce que je dis à propos de la chaleur ?

Le groupe attendit.

JT arqua un sourcil.

— Celui qui a chaud est un nigaud.

— Puis-je savoir quel est le niveau de l'eau ? intervint Mitchell.

— Au plus bas, douze, treize, répondit JT. Et pour ceux d'entre vous qui ne connaissent pas les mesures utilisées par le Bureau of Reclamation[1], ça veut dire douze mille mètres cubes d'eau à la seconde. Les maximales sont dix-huit, vingt.

— Pourquoi ces différences ? demanda Mark.

JT expliqua que le volume d'eau lâché par les techniciens du barrage variait en fonction des besoins en électricité de Phoenix.

— C'est comme les marées, conclut-il. Pas de quoi en faire un plat.

— Et la cuisine ? s'enquit Peter.

— Disons que ce n'est pas un voyage régime, répondit JT. Nous allons vous nourrir correctement. Justement, je veux couvrir quelques miles avant le déjeuner, alors allons-y.

Il glissa la carte dans son étui étanche et demanda aux membres du groupe de vérifier que leurs gourdes étaient pleines et leurs chapeaux bien attachés. Obéissant à ses instructions, ils sortirent de l'ombre et s'avancèrent à la queue leu leu sous le soleil chaud et éclatant du désert. L'adolescente fermait la marche. Elle s'était tenue en retrait, et quand JT la vit de nouveau, il se rendit compte

1. Agence fédérale chargée de gérer les ressources en eau du territoire. *(N.d.T.)*

qu'elle n'était pas juste grosse ; elle était énorme. Elle portait un T-shirt vert Jamba Juice trop large pour elle et un short de sport gris qui tombait sur les replis de ses genoux massifs. Ses cheveux bruns, séparés par une raie au milieu, étaient rassemblés en une queue-de-cheval peu flatteuse à la base de la nuque.

Elle hésita, et JT remarqua que son gilet de sauvetage ne fermait pas en bas.

— Attends, je vais t'ajuster ça, dit-il gaiement.

Elle écarta timidement les bras et jeta un coup d'œil sur le côté, tandis que JT tirait sur les sangles pour gagner quelques centimètres supplémentaires. Ses efforts furent vains. Il vérifia que le gilet était une taille L. En effet. Il batailla de nouveau avec les sangles et, en serrant vigoureusement, parvint à l'attacher. La fille grimaça.

— Trop serré ? demanda-t-il en levant les yeux.

Elle plissa le nez.

JT fronça les sourcils.

— Il faut absolument qu'il soit bouclé, dit-il. C'est le règlement du parc. Baisse les bras et on va voir.

Elle obéit. Dès qu'elle inspira, le gilet s'ouvrit. Ses yeux s'emplirent de larmes.

JT se gratta la nuque. Le règlement était le règlement. S'il lui arrivait quelque chose, il serait responsable.

— Comment t'appelles-tu ?

— Amy.

— Bon, Amy. Certains de ces gilets sont plus lâches que d'autres. On va en chercher un qui t'aille mieux.

Ils revinrent sur leurs pas, et fouillèrent parmi la pile jusqu'à ce qu'ils en aient trouvé un qui veuille bien fermer. Les bras écartés comme les ailes d'un pingouin, elle ressemblait à un personnage de bande dessinée.

— Je crois que c'est surtout de l'eau, dit-elle. Ma mère dit que ça vient de l'altitude. J'ai les chevilles enflées aussi.

JT doutait fort de son diagnostic, mais il se borna à hocher la tête.

— Allons te trouver une bonne place sur un des rafts. Tu veux monter avec moi ?

— OK, dit-elle timidement.

— Alors, viens, dit-il en se dirigeant vers les embarcations. Tu préfères l'avant ou l'arrière ?

— C'est quoi la différence ?

— Devant, on se fait un peu plus éclabousser.

Amy sourit.

— L'avant, alors.

Aussitôt, JT se rendit compte qu'avec son poids, l'avant du raft était précisément l'endroit où Amy n'aurait pas dû se trouver. Mais il n'allait pas gâcher l'atmosphère maintenant.

— Bien, ce sera l'avant, dit-il. Viens. Mon raft est celui où flotte le drapeau. D'où es-tu, Amy ? Du Wisconsin, c'est ça ? Ma grand-mère a été élevée dans le Wisconsin. Tu veux un chewing-gum ?

— Je veux bien, merci, dit Amy.

— Bienvenue dans le plus grand fossé du monde.

4

Jour 1
Lee's Ferry

Pendant que le bus dévalait en bringuebalant la route gravillonnée qui menait à Lee's Ferry, Peter Kramer avala le reste de la pastèque qu'il avait raflée au buffet du petit déjeuner ce matin-là. Peter avait lu dans le *Cosmo* de sa sœur que la pastèque donnait un meilleur goût au sperme. Il ne savait pas s'il allait se faire tailler quelques pipes pendant cette descente, mais accroître son taux de sucre ne pouvait pas lui faire de mal.

Non qu'il nourrisse de grands espoirs, après avoir rencontré les autres passagers à la réunion d'information de la veille au soir. Il y avait une famille nucléaire, le père bien mis, la mère à l'air las et deux garçons qui se chamaillaient ; une femme d'âge moyen, informe, obsédée par la question de savoir si elle devait emporter son pantalon de pluie ; un couple du troisième âge aussi soudé que des siamois ; un cow-boy frimeur et sa naine de femme, de grandes tasses de café glacé à la main. La dernière à arriver fut une femme mince, élégante, avec des cheveux blonds coupés au carré et des mèches vaporeuses qui lui donnaient un air scandinave et angélique – mais elle était flanquée de sa fille, très probablement la personne la plus obèse que Peter ait jamais vue.

Ce qui l'avait inquiété : n'y avait-il aucune limite de poids, pour des raisons de sécurité ? À quel genre d'organisation avait-il donc affaire ?

Ce n'était pas Peter qui avait eu l'idée de ce voyage. Il déprimait depuis des semaines, à Cincinnati, se plaignant à sa sœur que leur mère allait encore passer l'été à lui demander de venir arroser ses pivoines un soir sur deux, alors qu'il avait besoin de vacances, bordel. Ce n'était pas parce qu'il était au chômage et que Miss Ohio l'avait plaqué un an plus tôt qu'il était son jardinier corvéable à merci.

Lasse d'entendre ses jérémiades, sa sœur lui avait réservé à la dernière minute une place avec Coconino, spécialiste des voyages d'aventure. Elle avait fait ce raid l'année précédente, l'avait adoré, et voulait désormais partager son expérience avec le monde entier. Peter lui rappela qu'il ne savait pas nager ; qu'il ne se fiait pas aux crèmes solaires ; qu'il était allergique aux circuits organisés où tout le monde devait se tenir par la main pour traverser la rue. Qu'en plus, les canyons le rendaient claustrophobe. Qu'il essayait d'arrêter de fumer. Et qu'il n'avait pas de boulot.

« Peter. Arrête. Tout est payé, répondit sa sœur. Et c'est vraiment, vraiment magnifique. Tu vas revenir changé, et un gros fabricant de cartes géographiques se précipitera pour t'offrir le boulot de tes rêves. »

Peter était donc monté dans l'avion pour Phoenix, parce que au moins cela lui permettrait d'échapper à sa mère pendant deux semaines. Il avait cru sa sœur lorsqu'elle lui avait affirmé que les guides obligeaient tout le monde à porter un gilet de sauvetage et qu'il avait peu de chances de tomber à l'eau, et il s'était dit que Miss Ohio, en entendant parler de ce voyage, comprendrait combien il était aventureux et regretterait sa décision d'en épouser un autre. Il avait même été prêt à admettre qu'il rencontrerait peut-être une femme sexy pendant le voyage… jusqu'à ce qu'il se rende à la réunion d'information et comprenne qu'il avait signé pour deux semaines de thérapie de groupe.

Quand Peter descendit du bus, la température devait approcher les quarante degrés. L'endroit ne ressemblait guère à un canyon. La plage était couverte de matériel, de gens et de bruit. On leur fit un discours de motivation, et tandis qu'on leur parlait des gilets de sauvetage, du rangement du matériel et des règles de sécurité, il se demandait si le chauffeur du bus accepterait de le ramener à Flagstaff. Puis le guide-chef leur présenta ses deux auxiliaires, et tout changea.

Elle était vêtue d'un chapeau de paille défoncé, d'un short rouge délavé et d'une chemise rose déchirée, nouée à la taille, qui laissait voir son nombril. Ses tresses lui effleuraient les épaules, et elle portait un porte-bonheur en argent accroché à une lanière de cuir autour de son cou. Elle interrompit à peine sa tâche pour dire bonjour, mais Peter ne put la quitter des yeux pendant qu'elle travaillait sur son raft, chargeant caisses et cartons, tirant sur des sangles, enroulant des cordes ; et quand elle plongea un bandana dans l'eau et se le mit autour du cou à la manière d'un pirate, il dut ciller pour s'assurer qu'il ne rêvait pas.

Y avait-il un doute, si infime fût-il, sur le bateau qu'il allait choisir ?

Dès que JT les eut libérés, Peter s'approcha de son raft d'un air dégagé.

— Un coup de main ? demanda-t-il.

— Non.

Elle lui décocha un sourire, puis sauta d'une embarcation à l'autre, s'affairant ici et là ; Peter n'aurait su dire ce qu'elle faisait mais cela semblait exiger une bonne dose d'expertise. Quand elle revint enfin, Peter n'avait pas bougé d'un pouce.

— Tiens, dit-elle en lui lançant un bout de corde emmêlé, essaie de défaire le nœud, si ça ne t'ennuie pas. Abo ! C'est ton sac, là ? Tu crois que je vais trimballer ton bordel ?

Et Peter, à qui sa mère avait maintes fois demandé de démêler un écheveau de laine et qui l'avait fait avec dédain (d'autres choses l'attendaient : paniers de basket à mettre, haltères à soulever, moteur V-8 à faire rugir), se retrouva à séparer avec amour les brins d'une corde en nylon blanc qui, pour avoir si souvent touché les mains de Dixie, avait immédiatement revêtu un caractère aussi intime que le contenu entier du tiroir supérieur de sa commode.

De sorte que lorsque le cow-boy frimeur du Wyoming rassembla tout le monde pour une photo de groupe, il se surprit à sourire avec embarras, conscient que, peut-être, elle regardait.

5

Jour 1
Miles 0-4

Après le laïus de JT, Evelyn Burns crapahuta sur les boudins en caoutchouc du raft de Dixie, s'efforçant de gagner l'arrière sans glisser. Elle aurait préféré embarquer dans le bateau de JT, mais la grosse fille venait de s'installer à l'avant et JT avait fait signe à Evelyn de choisir un autre raft. Elle se rappela qu'une femme pouvait ramer aussi bien qu'un homme, et se reprocha intérieurement d'avoir présumé le contraire.

Enfin, ils étaient sur le point de commencer leur voyage ! Ce raid était le cadeau qu'Evelyn s'était offert à l'occasion de son cinquantième anniversaire, et elle s'y préparait depuis plus d'un an en lisant des guides, des livres d'histoire et tous les récits personnels qu'elle avait pu dégoter. Professeur de biologie à Harvard, elle avait fait appel à ses vastes compétences en matière de recherche pour trouver le meilleur équipement possible sur Internet – chemisiers protégeant du rayonnement solaire, gourdes isothermes, pantalons séchant rapidement et qu'une simple fermeture Éclair permettait de transformer en shorts.

Evelyn détestait improviser.

Après avoir escaladé une pile de matériel, elle atterrit gauchement à l'arrière du raft. Le jeune homme de

Cincinnati était déjà installé sur un des boudins latéraux. Evelyn se rétablit, posa son sac à dos et s'épongea le front.

— C'est la galère rien que pour monter et descendre, hein ? lança Peter.

Evelyn répugnait à se considérer dans la même catégorie que ce jeune homme qui les avait tous informés la veille au soir qu'il ne savait pas nager. Evelyn savait nager. Elle savait aussi faire du canoë, de la voile et du kayak. C'était juste qu'elle manquait d'expérience pour monter et descendre de gros rafts en caoutchouc.

— J'ai oublié – c'est ta première descente du Colorado ? s'enquit le garçon.

À vrai dire, c'était même la première fois qu'Evelyn voyait le Colorado. Elle l'avait aperçu plus tôt ce matin, quand le bus s'était arrêté au Navajo Bridge, qui enjambait le fleuve juste avant la bretelle de sortie pour Lee's Ferry. Des tas de gens aimaient traverser le pont à pied, leur avait dit le conducteur. Evelyn était descendue du bus et s'était jointe aux autres mais elle s'était arrêtée au milieu pour regarder par-dessus la rambarde en fer. Il était là, cent cinquante mètres plus bas, un ruban bleu limpide flanqué de buissons verts et de falaises roses. Où étaient les rapides ? Elle n'entendait pas le grondement sourd des chutes, seulement le bourdonnement des voitures qui franchissaient le pont.

En fait, il lui suffisait de fermer les yeux pour se croire à Boston. Elle pensa à l'homme qui l'avait quittée six mois plus tôt en lui envoyant une lettre des plus brèves. Elle portait toujours autour du cou le cœur en or qu'il lui avait offert. Elle leva la main et le toucha. Il était lisse et tiède, aussi familier qu'une dent. Elle se souvenait de son écrin en velours rouge, du satin blanc à l'intérieur. Elle se remémorait la sensation du menton barbu de cet homme contre ses seins, la manière gauche dont il retirait ses lunettes avant qu'ils fassent l'amour. Poussée par une impulsion subite, Evelyn défit la chaîne. Elle la tint suspendue au-dessus de la rambarde, elle revit son visage une fois de plus, puis ouvrit les doigts. Les fils dorés scintillants, le cœur plus lourd au-dessous – le cadeau de Julian s'était volatilisé dans l'air chaud du désert. Et avec lui, espérait-elle, toute la tristesse qui tentait de s'immiscer en elle et de gâcher son voyage.

— Oui, c'est ma première, répondit Evelyn.

— Pour moi aussi, dit Peter. Je ne suis même jamais monté dans une barque. Tu veux un coup de main ?

Elle essayait d'attacher son sac à dos à l'enchevêtrement de sangles qui recouvraient la pile. Elle secoua la tête, mais les sangles étaient trop serrées, et elle dut attendre qu'il passe une main sous l'une d'elles et fasse levier pour pouvoir y fixer son cadenas.

— Il n'y a pas beaucoup de mou, hein ? dit-il gaiement.

Sans doute voulait-il sous-entendre qu'il avait plus d'expérience qu'elle ! Au fond du raft, une flaque d'eau froide s'était formée à ses pieds, et elle regretta de ne pas avoir sorti ses chaussettes en néoprène, mais elle n'allait pas repasser par tout ce cirque.

Tant d'efforts rien que pour s'installer à bord ! Comme elle détestait être une novice !

À l'avant, le vieux couple s'était assis tranquillement, comme s'ils avaient fait cela toute leur vie. Pendant ce temps, Dixie, barbotant jusqu'aux genoux dans l'eau glacée, achevait d'enrouler la lourde amarre en nylon, et coinça l'extrémité dans le rouleau d'un coup sec.

— Prêts ?

Après que tout le monde eut hoché la tête, elle donna une poussée au raft et sauta à bord, puis passa lestement par-dessus l'amoncellement de matériel bien arrimé pour atterrir enfin avec un petit claquement sur son siège. Elle se tortilla pour trouver une bonne position, empoigna les avirons et les plongea dans l'eau. D'un geste précis, elle donna deux vigoureux coups de rame du bras droit. Le raft pivota sur lui-même, et à la surprise d'Evelyn, ce qu'elle pensait être l'arrière devint l'avant, tandis qu'ils se tournaient vers l'aval.

— Au revoir, la civilisation ! s'exclama Dixie.

Evelyn se cramponna aux sangles. Le soleil cognait, l'eau clapotait doucement contre le flanc du bateau. Ici, le fleuve était d'un riche vert émeraude, et non bleu comme il lui était apparu depuis le pont, et il scintillait d'un éclat vif au soleil, étincelant là où le courant était plus rapide. De-ci, de-là, des taches rondes bouillonnaient à la surface. Evelyn jeta un coup d'œil en arrière vers Lee's Ferry. Les rafts à moteur étaient encore sur la plage, et elle remercia sa bonne étoile de ne pas faire une descente motorisée, car cela semblait être une manière inappropriée, tout à fait illégitime, de découvrir le fleuve. En amont, les pêcheurs marchaient dans l'eau vers le Wyoming, lançant leur ligne.

À chaque coup de rame, les tolets grinçaient. Assise à l'avant, Dixie pesait sur les avirons, se penchant et se redressant tour à tour.

Comme ils entraient dans des eaux plus vives, de petites vagues éclaboussèrent le raft, qui tangua légèrement.

— C'est nos premiers rapides ? demanda Peter.

Dixie se pencha sur l'aviron gauche pour maintenir la trajectoire.

— Non, juste un peu de courant. Pourquoi ? Tu t'inquiètes ?

— Plutôt, oui, répondit Peter. Je ne sais pas nager. Et à quelle température est cette eau, de toute manière ?

— Huit degrés, fit Dixie. Elle vient droit du fond du lac Powell, grâce au barrage de Glen Canyon.

— Tu ne sais vraiment pas nager du tout ? s'enquit Evelyn.

— Je coule comme une pierre, affirma Peter.

— Tu n'as jamais suivi de cours de natation dans ton enfance ?

— J'ai raté l'examen.

Evelyn avait du mal à croire qu'on laissait participer à cette expédition des gens qui ne savaient pas nager. Que faisait-il là, s'il avait peur de l'eau à ce point ?

— Truite ! cria Lloyd depuis l'arrière.

Evelyn scruta l'eau verte mais ne vit pas de poisson.

Dixie s'enquit de l'origine de chacun.

— Cincinnati, répondit Peter.

— Que fais-tu à Cincinnati ?

— La plupart du temps, j'arrose les pivoines de ma mère.

Dixie éclata de rire.

— Et toi, Evelyn ?

Evelyn déclara qu'elle était de Cambridge.

— Et que fais-tu à Cambridge ?

— J'enseigne la biologie.

— Ne me dis pas que tu es prof à Harvard, intervint Peter.

Evelyn admit que oui, elle enseignait à Harvard, ce qui arrêta net la conversation. Cela arrivait fréquemment ; au bout de quinze ans, elle ne savait toujours pas quoi répondre quand on lui demandait où elle travaillait. Si elle disait tout de suite qu'elle enseignait à Harvard, elle semblait se vanter. Si elle évitait de le faire, quelqu'un lui tirait tôt ou tard les vers du nez, et sa tentative de discrétion passait pour de la vantardise.

— Au moins, tu n'as pas l'accent de Boston, commenta Peter.

Mais avant qu'il puisse en imiter la prononciation affectée – tout le monde se sentait obligé d'y faire référence –, il y eut un couinement de caoutchouc à l'arrière du bateau, suivi d'un bruit sourd et d'un cri de détresse. Evelyn fit volte-face et ne vit qu'une jambe blanche et glabre pointant vers le ciel, le reste du vieil homme avait disparu.

— Lloyd ! cria sa femme.

En un clin d'œil, Dixie rangea ses avirons et sauta pardessus le chargement pour se porter à son secours, laissant le raft dériver au gré du courant.

— Ça va ? s'enquit-elle quand elle l'eut remonté.

— Eh ben dites donc ! s'écria l'homme. Je ne sais pas ce qui s'est passé !

— Il faut te tenir, Lloyd, gronda Ruth en époussetant sa chemise.

— Je me tenais !

— Mieux que ça, alors, insista sa femme.

Dixie regagna sa place et reprit les avirons.

— Quelle chaleur ! marmonna Lloyd.

Le fleuve décrivit un coude, et Navajo Bridge apparut. À cent cinquante mètres au-dessus d'eux, son arche sombre et délicate reliait les deux bords du canyon. De minuscules silhouettes étaient éparpillées le long de la rambarde. Evelyn avait peine à croire qu'un peu plus d'une heure plus tôt elle se trouvait sur ce pont et qu'à présent elle était là, sur le fleuve lui-même, déjà initiée à l'univers des descendeurs. Elle adressa un petit signe anodin aux inconnus qui regardaient. Dans son esprit, c'était soudain comme s'il y avait « eux et nous », ceux qui regardaient le fleuve et ceux qui le descendaient, les visiteurs contre les campeurs. Et bien qu'elle eût été incapable d'expliquer pourquoi, il lui semblait curieusement approprié que cette ligne de démarcation servît de dernière demeure au cœur en or de Julian.

Malgré elle, Evelyn baissa les yeux sur l'eau verte, s'attendant presque à y voir un éclair de lumière dorée.

6

Jour 1
Miles 4-6

Jamais de sa vie Jill Compson n'avait subi les assauts d'un soleil aussi ardent.

Ni à Salt Lake City, ni à Phoenix, ni même à Key West, où elle avait grandi. Il lui brûlait les épaules et lui tiraillait douloureusement la peau. Elle s'aspergeait les bras mais le soulagement était éphémère, l'eau si froide qu'elle brûlait aussi. Jill regrettait de ne pas avoir mis l'une des chemises en coton à manches longues qu'elle avait à toute force voulu faire porter aux garçons au départ de Lee's Ferry.

Jill et sa famille étaient tous à bord du raft à pagaies, ainsi que Mitchell et sa femme Lena, du Wyoming. Jill espérait que les garçons feraient meilleure impression aujourd'hui que la veille au soir, lors de la réunion d'information. Elle avait dû passer son temps à les arracher au buffet pour les forcer à se présenter aux autres voyageurs. Comment se faisait-il que ses enfants semblent incapables de regarder en face et de saluer poliment les gens qu'on leur présentait ?

Mais pourquoi aurait-elle dû s'en étonner, au fond ? Ils s'étaient opposés dès le départ à cette expédition. En fait, lorsqu'ils avaient découvert, au printemps dernier, qu'elle avait prévu ces vacances, ils avaient fait une scène abominable, affirmant qu'ils ne pouvaient pas manquer leur stage de basket. Quant à Mark, il l'avait à peine soutenue.

« Tu aurais pu m'en parler avant de verser les arrhes », avait-il dit, et cela devant les garçons, donnant plus de poids encore à leurs protestations.

En fin de compte, ils avaient négocié un compromis, à savoir une semaine de cours particuliers de basket, plus des jeux vidéo neufs pour les huit heures de voiture de Salt Lake City à Flagstaff – un trajet qui avait sévèrement mis à l'épreuve la patience de chacun. Lorsqu'ils avaient rencontré le groupe, Jill n'avait plus qu'une envie, se réfugier dans un spa pendant les deux semaines à venir. Ils avaient des chambres attenantes, et elle avait entendu les garçons sauter sur leurs lits jusque tard dans la nuit. Quatre fois, elle avait dû cogner contre le mur et leur ordonner d'éteindre la télévision. Deux fois, elle avait tenté avec Mark d'avoir un orgasme. Deux fois, elle avait échoué. Quand elle s'était levée, en pleine nuit, elle avait regardé dans la glace de la salle de bains et s'était demandé comment, en l'espace de treize courtes années, elle en était venue à ressembler de manière aussi frappante à sa mère : le visage pincé, sévère, totalement dépourvu d'humour.

Mais aujourd'hui, tout comme Evelyn, Jill sentait l'excitation courir dans ses veines alors qu'ils s'éloignaient de Lee's Ferry. Contrairement aux bateaux à rames, où les passagers pouvaient se détendre et profiter de la promenade pendant que les guides faisaient tout le travail, le raft à pagaies exigeait la participation générale. L'embarcation était conçue pour six pagayeurs, trois de chaque côté, avec une montagne de matériel au milieu. Barreur et capitaine, Abo dirigeait la manœuvre depuis son perchoir à l'arrière.

Jill et Mark étaient à l'avant, les garçons au milieu, Mitchell et Lena à l'arrière. En quittant Lee's Ferry, ils s'étaient un peu entraînés sous la conduite d'Abo. Et après pas mal de huit, ils avaient enfin compris ses instructions. Ensuite, la descente avait débuté pour de bon. Le soleil se faisait de plus en plus chaud, le fleuve de plus en plus vert, et Jill eut enfin la profonde conviction que l'aventure avait vraiment commencé. Après Navajo Bridge, les gorges se creusaient peu à peu, et des falaises marbrées de brun se dressaient droit dans l'eau. Déjà, le bord du canyon semblait appartenir à un autre monde, un monde plein de moteurs et d'asphalte, de réveille-matin, de cartes de crédit et de bulletins d'informations sans intérêt.

Jill se laissa hypnotiser par le courant effervescent, par les petits tourbillons qui naissaient de sa pagaie à la fin de chaque mouvement. À un moment, elle entendit Abo raconter l'aventure de deux jeunes hommes qui avaient descendu le fleuve à la nage, sans rien d'autre qu'une planche pour transporter quelques provisions. Sam ne le crut pas et demanda à Jill si c'était vrai.

— Mon chou, si le guide dit que c'est vrai, alors ça doit l'être, répondit-elle.

À part ça, elle resta en dehors de la conversation, les sens en harmonie avec la chaleur sèche, l'eau chatoyante, le ciel d'un bleu éclatant, les parois austères du canyon. Elle était tellement perdue dans ses pensées que ce fut un choc lorsque Abo dirigea soudain le raft vers le côté droit du fleuve, où JT s'était déjà arrêté le long de la rive.

— C'est l'heure du déjeuner, on dirait, lança Abo, et Jill se souvint brusquement qu'elle n'avait rien avalé hormis un muffin rassis au buffet de l'hôtel, à cinq heures et demie du matin.

— En avant, cria Abo. Allons, les pagayeurs, on a un repas à préparer ! Sam ! Matthew ! Un peu de muscle ! Vous voulez que je meure de faim ici ou quoi ?

Les ennuis commencèrent lorsque Sam se plaignit pour la cinquième fois d'avoir chaud. Les guides avaient dressé une table dans le peu d'ombre disponible et préparaient le déjeuner pendant que tous les passagers attendaient au soleil, désœuvrés.

— Souviens-toi de ce que j'ai dit tout à l'heure, lui dit JT, occupé à évider un avocat. Si tu as chaud, tu es un nigaud. Mets-toi dans l'eau. Garde ton gilet.

— Je vais me baigner, annonça Sam à son père.

— Ne pars pas trop loin. Tu crois que ça ne risque rien ? demanda Mark à Jill.

— Si le guide dit que ça ne risque rien, ça ne risque rien, répondit-elle.

Sam s'immergea jusqu'aux hanches, sautant d'un pied sur l'autre et poussant des cris. Finalement, il disparut sous la surface, mais seulement l'espace d'une minuscule seconde, durant laquelle il y eut un moment de silence, brisé par le hurlement soudain du garçon qui émergeait de nouveau. Il semblait tellement s'amuser que bientôt tout le monde se joignit à lui, sous le regard approbateur des guides. Et il n'y aurait pas eu le moindre problème si Sam, en sortant de l'eau, n'avait, on ne sait comment, trouvé le moyen de se coincer une fourmi de feu entre les orteils. Hurlant de plus belle, il se jeta sur le sol comme un possédé et retira sa sandale, qu'il balança par-dessus son épaule. Elle tomba dans le fleuve et fut promptement emportée par le courant.

JT se rua vers la rive, mais le temps qu'il y parvienne, la chaussure avait disparu.

Jill était furieuse parce que c'était une paire de Teva flambant neuve, Mark était furieux parce que Sam n'avait pas réfléchi aux conséquences de son geste, et Matthew était furieux parce que Sam monopolisait l'attention. Ce dernier se roulait par terre, souffrant le martyre et expédiant du sable dans le visage de tous ceux qui l'entouraient pour essayer de déterminer précisément où se trouvait la piqûre afin que JT puisse y appliquer le stick prévu à cet effet.

— C'est là, je crois, fit Jill en écartant les orteils du garçon. Sam, arrête de gigoter !

JT pressa le stick entre les orteils du gamin, qui hurla et donna des coups de pied.

— Bon sang, Sam ! grogna Mark.

— Essaie encore, suggéra Jill, mais JT resta prudemment en retrait.

— Qu'est-ce que ça fait si on n'en met pas ? demanda-t-elle.

— À ce stade, pas grand-chose, avoua JT. Il faut l'appliquer dans la minute qui suit la piqûre.

Les gens formaient un cercle autour d'eux, observant la scène.

— J'ai été piqué par une fourmi rouge en Afrique, une fois, dit Mitchell. C'est pas marrant.

Matthew creusait un trou dans le sable, marmonnant que c'était juste une fourmi et qu'il ne voyait pas le problème.

— Va mettre ton pied dans l'eau, bonhomme, conseilla JT.

— J'ai froid, maintenant, répondit Sam.

Matthew lui fit remarquer que la température atteignait les vingt-sept degrés.

— Seulement le pied, insista JT. Viens.

Il prit le garçon par le bras et l'aida à se relever. Avec des gestes dignes d'un acteur confirmé, Sam gagna le bord de l'eau en boitillant et trempa son pied, le visage ravagé par un cri muet.

Mark le regardait, les bras croisés.

— S'il te plaît, dis-moi que tu as apporté une paire de sandales supplémentaire, dit-il à Jill.

— Des tongs.

— Rien qui s'attache ?

— Non.

— Oh ! flûte ! fit Mark. Tant pis pour lui. Il n'a aucun sens des responsabilités.

— Il a douze ans, Mark.

— Quand j'avais douze ans, je travaillais.

Jill s'éloigna. Le travail de Mark à l'âge de douze ans consistait à passer cinq minutes chaque matin à retirer les feuilles tombées dans la piscine d'un voisin. Par chance, avant qu'elle ait pu s'appesantir là-dessus, les autres guides annoncèrent que le déjeuner était prêt, et tous s'avancèrent d'un pas traînant vers la table, où l'équipage avait préparé un véritable festin.

Il y avait deux sortes de pain, du jambon et de la dinde ; des tranches de munster et de cheddar, des tomates, des oignons rouges, des avocats, des concombres, des condiments et des piments jalapeños ; du beurre de cacahuètes et du blanc-manger ; des quartiers de melon et de pastèque ; des cookies aux noisettes et aux pépites de chocolat, des bonbons et des m&m's. La plupart des passagers avaient traité avec dédain l'idée de déjeuner, certains que la chaleur leur avait fait perdre l'appétit, mais ils se découvrirent soudain affamés, et finirent par entasser autant de choses qu'ils le pouvaient entre deux tranches de pain, avant d'en rajouter un peu pour faire bonne mesure. Susan goûta les jalapeños avec du beurre de cacahuètes. Amy se confectionna un sandwich de régime, dinde et feuilles de laitue ; Mitchell mangea des cuillerées de confiture directement dans le pot, et les garçons firent un stock de bonbons.

Peter Kramer, bien sûr, mangea autant de pastèque que cela lui était possible sans passer pour un glouton.

Pendant ce temps, le fleuve coulait, tantôt rapide, tantôt calme ; constant, vivant.

7

Jour 1
Miles 6-8

Au déjeuner ce jour-là, Susan Van Doren fut si gênée par la manière dont les gens scrutaient sa fille qu'elle faillit les attaquer bille en tête. Aucun d'entre eux n'avait-il jamais été gros ? Eu un ami obèse ? Regardé l'aiguille monter inexorablement sur la balance ?

Remets-toi, Susan, disait son côté Salope. *Regarde les choses en face, ta fille est grosse parce qu'elle mange comme un ogre. Et elle mange comme un ogre parce que tu es obnubilée par ton poids. Tu ne prends que des boissons light. Tu te pèses tous les matins. Ça fait dix-sept ans que tu lui communiques ton obsession ; le résultat est là : cent quinze kilos de culpabilité maternelle.*

Susan regarda Amy s'éloigner pesamment de la table, n'emportant qu'une tranche de dinde enroulée dans une feuille de laitue. Cela lui brisait le cœur de la voir faire un effort, se fixer des limites diététiques, et cela dès le premier jour. Susan aurait donné cher pour que la Salope en elle entre en hibernation et lui permette de se sentir semblable à toute autre femme équilibrée de quarante-trois ans qui avait tout pour être comblée : un bon emploi, une maison confortable, une fille adorable. Mais la Salope était toujours présente, à jacasser, à lui donner des complexes à cause d'Amy. Si elle l'avait pu elle aurait réduit la Salope en bouillie.

Sur le formulaire d'inscription, Susan, conseillère d'orientation à Mequon, Wisconsin, avait indiqué que son but, lors de cette expédition, était d'apprendre quelque chose sur elle-même. Celui d'Amy, avait-elle noté avant de renvoyer le dossier, était de « rencontrer des gens qui avaient en commun l'amour de la nature et du plein air, de voir le Grand Canyon et, surtout, de s'amuser ☺ ☺ ☺ ☺ ☺ ☺ ☺ ☺ ! ».

Qui aurait pu se plaindre d'une adolescente pareille ?

Son sandwich à la main, Susan traversa la plage pour rejoindre Amy, qui avait déjà fini de manger. Comme cette situation devait être gênante pour elle ! songea-t-elle, soudain envahie de remords. Pourquoi avait-elle organisé ces vacances ? Quelle mère amenait une adolescente obèse dans une expédition où on passait son temps en maillot de bain ?

— C'est superbe, non ? dit-elle gaiement.

— Il fait chaud.

— Trempe ton T-shirt dans l'eau, comme les guides.

Amy la toisa d'un regard cruel puis retourna d'un pas lourd à la table du déjeuner, prit une pile de cookies et se dirigea vers l'autre bout de la plage, où était assis le vieux couple.

Amy est une fille adorable, sensible et pleine d'attentions, aurait voulu dire Susan aux autres. D'ailleurs, quand on y réfléchissait, quelle importance avaient quelques cookies ? Néanmoins, elle était inquiète à l'idée que les autres aient vu Amy prendre les gâteaux et pensent que cette grosse fille mangeait plus que sa part. Et elle songea une fois de plus avec amertume aux préjugés des gens envers les obèses. Cette fois, pourtant, elle ne donna pas à la Salope le temps de riposter par une autre critique acerbe.

Ruth Frankel sourit à l'adolescente et la remercia pour les cookies.

— Regarde ce qu'elle nous a apporté, Lloyd.

— Qui ?

— Amy ! C'est bien Amy, n'est-ce pas ? Amy nous a apporté des cookies, Lloyd. Merci, mon petit, dit-elle à Amy. Va t'amuser maintenant. Tu n'es pas là pour servir les petits vieux !

— D'où sort-elle ? demanda Lloyd tandis qu'Amy s'éloignait.

— Elle participe au raid avec nous, lui rappela Ruth.

— Eh bien, elle ferait mieux de perdre un peu de poids, commenta Lloyd, sinon elle va finir diabétique. Tiens, des cookies ! Ça alors ! C'est toi qui les as apportés ?

Ruth soupira intérieurement. Au mois de mars précédent, elle avait obtenu l'accord du médecin de Lloyd pour entreprendre ce voyage, mais elle se demandait encore si c'était une bonne idée. Ils avaient descendu le fleuve pour la première fois alors qu'ils étaient jeunes mariés, dans les années cinquante. C'était avant la construction du barrage, à l'époque où Lloyd, médecin débutant, exerçait dans la réserve navajo pour rembourser ses prêts étudiant. Ruth, qui commençait tout juste à peindre, apportait ses aquarelles et emplissait son carnet de touches de couleur – saumon, mauve et aubergine –, des couleurs qu'elle reproduisait ensuite tout au long de l'hiver, où qu'elle se trouvât. Plus tard, ils s'étaient installés dans l'Illinois, à Evanston, où leurs deux enfants avaient grandi, mais ils étaient revenus année après année passer deux semaines dans le Canyon. Ils amenaient des amis et avaient même refusé des séjours au ski et au Mexique, préférant économiser pour ce voyage-ci ; une année, alors que leurs deux enfants étaient encore à l'université, ils avaient troqué des tableaux de Ruth contre leurs frais d'inscription. Ne se lassaient-ils pas de faire toujours la même descente ? leur demandaient les gens. Ne désiraient-ils pas voir d'autres lieux ? La vérité était qu'ils avaient l'un et l'autre le sentiment de purifier leur âme sur le fleuve, un concept que leurs amis, à Evanston – tous des gens qui fréquentaient l'église –, ne parvenaient pas à comprendre.

Puis, deux ans plus tôt, à l'âge de soixante-quatorze ans, Lloyd avait commencé à oublier certaines choses. Ce qu'il avait mangé au petit déjeuner. Ce qu'ils avaient fait le week-end précédent. Alors qu'il examinait un patient, il se surprenait à répéter ses questions. De retour dans son cabinet, il se rendait compte qu'il avait oublié son diagnostic. Ruth n'avait pas eu besoin d'un de ses collègues pour deviner ce qui clochait. L'année précédente, la maladie de Lloyd étant moins avancée, ils étaient venus comme d'habitude, sans inquiétude particulière. Cette année, cependant, le nombre croissant d'absences et de trous de mémoire avait poussé Ruth à s'interroger sur la sagesse d'entreprendre la descente du fleuve. Était-il irresponsable d'emmener Lloyd ? Elle était allée seule voir le médecin de son mari pour lui demander conseil. C'était un vieil ami, qui comprenait l'enjeu spirituel de ces voyages. D'un air sombre mais sceptique, il écouta Ruth lui énumérer les incidents inquiétants. Quand elle eut terminé, il se pencha par-dessus le bureau et prit ses mains dans les siennes.

— Ruth, dit-il, tu es prudente et responsable. Partez. Tu prendras soin de lui. Cela lui fera plus de bien au moral que de le garder en sécurité dans son salon.

Si bien qu'elle les avait inscrits à ce qui serait, elle le savait au fond de son cœur, leur dernier raid ensemble. Le plus difficile avait été de faire les bagages pour eux deux, parce que Lloyd oubliait constamment qu'il partait en voyage, sans parler d'une expédition de deux semaines à travers le Grand Canyon. Au premier étage de leur confortable maison de style colonial, Ruth empilait les vêtements. Lloyd entrait, les voyait tout propres et frais sur le lit de la chambre d'amis, les enfilait et sortait dans le jardin, où il restait immobile, les mains sur les hanches. Ruth acheta des biscuits au son. Lloyd les mangea. Elle acheta six tubes de crème solaire qui disparurent l'un après l'autre. À un moment, elle perdit son sang-froid, criant qu'elle allait le mettre dans une maison de santé et partir toute seule.

— Partir où ? avait demandé Lloyd.

Elle avait pleuré toute la nuit, rongée par la culpabilité.

Le plus grand moment de soulagement était arrivé à six heures trente ce matin même, lorsqu'ils avaient chargé leurs sacs dans le bus, à Flagstaff, qu'ils étaient montés et qu'ils s'étaient assis ; que le chauffeur avait refermé la portière et qu'il n'y avait plus eu le moindre risque que Lloyd ouvre un de leurs sacs soigneusement préparés, en sorte quelque chose et le perde.

— Je parie qu'elle a déjà du diabète, disait-il.

— Surtout ne va rien lui dire, avertit Ruth.

— Quand est-ce qu'on arrive à Lava ?

— Pas avant dix jours.

Lloyd secoua gravement la tête.

— Je le leur dis et je le leur répète, dit-il, mais ils continuent quand même à fumer.

Après le déjeuner, pendant qu'Abo et Dixie récuraient les plats au bord de l'eau, JT rassembla tout le monde et annonça qu'ils allaient franchir leurs premiers rapides.

— Ils sont durs ? demanda Sam.

— Classe six, sur une échelle de un à dix, répondit Mitchell en levant les yeux de son guide.

— En fait, peut-être plutôt quatre, à ce niveau d'eau, corrigea JT. Mais assez durs de toute manière. Alors, mettez vos gilets, accrochez toutes vos affaires, et on y va !

Jill s'affaira auprès des garçons, s'assurant que leurs gilets étaient bien serrés, leurs sacs fixés au moyen des mousquetons qui avaient coûté cinq fois plus cher qu'elle ne s'y attendait au magasin d'articles de plein air à Salt Lake City. Elle resserra le cordon de leur chapeau sous le menton. (Elle n'avait pas apporté de chapeaux de rechange et aucune envie que Mark le sache.) Pour finir, Abo dut lui dire d'arrêter de vérifier tous ces trucs et de s'installer. Elle obéit, légèrement embarrassée, après quoi Abo s'éloigna de la rive et ils gagnèrent le milieu du fleuve à la file : JT devant, Abo et ses pagayeurs au milieu, et Dixie à l'arrière.

Le fleuve ne tarda pas à changer d'apparence. Devant eux, l'eau transparente disparut subitement ; de temps à autre, une gerbe d'écume illuminée par le soleil dansait au-dessus de l'horizon.

— Arrêtez, ordonna Abo. Écoutez.

Tout le monde se tut. Aussitôt, ils entendirent gronder les rapides. JT se mit debout pour avoir une meilleure vue. Le raft tangua légèrement. Le courant prenait de la vitesse. À la dernière minute, JT se laissa retomber sur son siège et dirigea son embarcation vers la gauche. Elle fut engloutie par l'écume, et ils ne virent plus que quelques éclairs bleus tandis qu'elle se dressait et piquait du nez tour à tour dans l'eau vive.

Leur propre raft accélérait à présent.

— Servez-vous des cale-pieds, tous ! cria Abo. Et faites attention ! Sam ! Si je crie : « En avant toute, turbo ! » qu'est-ce que ça veut dire ?

— Qu'il faut pagayer à fond !

— Exact ! En avant toute !

Ils glissèrent sur la langue du rapide, où l'eau formait un V sombre, lisse et sinueux avant d'exploser en une masse d'écume blanche et chaotique.

— En avant toute ! cria Abo derechef.

Jill appuya et tira de toutes ses forces sur sa pagaie. Elle sentit le bateau pencher d'un côté, puis de l'autre ; éclaboussés de partout, les descendeurs perdirent le rythme, cognant leurs pagaies les unes contre les autres. Une longue gerbe argentée se déversa sur le visage de Jill, l'aveuglant momentanément. Lorsqu'elle rouvrit les yeux, suffocante, une nouvelle gerbe arrivait. Cette fois, elle se pencha et esquiva comme une lâche, en poussant le hurlement ravi de qui dévale des montagnes russes.

Puis, tout aussi abruptement, ce fut terminé et ils flottèrent sur les derniers remous. Il y eut des exclamations de joie et de triomphe et, sur le signal d'Abo, ils levèrent leurs pagaies pour former un toit au-dessus de leurs têtes, avant de les abattre à la surface de l'eau en criant hourra.

Alors seulement Jill songea à se retourner pour s'assurer que ses enfants étaient sains et saufs.

Elle avait été trempée, mais curieusement, elle n'avait pas du tout froid ; en l'espace de quelques minutes, le soleil avait séché ses bras et ses jambes, et elle se félicita à présent de ne pas porter de chemise ; la chaleur lui faisait un bien fou. Elle regarda Mark, Mark la regarda et ils éclatèrent tous les deux de rire, ce qu'ils n'avaient pas fait ensemble depuis des années. En jetant un coup d'œil par-dessus son épaule, elle fut témoin d'un miracle : les garçons ne se disputaient pas ; au contraire, ils souriaient jusqu'aux oreilles. Elle ne l'aurait jamais énoncé à haute voix mais elle pensa : *Je ne vous avais pas dit que vous alliez adorer ça ? Vous n'êtes pas contents d'être là, maintenant ?*

Franchement, se dit-elle. Tais-toi.

8

Jour 1, le soir
Mile 16

Ce premier soir, ils campèrent sur une petite plage qui montait en pente douce vers une butte sableuse, jonchée de rochers. Pour procéder au déchargement des rafts, JT demanda à tout le monde de former une chaîne, les guides étant chargés de désarrimer le matériel avant de le passer au maillon suivant. Chaque sac, chaque carton fut transféré d'une paire de mains tendues à l'autre, jusqu'à ce que la plage soit couverte de matériel. Puis, telles des ménagères efficaces, les guides montèrent en un clin d'œil la cuisine, déplièrent les longues tables en métal, relièrent le gros fourneau à son réservoir de propane, rangèrent les ustensiles, les planches à découper, la pompe à eau. Abo remplit deux seaux en plastique d'eau du fleuve et les déposa chacun à un bout de la table de service. Dixie traîna le lourd gril plat jusqu'à un espace dégagé et, après s'être mise à quatre pattes pour égaliser le terrain, le cala en place, prêt à cuire le saumon de ce soir.

Pendant ce temps, JT partit à la recherche d'un endroit convenable pour y installer les toilettes, la « boîte à caca », dans le jargon du fleuve. Ayant souvent campé là par le passé, il avait une destination en tête. Il emprunta un sentier bien marqué qui traversait un bosquet de tamaris, contourna quelques rochers et aboutit enfin à une plate-forme qu'un roc gigantesque cachait au campement. Elle offrait un panorama splendide sur les falaises d'un rose poussiéreux qui semblaient jaillir des eaux cristallines. Avoir une belle vue depuis la boîte à caca avait de l'importance. Beaucoup d'importance.

JT amènerait tout les passagers ici avant le repas, afin de leur inculquer les détails du mode d'emploi. Pour l'instant, après une longue journée sous un soleil ardent, il mourait d'envie de boire une bière. Il sauta à bas de la plate-forme et prit le chemin du retour vers le campement, ses tongs soulevant un petit nuage de sable derrière lui.

Comme il traversait le fourré, un bruit dans les broussailles le fit s'arrêter net. Bon sang de bonsoir ! Un serpent à sonnette, créature locale s'il en était, allait-il gâcher le site qu'il avait choisi pour ses toilettes ? Il scruta les environs, mais ne vit rien et continua, méfiant.

Puis il entendit un nouveau frémissement, un bruissement rapide, comme des haricots secoués dans une cosse. Cette fois, JT battit en retraite, conscient qu'une rencontre avec un serpent le premier soir mettrait tout le monde à cran pour le reste de l'expédition. Très bien. Garde le bosquet de tamaris et la plate-forme, mon salaud ; je trouverai un autre endroit pour les toilettes.

Mais alors qu'il se retournait, il entendit un gémissement, une plainte anxieuse qui ne pouvait en aucun cas émaner d'un reptile. Une fois de plus, JT fouilla les broussailles du regard.

Un chien gisait là, haletant, étendu sur un lit de feuilles et de brindilles. Son poil était gris et collé, son museau recouvert d'une croûte, et une pâte jaunâtre cernait ses yeux. En voyant JT, l'animal se mit à trembler, et avec le tremblement vint un bref claquement de dents – le bruit que JT avait pris pour celui d'un serpent à sonnette. C'était une sorte de bâtard, il n'était pas très sûr de quoi, peut-être mi-caniche, mi-terrier, avec de longues boucles grises et un soupçon de barbe sale et mouillée – à vrai dire, la lignée approximative du chien que JT avait eu enfant. Avec des yeux noirs humides, ce descendant direct du loyal et fidèle compagnon qui avait couché dans le même lit, partagé la même baignoire et mangé les mêmes sandwiches à la sauce bolognaise que le très jeune JT Maroney regardait maintenant droit dans son cœur.

Au cours de ses cent vingt-quatre descentes du fleuve, JT avait vu quantité d'animaux. Des mouflons, des coyotes, d'innombrables bassaris rusés, ces sortes de ratons laveurs qui rôdaient autour des campements la nuit à la recherche de quelques restes. Mais jamais de chien. Pour commencer, ces derniers n'étaient pas autorisés dans le Canyon proprement dit. Il avait bien entendu d'autres guides parler de l'apparition occasionnelle d'un chien de troupeau navajo, surtout dans cette première section, où l'accès au fleuve était aisé. Pour sa part, JT n'en avait jamais rencontré. Et celui-là n'avait rien de ce genre de bête ; une fois lavé et doté d'un collier, il ressemblerait à n'importe quel Pluto ou Belle avec son lit à couverture à carreaux et un bol à son nom. D'où sortait-il donc ? Il n'était certainement pas arrivé là avec d'autres descendeurs ; ils n'auraient jamais pu le faire passer au nez et à la barbe du garde forestier à Lee's Ferry. Avait-il été amené par un randonneur rétif au règlement ? Un Ed Abbey[1] amoureux des chiens qui vivrait en pleine nature ?

JT tendit la main. L'animal renifla ses doigts, puis abattit lourdement la queue sur le lit de branches. Il tenta de se lever mais n'y parvint pas, alors il se rallongea, posant résolument le menton sur ses pattes.

— Hé ! mon chien, dit JT. Viens. Lève-toi.

Il ne bougea pas.

JT savait qu'il aurait été stupide d'essayer de toucher un animal blessé ; il enfonça la main dans la poche de son short et en sortit quelques cacahuètes graisseuses. Le chien renifla, puis les avala. JT fit un pas en arrière, offrant d'autres cacahuètes, et, au prix d'un effort, l'animal réussit

1. Écrivain et écologiste américain. *(N.d.T.)*

à se lever. Visiblement, sa patte avant droite le faisait souffrir. JT se rapprocha et tenta d'examiner la blessure. Le chien recula, mais JT lui caressa les oreilles et continua à lui donner des cacahuètes. Finalement, il s'apaisa, et JT put localiser une vilaine épine de cactus logée entre les coussinets durcis de sa patte.

Pas étonnant qu'il geigne.

— Doucement, mon vieux.

De ses doigts épais, JT tenta de retirer l'épine, mais ne réussit qu'à en casser le bout. Le chien se rallongea et se mit à lécher l'endroit sensible.

JT jeta un coup d'œil vers le campement. Il envisagea de redescendre chercher Abo et Dixie pour qu'ils l'aident à prendre une décision, mais il avait encore un peu peur d'être la proie d'hallucinations. Si le chien se volatilisait avant leur retour, on se moquerait de lui pendant tout le reste du raid.

Coupant court à ses réflexions, il se pencha, entoura le chien de ses bras et le hissa contre sa poitrine. Il pesait peut-être une vingtaine de kilos, pas davantage. JT avait porté des charges bien plus lourdes. Il revint sur ses pas, sortit du bosquet de tamaris et redescendit le sentier.

En atteignant la butte, il remarqua un attroupement autour du bateau de Dixie ; elle avait ouvert sa caisse à provisions et les gens farfouillaient parmi les sacs en toile à la recherche de leur stock personnel de boissons. Evelyn le vit la première, puis Lena. Celle-ci donna un coup de coude à Mitchell, qui s'écria : « Qu'est-ce qu'il y a encore ? », attirant l'attention des autres. Tous se tournèrent vers l'homme grisonnant qui, coiffé d'un chapeau de cow-boy en piteux état et d'une chemise à carreaux délavée, descendait la pente en titubant dans la chaleur étouffante, un chien dans les bras.

Dixie s'abrita les yeux.

— J'hallucine ou quoi ? demanda-t-elle à Abo.

Une fois sur la plage, JT s'accroupit et posa l'animal sur le sable. Aussitôt, les deux garçons se ruèrent vers lui avant que l'un ou l'autre parent ait pu les en empêcher, lui frictionnant les oreilles et essayant de lui caresser le ventre. Le chien, qui n'était pas fou, oublia l'épine et roula gaiement sur le dos, écartant les pattes, comme s'il retrouvait la famille dont il était séparé depuis si longtemps.

Dixie sauta à bas de son raft.

— Où as-tu dégoté ce truc ?

— Là-haut dans les buissons, répondit JT. J'ai entendu un bruit de crécelle et j'ai pensé que c'était un serpent, et puis je l'ai entendu gémir.

— Qu'est-ce qu'un chien fabrique ici ? demànda Mitchell avec un grand sourire.

Il avait retiré son chapeau, et une ligne de boucles épaisses était restée plaquée sur son crâne, faisant paraître sa tête trop petite. Quelque chose dans son sourire fit soupçonner à JT que, quelle que soit son explication, elle ne le satisferait pas.

— Et d'où sort-il ? s'enquit Evelyn.

— Je l'ignore, dit JT. Sam, va remplir un bol d'eau, veux-tu ?

Sam partit en courant.

— Qu'est-ce que tu vas en faire ? reprit Mitchell.

— Voir si je peux extraire l'épine qu'il a à la patte.

— Oh ! le pauvre chou ! s'écria Amy, en se laissant tomber à genoux à côté de l'animal.

Elle avait enfilé un nouveau T-shirt, celui-ci d'un blanc sale, arborant le logo orange et marron du Hard Rock Café.

— Et après ?

JT mit les mains sur ses hanches et contempla le chien, dont la patte arrière s'agitait instinctivement sous l'effet des caresses.

— Aucune idée, Mitchell, répondit JT en souriant toujours. Vraiment aucune.

9

Jour 1
Mile 16

Le bout de l'épine était fourchu, si bien qu'Abo et Dixie durent maintenir le chien immobile pendant que JT, muni d'une pince à épiler, tirait dessus en tortillant pour essayer de dégager le crochet qui s'était planté dans la chair, suscitant des grognements. Il parvint enfin à retirer la pointe recourbée, laquelle se révéla longue d'un bon centimètre et demi. Abo et Dixie lâchèrent l'animal, qui se releva, s'ébroua, et s'approcha en boitillant d'un buisson pour y lever la patte arrière avant d'aller lécher sa plaie à l'ombre.

JT lança son chapeau dans son raft, puis entra dans l'eau, s'immergeant entièrement. Il se hissa dégoulinant à bord, remonta le filet à boissons et en sortit une bière froide.

Abo et Dixie se joignirent à lui. Un à un, les descendeurs se dispersèrent, à l'exception de Mitchell.

— Tu nous excuses un instant, d'accord ? lui lança JT.

Mitchell tourna les talons et s'éloigna.

Abo se laissa théâtralement tomber au fond du raft.

— Cette histoire risque de nous compliquer la vie, non ?

— Tu peux le dire, rétorqua Dixie. Heureusement qu'il n'est pas malade.

— Tu rigoles ou quoi, ma vieille ? s'indigna Abo.

— Enfin, il n'est pas à l'article de la mort. On n'a pas à se faire trop de souci pour lui, c'est ce que je veux dire.

— Tu as un cœur de pierre, accusa Abo.

— Pas du tout, riposta Dixie. Je vois le côté pratique des choses, c'est tout. Qu'est-ce qu'on va faire de lui ce soir ? Où va-t-il dormir ?

— Sur mon bateau, offrit Abo.

— Ou peut-être avec Mitchell, murmura JT.

Ils jetèrent un coup d'œil vers la plage, où celui-ci avait étalé une grande carte et semblait pointer certains lieux tout en lisant des informations dans son guide. Le chien s'approcha prudemment. Mitchell lui décocha un regard qui le fit battre en retraite.

— Tu penses que c'est un chien de troupeau ? demanda Abo.

— Possible, répondit JT. Mais il n'en a pas l'air.

— Il est peut-être descendu dans un bateau, suggéra Dixie.

JT secoua la tête.

— Je doute que quiconque puisse introduire un chien ici à l'insu des gardes. Ma théorie, c'est qu'un randonneur l'a amené en douce sur un sentier et qu'il l'a perdu.

Abo se pencha par-dessus bord, hissa le filet, et lança une nouvelle canette aux deux autres.

— Revenons à la question qui nous préoccupe, fit Dixie. Ça pourrait être un gros emmerdement.

Abo mit ses mains en porte-voix :

— Houston, on a un problème !

— Tu ferais mieux d'avertir les autorités du parc, reprit Dixie.

— Tu crois que ça entre dans la catégorie des urgences ?

— Pas toi ?

— Qu'est-ce qu'ils vont faire, à ton avis ? interrogea JT. Envoyer un bateau toutes affaires cessantes ? Et après ? Ils vont le faire sortir à pied ? Avec sa patte blessée ?

— Ce n'est pas que je veuille te contredire, chef, mais il n'a plus l'air trop blessé maintenant, dit Abo.

Tous trois se retournèrent vers la plage où le chien courait comme un dératé après les bâtons que Sam et Matthew lui envoyaient. À chaque changement de direction, il soulevait un nuage de sable. Pour les garçons, la situation semblait tout à fait normale.

JT consulta sa montre ; il était presque sept heures, et ils n'avaient même pas commencé à préparer le dîner.

— Donnons à manger à tous ces gens. On s'occupera du chien plus tard. Je ne vais sûrement pas me faire du souci pour ça maintenant.

— Qu'est-ce qu'il y a au menu ? demanda Dixie.

— Du saumon.

— Oh ! mon Dieu, J'ADORE le saumon ! cria Abo.

— Ça tombe bien. Parce que c'est toi qui vas le faire cuire.

— Et j'adore faire cuire le saumon aussi, cria Abo.

— Mets-la en veilleuse, avertit Dixie, sinon je ne tiendrai pas deux semaines sur le fleuve avec toi.

Abo plissa les yeux.

— Dors avec moi ce soir, mon cœur.

— J'ai déjà donné, merci, murmura Dixie.

JT lança sa bière sur une bâche étalée à côté du coin-cuisine.

— Abo, allume le gril. Dixie, montre aux gamins comment écraser les canettes.

Il ouvrit la glacière à viande, remplie aux trois quarts de glace et à un quart de protéines surgelées, prit les pavés de saumon, referma la glacière et vit Mitchell debout à la proue.

— Oui, Mitchell ?

— Je me demandais si vous saviez quoi faire du chien maintenant.

— Nan.

Mitchell mit les mains sur ses hanches – sans agressivité.

— Parce que certains d'entre nous sont un peu inquiets, commença-t-il. Lena souffre d'allergies. Et si le chien a été exposé à la rage ou à quoi que ce soit…

— On s'en occupe, assura JT.

— Il y a des années que j'attends de faire ce voyage, reprit Mitchell.

— J'entends bien, répondit JT, qui commençait à perdre patience. Mais il n'y a pas de souci à se faire. Le chien ne va rien gâcher.

— On a du gin, au fait, si l'un d'entre vous avait envie d'un gin tonic, offrit Mitchell.

— Merci, dit JT. Pour l'instant, on a surtout besoin de ne pas être dérangés. Il y a le dîner à préparer.

En moins d'une demi-heure, ils avaient bel et bien préparé un dîner somptueux. Et personne n'oublia qu'on était le 4 Juillet : Abo prit deux rames, un bout de ficelle, et, par des nœuds compliqués, y fixa des ballons rouges, blancs et bleus qui surmontèrent la table. Le dessert consistait en un gâteau au décor de drapeau américain, que Dixie présenta orné d'un cierge magique, sous des applaudissements enthousiastes. Le chien, qui deux heures plus tôt avait semblé si mal en point, se faufilait maintenant sous les jambes des uns et des autres à la recherche de morceaux tombés ; il comprit vite qu'il n'avait qu'à suivre Lloyd, qui avait tendance à poser son assiette quelque part puis à repartir chercher autre chose.

— C'est la troisième assiette de saumon que tu prends ! gronda Ruth. Maintenant, reste ici !

Les membres du groupe se connaissaient depuis tout juste vingt-quatre heures, mais des liens hésitants se formaient déjà. Amy, qui avait apporté un jeu de cartes, mystifiait Sam et Matthew par des tours de magie. Mark et Mitchell avaient découvert qu'ils avaient fréquenté la même station de ski au Canada lorsqu'ils étaient enfants. Lena persuadait Jill que se servir d'un appareil numérique n'était pas aussi compliqué qu'elle le craignait.

Seul JT était assis à l'écart, sur son raft, écoutant l'eau clapoter contre la coque. On était au crépuscule, et les falaises, qui avaient perdu leurs couleurs, se détachaient en silhouettes sombres sur un ciel abricot. Il n'avait pas l'intention de laisser la question du chien lui gâcher la soirée ; il était convaincu que tout s'arrangerait, d'une manière ou d'une autre. Peu de choses pouvaient déstabiliser JT, et c'était précisément cette qualité qui faisait de lui un bon guide : il gérait l'imprévu avec élégance, et parvenait généralement à bien s'en sortir et à tirer une leçon de l'expérience.

Les membres du groupe, assis sur des matelas, des bûches ou sur le sable, achevaient de dîner. Dans l'ensemble, ils paraissaient plutôt sympathiques. Mitchell était un casse-pieds potentiel, il le savait, et le poids d'Amy un souci ; il n'avait jamais emmené personne qui ait une surcharge pondérale aussi importante. Il faudrait qu'il réfléchisse à l'équilibre des rafts, et qu'il planifie des randonnées comportant de multiples possibilités de demi-tour. Mais quelle importance si elle marchait moins que les autres ? Le Canyon appartenait à tout le monde. Elle passerait un bon séjour quand même. Et qui savait ce qu'elle pourrait apprendre à son propre sujet ?

Voilà, en fait, ce qu'il aimait le plus au cours de ces raids : regarder les gens découvrir de nouvelles facettes d'eux-mêmes sur le fleuve. Les plus timorés prenaient des risques ; les plus réservés s'ouvraient aux autres ; parfois (mais pas toujours), les grandes gueules apprenaient à se taire. Des ego étaient meurtris, des vies chamboulées. On voyait s'ébaucher pas mal de plans B au cours d'une descente.

— Dernière chance pour ceux qui veulent du rab de dessert ! cria Abo.

Un quartier de lune descendait sur la paroi ouest. Il y avait des assiettes à laver, des casseroles à récurer, des provisions à ranger. Et ensuite une bonne nuit de sommeil à bord de son bateau. Ils résoudraient la question du chien le lendemain.

Dans l'ensemble, si on lui avait demandé d'assigner une note à la première journée, ç'aurait été un « A ».

« A moins », compte tenu du chien.

4 juillet

Pitié, oh ! pitié, qu'on me sorte de cet enfer ! Je ne peux pas supporter ça pendant deux semaines. Tout le monde me dévisage et je sais EXACTEMENT ce qu'ils pensent. Qu'est-ce qu'une GROSSE comme elle vient faire dans un truc pareil ? Pourquoi est-ce qu'elle n'est pas dans un CAMP POUR GROS ? Vous ne vous demandez pas où elle a eu tous ces T-shirts CLUB DES GROS ? Vite, mettez-vous dans la file avant qu'elle engloutisse tout le dessert !!!

Je me demande à quel point il faut être malade pour qu'ils appellent un hélicoptère. Je pourrais me faire mordre par un serpent à sonnette. Mais peut-être que les serpents à sonnette n'aiment pas les GROSSES.

Très bien. C'est assez joli ici. Mais il fait incroyablement chaud et je n'ai pas du tout d'énergie. J'espère que ces guides ne s'attendent pas à ce que je travaille, parce que je peux à peine bouger. J'ai dû aider maman à monter la tente, ce soir, et j'avais l'impression d'être sous Valium. Oh ! et à propos, quand on a eu fini, je suis entrée dessous pour me changer, et devinez qui prend toute la place ? Dommage pour elle, mais c'est elle qui a voulu venir, et si elle n'a que six centimètres d'espace pour dormir, elle aurait dû y réfléchir plus tôt.

Peut-être qu'une de ces nuits je descendrai le fleuve en flottant pendant que tout le monde dort et qu'on ne me reverra jamais. Disparue la baleine.

On a trouvé un chien ce soir. Il y a des gens qui pètent un plomb mais franchement je ne vois pas où est le problème. Je lui ai donné plein de saumon pour qu'il m'aime bien. Si j'arrive à le faire GROSSIR, quelqu'un aura un point commun avec moi.

JOUR 2

Miles 16-30
House Rock – Fence Fault

10

Jour 2
Mile 16

JT hésitait à donner un nom au chien, mais les gens ne peuvent pas s'empêcher de nommer les choses – à plus forte raison pendant la descente d'un fleuve, où le temps ne manque pas pour réfléchir à des trucs auxquels on n'aurait normalement pas le temps de penser. Si bien que le lendemain matin, pendant qu'Abo et Dixie préparaient le petit déjeuner, les propositions de noms fusèrent. Evelyn suggéra Glen – en référence au barrage de Glen Canyon. Peter proposa Lassie, pour rire. Sam, pour une raison ou pour une autre, s'obstinait à vouloir l'appeler Roger. Matthew, déjà conscient que Sam attirait plus d'attention que lui au cours de ce voyage, riposta en suggérant Boîte à Caca. Mitchell, qui, comme JT, connaissait le danger qu'il y avait à baptiser l'animal, resta silencieux.

Puisqu'ils ne pouvaient se mettre d'accord pour le moment, ils se contentèrent de le baptiser Chien du Fleuve, ce qui semblait approprié, étant donné sa propension à plonger dès qu'on lançait quelque chose. Bien sûr, tout le monde n'était pas enthousiaste à l'idée de jouer avec lui ; et puisque c'était leur première matinée sur le fleuve, les descendeurs traînaient ici et là, ne sachant au juste quoi faire avant le petit déjeuner, s'ils devaient se laver et se brosser les dents ou sauter la case hygiène et passer directement au café. Jill, pour la première fois depuis que les garçons avaient commencé à marcher, ne donna d'instructions à personne ; elle se servit une tasse de café et resta debout sur la plage sans parler, observant les reflets de la falaise et du ciel à la surface mouvante de l'eau. Elle éprouvait une sérénité inhabituelle, un apaisement qui lui permettait de respirer profondément, et en sentait l'effet jusque dans le bout des doigts. Il lui semblait que des tas de choses qui avaient compté deux jours plus tôt n'avaient plus d'importance. L'espace d'un instant, elle regretta de ne pas faire ce raid sans sa famille.

Assis à bord de son raft, JT buvait lui aussi une tasse de café. Il était six heures et demie ; il se disait qu'il allait attendre sept heures avant d'appeler la direction du parc pour voir si un raft descendant aujourd'hui ne pourrait pas emmener le chien jusqu'à Phantom. En attendant, il déplia sa carte et planifia la journée. Juste devant eux se trouvait le rapide House Rock, classe sept, réveil garanti pour tout le monde. Ensuite venait un passage calme, suivi par les Roaring Twenties, une série de huit kilomètres de rapides non-stop. Ce soir, selon le temps qu'ils auraient mis, ils pourraient camper près de Shinumu Wash ou de Fence Fault.

Comme il repliait la carte, Mitchell s'approcha, une tasse à la main. JT voulait partir d'un bon pied avec lui ce matin et fut le premier à parler.

— Bonjour, Mitchell ! Bien dormi ?

— Très bien. Alors ? Quelle distance va-t-on couvrir aujourd'hui ?

— Je ne sais pas, dit JT gaiement. Peut-être dix miles, peut-être quinze.

— Tu crois qu'on peut aller jusqu'à Silver Grotto ?

— On verra. Pas de veto, pas de promesse.

Mitchell acquiesça. Il but une gorgée de café.

— Je me demandais, dit-il enfin, si tu avais pris une décision concernant le chien.

JT jeta un coup d'œil à sa montre.

— J'étais justement sur le point d'appeler les gardes.

Il se baissa et désarrima l'étui en plastique jaune qui contenait le téléphone satellite.

— Je m'inquiète pour ma femme, observa Mitchell. Pour son asthme, quoi.

— On est au courant.

JT défit les attaches en plastique et ouvrit la boîte. Le téléphone, niché dans un écrin de mousse gris sombre, était gros comme une brique et doté d'une antenne trapue qui pivotait en montant comme une figurine Action Man. Il détestait, mais alors détestait, se servir du téléphone satellite – et le deuxième jour, en plus – mais il n'avait vraiment pas le choix. Il devait au moins signaler la présence du chien.

Il composa le numéro, tandis que Mitchell sirotait son café et contemplait le fleuve d'un air serein.

— Je suppose que les chiens, ce n'est pas vraiment notre truc, dit Mitchell, sans s'adresser à personne en particulier.

JT avait cru que le garde serait franchement contrarié par cette histoire de chien, mais celui-ci avait d'autres soucis et répondit d'un ton exaspéré lorsque JT lui demanda des instructions.

— Débrouillez-vous ! s'écria-t-il. J'ai trois randonneurs qui ont voulu faire les malins et n'ont pas emporté assez d'eau. Maintenant, deux d'entre eux sont tombés dans les pommes à mi-chemin de Phantom !

La ligne devint muette, et JT se retrouva à fixer bêtement le téléphone avant de le remettre dans son étui. Comme il n'avait pas encore déjeuné, il gagna la table et remplit une assiette.

— Qu'est-ce que le garde a dit ? s'enquit Dixie.

— Qu'on n'avait qu'à trouver une solution.

— Alors qu'est-ce qu'on va faire ?

— Garder le chien. Lui trouver un gilet de sauvetage.

JT tartina sa tranche de pain.

— On l'emmène ?

— Tu veux le remonter à pied ? Oublie ça, c'est impossible, on a besoin de toi.

— Ils ne peuvent pas envoyer quelqu'un ici pour le chercher ?

— Organiser toute une expédition pour un chien ? Je ne crois pas.

— Si on arrêtait un des rafts motorisés et qu'on leur demandait d'emmener le chien à Phantom ? suggéra Dixie. De là-bas, quelqu'un pourra le sortir à pied. Parce que je me vois mal passer ne serait-ce que cinq jours avec un chien. Il va fourrer le nez dans la glacière. Tout grignoter.

— On gardera l'œil sur lui, répondit Abo. Détends-toi.

— Détends-toi toi-même, rétorqua Dixie.

JT se gratta le menton.

— Très bien, mais que les choses soient claires, reprit la jeune femme. Il ne monte pas dans mon raft.

Abo lui lança un regard blessé et se pencha pour attraper le chien par la peau du cou.

— Elle est méchante, roucoula-t-il. Comment tu t'appelles, hein ?

JT posa son assiette sur le sable et noua un bandana rouge autour du cou du chien pendant qu'il la léchait.

— Tu sais ce qu'on dit, fit-il.

— Quoi ?

Mais JT ne répondit pas. Chien ou pas, il avait un raid à diriger. Il était temps de faire la vaisselle et de lever le camp. De charger les bateaux, de trouver une place pour l'animal. S'il y avait quelque chose que JT appréciait, c'était les premières, et c'était indubitablement sa première descente en compagnie d'un chien.

On lui donne un nom, on finit par l'aimer, avait-il failli dire à Abo, mais il n'osait pas formuler cette vérité, pas même pour lui-même.

Peu après le petit déjeuner, JT réunit le groupe pour leur premier briefing matinal et leur apprit que pour l'instant ils gardaient le chien.

Sam et Matthew poussèrent des cris ravis et ébouriffèrent les poils de l'animal.

— Jusqu'à ce qu'on trouve une autre solution, ajouta JT. Ce n'est pas exactement ce qu'on avait prévu, mais bon, il faut être flexibles, hein ?

Mitchell et Lena se détournèrent et échangèrent quelques mots. Mark regarda Jill et haussa les épaules ; Evelyn jeta un coup d'œil autour d'elle, comme si elle n'était pas prête à émettre une opinion.

Mitchell rejoignit le groupe et demanda quelles marches étaient au programme du jour.

— J'allais justement y venir, répondit JT en s'agenouillant sur le sable pour étaler sa carte. Si on fait North Canyon, vous verrez des formations géologiques intéressantes.

Mitchell fit remarquer que la randonnée n'était pas très longue.

— Si on faisait plutôt Silver Grotto ?

— Qu'est-ce que c'est ? demanda Jill.

Mitchell ferma les yeux d'un air pénétré et secoua la tête.

— Un endroit d'une beauté stupéfiante, répondit-il.

Il n'ajouta rien, et Jill eut la nette impression qu'il la jugeait parce qu'elle n'en avait pas entendu parler.

— Voyons comment se passe la journée, dit JT d'un ton égal.

Il y avait un surnom pour les gens comme Mitchell ; on les désignait entre guides sous le sobriquet de copilotes. Les copilotes avaient potassé avant de descendre le fleuve, ils avaient étudié l'histoire et la géologie du Canyon, s'étaient penchés sur des cartes, des guides, et connaissaient les meilleures randonnées, savaient derrière quelles cascades on pouvait grimper, et desquelles on pouvait sauter. La méthode de JT consistait à être aussi agréable que possible avec eux, mais à laisser leur bavardage incessant entrer par une oreille et ressortir par l'autre.

— Je ne sais pas si on arrivera jusque-là, ajouta-t-il pour Mitchell. Souviens-toi de ce que j'ai dit hier. Il faut être flexibles. Tenir compte des circonstances. Pour l'instant, on s'occupe de lever le camp. Pliez vos tentes, emballez vos affaires, mettez votre crème solaire, bref, préparez-vous.

— J'ai une question, intervint Jill.

— Oui ?

Elle mit les mains sur les hanches.

— Est-ce que vous, les guides, vous pouvez prendre plaisir à la descente, une fois de temps en temps ?

Il y eut des murmures et des hochements de tête approbateurs.

— Vous vous donnez tant de mal ! s'écria Jill.

JT n'aimait pas les compliments, et pas davantage être au centre de l'attention.

— Abo et Dixie ont fait le gros du travail ce matin, dit-il. Moi, j'ai jacassé au téléphone. Bon. Faites vos bagages. On a un fleuve à descendre.

Jill demanda à Mark de lui mettre de la crème solaire sur le dos.

— Je parie que ces guides finissent souvent par avoir un cancer de la peau, dit-il.

Ses gestes étaient brusques, désagréables, et elle avait du mal à garder l'équilibre.

— Un des risques du métier, je suppose, murmura-t-elle.

— Et je parie qu'ils n'ont pas de très bonnes assurances santé non plus, reprit Mark.

— Sam, cria Jill, laisse la queue du chien tranquille !

Elle sentit une odeur de lotion anti-insectes et leva les yeux. Mitchell s'en aspergeait les bras. D'après JT, il n'y avait pas de moustiques au fond du canyon. Que fabriquait ce type ?

Mitchell vaporisa son chapeau, puis s'approcha d'eux.

— C'est incroyable ! s'exclama-t-il.

Jill lui demanda poliment de quoi il parlait.

— Un chien ! Le premier jour ! Si on écrivait une histoire, personne ne le croirait. Je ne voudrais pas donner l'impression d'être sans cœur, confia-t-il, mais suis-je le seul qui ne trouverait pas totalement cruel et bizarre de laisser le chien ici ?

Jill était abasourdie.

— Je veux dire, un chien doit avoir de bonnes capacités de survie, poursuivit-il. On pourrait laisser un peu de nourriture. D'autres gens vont camper ici ce soir. Ils lui donneront à manger, comme nous. Pourquoi se compliquer la vie ?

Jill se demanda si elle voulait vraiment dire à Mitchell, le deuxième jour de la descente, que oui, il donnait l'impression d'être sans cœur. Tout bien considéré, elle préférait l'harmonie à la confrontation.

— Tu t'inquiètes pour les allergies de Lena ? Parce que nous sommes au grand air, lui fit-elle remarquer. Ce n'est pas comme dans une pièce renfermée. Je peux faire en sorte que les garçons ne s'approchent pas de Lena.

— Tu n'es pas obligée, répondit Mitchell, mais le ton de sa voix suggérait qu'il y avait pensé. C'est juste qu'après avoir déboursé six mille dollars, je ne voudrais pas être évacué le deuxième jour.

Moi, j'en ai déboursé douze mille, songea Jill, et ce n'était pas pour passer deux semaines avec quelqu'un comme toi.

À cet instant, JT leur cria à tous de choisir un raft. Ce matin, le chien serait à bord du sien, ajouta-t-il. Pour ceux qui préféraient ne pas avoir de contact avec l'animal, le bateau de Dixie lui resterait zone interdite. Lentement, tout le monde s'avança vers les rafts, à l'exception de Mark, qui resta à la traîne.

— Tu as apporté quelque chose ? souffla-t-il à Jill.

— Comme quoi ?

— Ben, tu sais, des pruneaux ou du son, ou quelque chose du même genre.

— Non, Mark. Si tu voulais que j'apporte des pruneaux ou du son, il fallait me le dire.

— Bon, je demandais, c'est tout.

11

Jour 2
Miles 16-20

Tout en haut de la liste que JT intitulait « Les dix meilleures façons de se faire des amis » figurait « camper juste au-dessus d'une série de rapides », de manière à entamer la journée suivante par un arrosage en règle. Conformément à cette méthode, à peine les trois embarcations eurent-elles quitté la rive ce matin-là que tous se retrouvèrent en train de glisser dans le rapide House Rock, dont l'eau verte et soyeuse – étale par-dessus des rochers submergés – explosait en une masse d'écume un peu plus bas.

— Amis campeurs, bonjour ! cria JT lorsque la première vague glacée déferla sur eux. Tenez bien ce chien !

Il se pencha sur l'aviron gauche et le raft se cabra puis piqua du nez, percutant des rouleaux à crête blanche qui projetaient des paquets d'eau dans tous les sens.

À l'avant, recroquevillée, Jill se cramponnait au bandana du chien, et Mark poussait des hourras comme un descendeur chevronné, tandis qu'à l'arrière Ruth et Lloyd grimaçaient et riaient tour à tour. Les vagues montèrent plus haut, encore plus haut, et JT se contenta de les suivre, rectifiant sa direction au fur et à mesure.

Soudain, l'une des vagues se brisa sur le raft, qui heurta la suivante au mauvais angle. Il s'inclina dangereusement, juste assez longtemps pour que Jill, déséquilibrée, perde sa prise sur le chien.

Tel un phoque, celui-ci glissa par-dessus bord et fut englouti par les flots. JT rama vigoureusement afin de franchir les dernières crêtes furieuses, puis rangea ses avirons et grimpa sur son siège. L'animal avait été happé par un petit tourbillon. Son gilet, trop grand pour lui, tournoyait telle une tente vide à la surface ; seul le museau émergeait au milieu.

— Chien à l'eau ! cria-t-il.

Abo, qui accomplissait une descente élégante au beau milieu du rapide, dirigea avec adresse son raft le long du tourbillon, pas trop près, mais suffisamment pour se pencher, saisir le gilet, hisser le chien malingre hors de l'eau et le jeter à l'arrière du bateau.

JT n'avait jamais vu ça.

Abo approcha son raft de celui de JT.

— Sale chien ! fit celui-ci alors que son collègue lui passait l'animal. Viens là. Assis ! C'est quoi, cette idée d'aller se faire avaler par un mixeur dès le départ !

— C'est comme ça qu'on devrait l'appeler, s'écria Sam. Hé ! Mixeur ! Viens, Mixeur !

Dixie, dont l'impeccable franchissement de House Rock était passé inaperçu, arriva à leur hauteur.

— Vous comprenez, maintenant ? Il FAUT qu'on se débarrasse de ce chien.

— Merci, dit Mitchell. Au moins, quelqu'un est d'accord avec moi.

— Hé ! Mixeur ! cria Sam. Ici, mon vieux !

— Parce que vous lui avez donné un nom ? s'exclama Dixie. Ça ne va pas, non ? Je ne plaisante pas, JT. Cet animal va gâcher tout le raid.

— Bon. Il partira dès que j'aurai trouvé quelqu'un pour l'emmener. On lui a donné un nom, et alors ? reprit JT, évitant le regard noir de la jeune femme. C'était surtout pour Sam.

Mais Dixie ne l'écoutait plus.

*

House Rock derrière eux, Mixeur bien à l'abri entre les jambes de Jill, les trois rafts dérivèrent tranquillement. Ils étaient au cœur de Marble Canyon à présent, à environ sept cents mètres au-dessous du plateau. Ici et là, l'eau ruisselait, s'échappant de cavités dans les parois rocheuses, arrosant des cascades luxuriantes de mimulus orange. En quittant le campement, ils avaient été bien à l'ombre, mais à présent un large pan de soleil avançait sur le fleuve, les baignant instantanément de sa chaleur.

À l'arrière du raft de JT, Ruth Frankel leva le visage vers la lumière. Leur invité-surprise l'amusait ; elle avait appris bien longtemps auparavant que faire l'expérience du Canyon consistait en grande partie à gérer l'imprévu. Et si l'imprévu revêtait la forme d'un gentil chien perdu – eh bien, songeait Ruth, ce n'était pas le pire qui pût arriver.

Son visage commença à la picoter ; elle ajusta son chapeau et jeta un coup d'œil en direction de Lloyd. Il était assis tout au bord de son siège, penché en avant, attentif, sur le qui-vive. Déjà, son menton était couvert d'un début de barbe blanche. Il avait les lèvres gercées, et des fragments de croûte s'accumulaient aux commissures. Heureusement que nous sommes venus, songea-t-elle. Il aurait été affreux de rester à Evanston, à attendre qu'il oublie de respirer.

Elle fut contente lorsque JT décida de faire halte plus tôt que prévu pour le déjeuner. Elle se sentait légèrement étourdie, et se rendit compte avec consternation qu'elle n'avait absorbé qu'un demi-litre d'eau au cours de la matinée. Un vétéran comme elle aurait dû être plus averti. Elle se hâta de boire autant qu'elle put avant de descendre du raft. Le sable était brûlant et l'air vibrait d'insectes. La chaleur sèche lui irritait les narines, et quand elle se moucha, il y avait du sang dans son Kleenex. Pendant que les guides dressaient une table et commençaient à préparer le déjeuner, elle entra dans l'eau jusqu'aux cuisses et s'accroupit pour faire pipi. L'eau froide lui saisit les hanches.

— Ne va pas trop loin, Ruthie, cria Lloyd.

Ruth sourit. Il y avait des années qu'il ne l'avait pas appelée Ruthie.

De son côté, le chien courait dans les jambes des guides qui s'affairaient, reniflant çà et là en quête de morceaux tombés par terre. Flairant sans doute l'odeur d'un précédent repas, il se mit soudain à creuser pour de bon. Des gerbes de sable volèrent dans tous les sens, y compris vers la table où se trouvait un grand plat de salade de poulet.

— Empêchez-le de faire ça ! cria Dixie. Oh ! le vilain chien !

Abo se rua en avant et l'attrapa par son bandana.

— Il y a du sable partout ! gémit Dixie.

— Espèce d'abruti de chien, accusa Abo.

JT recracha une bouchée de sable.

— J'espère qu'il y a un déjeuner de secours, fit Mitchell en se penchant au-dessus du saladier.

— Qu'est-ce qui se passe ? demanda Lloyd à Ruth.

— Rien, répondit-elle avec un soupir. Le chien s'est un peu trop excité.

— Quel chien ? Les chiens sont interdits ici.

— Va l'attacher, ordonna JT à Abo en s'essuyant la bouche. Merde, à la fin.

Tout le groupe suivit Abo des yeux, tandis qu'il passait un bout de corde dans le bandana du chien et l'entraînait vers le raft de JT pour l'attacher à un cordage. L'animal tira sur la corde, couina un peu, puis s'allongea sur le sable mouillé et mit tristement la tête entre ses pattes.

La mine sombre, les trois guides tâchèrent de retirer les grains de sable tombés dans la salade. Les passagers regardaient, s'efforçant de faire preuve de bonne humeur. Sam alla s'agenouiller à côté du chien.

— Laisse-le tranquille, Sam ! cria Mark. Il est puni.

Le garçon leva les yeux, bouleversé.

— Rappelle le garde, fit Dixie.

— Pas maintenant, rétorqua JT.

— Pourquoi ?

— Parce que je suis le chef de ce raid ; c'est moi qui déciderai quand l'appeler. Pour l'instant, je voudrais déjeuner.

Sur quoi, sans attendre, comme c'était l'usage, que les passagers se soient servis, JT balança une bonne portion de salade de poulet sur une tranche de pain et partit s'asseoir à l'écart.

Ruth, qui, en tant qu'épouse et mère, avait servi bien des repas qui n'avaient pas été à la hauteur du résultat escompté, savait comment faire contre mauvaise fortune bon cœur. Un peu de sable ne nuirait à personne. Elle fit signe à Lloyd, et ils s'approchèrent de la table. Du coin de l'œil, elle voyait JT assis tout seul sur la plage et avait envie d'aller le réconforter.

Elle n'en fit rien, bien entendu ; il aurait été gêné. Un sandwich à la main, elle se contenta de lui adresser un petit signe d'encouragement, et il hocha la tête d'un air morose. Ensuite, Lloyd et elle gagnèrent le bord du fleuve, où un beau rocher plat s'avançait en saillie au-dessus de l'eau. En face, un grand héron se tenait immobile sur une bande de sable.

Lloyd grimpa et s'installa. Ruth lui tendit son sandwich, tâtonnant pour trouver une bonne prise – il lui était si difficile de garder son équilibre, à présent, surtout sur les rochers et le sable mouillés ! Les mains à plat sur la pierre, elle s'apprêtait à lancer une jambe en avant quand un éclair rouge attira son attention. Elle leva les yeux. Un frisbee fila au-dessus de sa tête. Lloyd leva les yeux lui aussi. Puis Ruth entendit Sam crier quelque chose et se retourna. Quand elle vit le chien foncer vers elle à toute allure, il était trop tard.

L'instant d'après, elle était étalée sur le sable mouillé, le souffle coupé, l'eau clapotant contre ses jambes.

— Ruthie ? fit Lloyd en se penchant.

Ruth était partagée entre l'envie de rire et celle de pleurer – tout au moins jusqu'au moment où elle sentit un mélange de sable et de sang dans sa bouche et se rendit compte qu'elle s'était mordu la lèvre en tombant. Les yeux soudain pleins de larmes, elle cracha dans l'eau et essaya de se relever. Le monde tournoya autour d'elle. Quelqu'un l'entoura de ses bras et la tira vers le sable sec. Sa langue lui faisait mal. Elle comprit qu'elle s'était cassé une dent de devant et que c'était cela qui la coupait. Elle sentit qu'elle bavait et s'essuya la bouche.

Puis elle entendit la voix grave et calme de JT lui dire doucement de boire. Il lui soutint la tête et approcha une gourde de sa bouche. Elle but, cracha, rebut et recracha. Dixie apparut à côté d'elle, munie de la pharmacie. On redressa sa jambe droite. Se soulevant sur les coudes, elle remarqua la longue entaille sur son tibia.

— Lloyd ? dit-elle, affolée.

— Je suis là, Ruthie.

Le visage assombri de son mari se détachait sur un halo de soleil éclatant.

— Il faut qu'elle se rallonge, dit JT, et Lloyd lui soutint les épaules tandis qu'elle s'étendait de nouveau.

On versa de l'eau sur sa jambe. Était-elle chaude ou froide ? Ruth était incapable de le dire.

— Qu'est-ce qui s'est passé ? demanda Dixie.

— Je tendais mon sandwich à Lloyd, dit Ruth, et tout à coup, je me suis retrouvée par terre.

— Ta bouche saigne, dit Lloyd avant de s'adresser à Dixie. Allez chercher mon kit de suture.

— On devrait peut-être s'occuper de la jambe d'abord, observa Dixie.

Lloyd se redressa.

— On ne parle pas comme ça à un médecin, mademoiselle !

— Nous allons chercher ton kit, Lloyd, intervint JT. Abo, vas-y.

Celui-ci hocha gravement la tête et se leva.

— Tout ira bien, Ruthie, assura Lloyd.

Toute sa vie durant, Ruth s'était adressé des reproches lorsqu'un membre de sa famille se faisait mal. L'incident lui semblait toujours lié à quelque négligence de sa part. Il n'en allait pas différemment à présent. Elle aurait dû se méfier du chien. Et dire que c'était seulement le deuxième jour !

— J'aurais dû faire attention, dit-elle avec regret.

— Comment s'est-il libéré ? s'enquit Dixie.

— D'où vient ce chien, voilà la question qui importe à présent ! s'exclama Lloyd. Que fait un chien dans une expédition au fond du Grand Canyon ?

Les gens échangèrent des regards.

— JT l'a trouvé hier soir, lui dit Ruth en lui tapotant la main. Tu te souviens ? Dans les buissons ?

— On n'a que ça comme gaze ? fit JT.

Sam tapota l'épaule de Ruth.

— Je suis désolé.

— Moi aussi, dit Matthew.

— C'est vous deux qui avez détaché le chien ? demanda Mark sèchement.

— C'est Sam qui l'a fait, répondit Matthew.

Il disait vrai. Sam avait été celui qui avait défait le nœud.

JT farfouillait toujours dans la pharmacie.

— Qui a préparé ça, bon sang ? D'habitude on a des tonnes de gaze. Va vérifier les caisses, dit-il à Dixie. Comment ça va, Ruth ?

— Oh, moi, fit Ruth avec désinvolture. Ça va bien.

— Continue à boire.

Lloyd lui tendit la gourde et elle but de nouveau. Elle avait encore un goût de sang dans la bouche. Elle détestait attirer l'attention sur elle, à plus forte raison pour une blessure. De toute manière, elle s'arrêterait de saigner. La plaie se refermerait. Il ne fallait pas en faire une montagne. Tout le monde perdait du temps, alors qu'ils auraient dû profiter de leur déjeuner.

Elle se redressa et, abritant ses yeux du soleil, regarda le carré de gaze trempé de sang que JT maintenait contre sa jambe.

— Fais voir.

JT souleva la gaze. L'entaille était laide, profonde et irrégulière. Elle vit du sable et de la chair rose, puis il y eut un soudain afflux de sang. JT appliqua de nouveau la gaze sur la plaie. Ruth, qui avait soigné maintes égratignures pendant qu'elle élevait ses trois enfants, se rappela que les blessures avaient souvent l'air plus graves qu'elles ne l'étaient vraiment. Il y avait beaucoup de sang, mais c'était tout. Il suffirait de nettoyer la plaie, de mettre un pansement, elle se rétablirait très vite.

Il le fallait.

Sinon, qui prendrait soin de Lloyd ?

12

Jour 2
Mile 20

Après avoir bandé la jambe de Ruth, avalé le reste de son sandwich, s'être assuré que le chien était attaché et avoir expliqué en privé à Sam et Matthew combien il était important d'obéir aux instructions du guide-chef – si le guide-chef ordonnait d'attacher le chien, ça ne voulait pas dire le détacher –, JT rappela la direction du parc. Le garde réussit encore plus que la première fois à lui donner l'impression qu'il était un casse-pieds plutôt qu'un guide soucieux de la santé de ses passagers.

— Qu'est-ce qu'il a dit ? demanda Mitchell quand il eut raccroché.

— Ils ont d'autres chats à fouetter.

Mitchell acquiesça et réfléchit un moment.

— Eh bien, dit-il au bout d'un instant, je suppose qu'il faut faire avec.

— C'est exact.

— Tu as l'air fatigué.

— Nan, fit JT, qui l'était pourtant.

— Ne te fais pas de souci, dit Mitchell en se penchant pour le prendre par le bras. On trouvera une solution.

JT leva la tête vers lui. Les yeux de l'homme étaient dissimulés par ses grosses lunettes de soleil, mais JT décela dans sa voix une sollicitude qui le surprit.

— Merci, Mitchell, dit-il. Tu as eu assez à manger ?

— C'était extra. Vous, les guides, vous faites un boulot extra.

JT parvint à sourire. Il gérait mieux les compliments en privé mais se sentait quand même gêné.

— Tu ferais mieux de te remettre de la crème sur le nez, dit-il à Mitchell. Tu as l'air un peu rouge.

Ils avaient déjeuné près de l'entrée d'un canyon latéral, et après avoir tout rangé, Abo et Dixie emmenèrent le groupe faire une courte randonnée. JT resta avec les rafts, surtout pour garder l'œil sur Ruth. Il lui construisit une sorte de lit d'hôpital à l'aide de matelas en mousse, avec des sacs étanches en guise d'oreillers. Les kayakistes passèrent sur le fleuve. Ils lui firent signe et il leva la main en retour. Puis il s'allongea sur son propre matelas et inclina son chapeau sur son visage dans l'espoir de s'assoupir un moment, mais il ne pouvait s'empêcher de penser au chien. Ils étaient à cinq jours de Phantom Ranch, où ils parviendraient peut-être à persuader quelqu'un de le remonter à pied. À supposer que sa patte soit guérie, naturellement. Mais même si tel était le cas, serait-il bien conseillé d'expédier un chien sur les chemins par cette chaleur ? Il aurait besoin de beaucoup d'eau, ce qui signifiait quatre ou cinq kilos supplémentaires pour quelqu'un qui portait déjà sa propre charge. JT savait que les muletiers refuseraient tout net ; chiens et mules ne faisaient pas bon ménage sur un étroit sentier rocheux.

Trop tôt, il entendit des voix. Le groupe était de retour. Il s'en voulut de s'être inquiété. Le chien ne poserait pas de problème. Ils pouvaient le garder attaché si besoin était. Personne n'allait faire de choc anaphylactique.

— Nous avons les Roaring Twenties devant nous, annonça-t-il comme ils remplissaient leurs gourdes. Vous risquez d'être un peu secoués, alors resserrez vos mousquetons, gardez les seaux à écoper à portée de main, et attendez-vous à être trempés comme des soupes.

— Ça ne me gêne pas du tout, ça ! s'exclama Sam.

— Voilà ce que je voulais entendre, dit JT. Bon. Tout le monde à bord. Mêmes places que ce matin.

Et ce fut ainsi que JT, alors qu'ils se préparaient à partir, en ce deuxième après-midi, se surprit à fixer une sangle supplémentaire au gilet de sauvetage du chien. Sam et Matthew s'aspergèrent mutuellement le visage ; Jill se remit de la crème solaire sur le nez ; Mark trempa sa chemise ; Mitchell et Lena reprirent rapidement leur siège dans le raft de Dixie ; Amy et Susan réarrangèrent anxieusement le contenu de leurs sacs à dos ; Evelyn remonta la rive à la recherche de l'endroit le plus discret possible où se soulager. Ruth gagna le bateau de JT en boitant, suivie de Lloyd qui tapotait les poches de sa chemise, à la recherche de quelque chose.

Et Peter Kramer tenta de se représenter Dixie toute nue.

13

Jour 2, après-midi
Les Roaring Twenties

Du siège avant droit du raft à pagaies, Peter n'avait pas toujours une très bonne vue sur Dixie ; son bateau semblait toujours être derrière le leur, et il ne pouvait pas se retourner très souvent parce que c'était lui qui donnait le rythme. Mais au beau milieu des Roaring Twenties, Abo leur demanda d'arrêter de pagayer et sortit son mirliton, pris d'une envie soudaine de leur jouer un air. Là, Dixie les doubla, délicieuse à souhait, son gilet de sauvetage fermé jusqu'en haut sur sa chemise à carreaux rouges, coiffée d'un chapeau d'épouvantail déformé d'où s'échappaient ses tresses.

La tête de Peter lui tournait rien qu'à l'imaginer.

Oh ! ce qu'une cigarette lui aurait fait du bien à cet instant !

Lorsque sa copine avait mis fin à leur relation, l'automne précédent, après six longues années, Peter avait été le premier surpris. La nouvelle était tombée comme ça : non seulement elle ne l'aimait plus, mais elle était tombée amoureuse d'un autre, un agent d'assurances qui roulait en Mercedes-Benz et possédait une résidence à temps partagé avec vue sur un lac. Un agent d'assurances capable d'inspirer l'amour ? N'était-ce pas un oxymore ?

Peter ne comprenait pas comment ce genre de chose pouvait se produire, comment on pouvait cesser d'aimer quelqu'un sans que l'intéressé se doute de rien. Les mots « abruti total » défilaient comme une bande-annonce dans ses rêves à longueur de nuits. Comment les indices avaient-ils pu lui échapper ? Les vacances passées avec ses copines l'été d'avant, les nombreuses soirées tardives avec son club de lecture, le mascara qu'elle portait quand elle allait au gymnase. (Il se révéla que c'était là qu'ils s'étaient rencontrés : sur l'appareil à tractions ! Quel cliché, quelle… vulgarité !) À présent, ils étaient mariés et habitaient dans un cul-de-sac où, à en juger par la quantité de jouets en plastique éparpillés dans les jardins, quelqu'un devait déverser des stimulants de fertilité dans le réseau d'eau potable.

Mais allait-il s'autoriser à perdre ne serait-ce qu'un fragment de son temps à penser à eux pendant ce voyage ?

Abo rangea son mirliton.

— Bon, les pagayeurs, on approche de Georgie ! On reste sur le côté droit et on suit Peter. Peter ! On se réveille !

Le jeune homme serra sa pagaie, et ils flottèrent vers le rapide, regardant Dixie devant eux.

— Et elle y va, murmura Abo. C'est tout bon…

Leur propre raft descendait maintenant vers le V sombre.

— Bon, OK. En avant, toute ! cria Abo tandis qu'ils commençaient à prendre de la vitesse. Allez, on pagaie, on pagaie ! Faut que ça bouge ! On y va !

Peter planta fermement sa pagaie dans l'eau et se pencha vers les rapides alors qu'ils basculaient en avant, recevant de plein fouet la première vague glacée.

— À droite ! cria Abo.

Aussitôt, Peter pagaya en arrière. C'était comme d'écraser la pédale de freins. Le raft fit du surplace. Il recommença, heurtant cette fois la pagaie de Sam derrière lui.

— À droite, Sam ! cria Abo. *Droite !* T'es assis sur la droite, Sam, ça veut dire que tu pagaies en arrière. Regarde, Peter ! Allons, à droite, tout le monde, à droite toute !

Déjà, le raft se tournait vers la gauche. Les vagues latérales arrosaient les deux côtés, mais le droit prenait le gros de la douche. Peter, avec un instinct qu'il ignorait posséder, plongea sa pagaie derrière ses hanches, l'enfonça profondément, puis pivota en arrière de tout son poids – quatre-vingt-dix kilos, des abdos durs comme du roc –, il était un Viking, Poséidon, Neptune, il déplaçait des océans. L'eau lui trempa les hanches, mais le bateau pivota comme par magie et glissa dans le creux, en changeant d'angle. L'instant d'après ils tournaient à droite, manquant de peu un énorme roc submergé le long de la rive gauche.

— En avant toute !

Pagayant en synchro, ils traversèrent les derniers remous pour aller rejoindre les autres rafts un peu plus bas.

— Stop !

Peter se figea, pagaie en l'air, comme ils venaient se heurter au raft de JT.

— Tout le monde est entier ? demanda celui-ci.

Dixie fit pivoter son bateau en riant.

— J'ai failli rester coincée à gauche, s'exclama-t-elle. Vous avez vu que j'étais passée à deux doigts du rocher ?

— J'ai dû fermer les yeux, mon chou, dit Abo.

Pas moi, songea Peter.

— Mitchell, il vaudrait peut-être mieux ranger cet appareil photo pour le prochain, avertit JT.

— C'était cool, ça, fit Sam. Mais j'espère qu'on va chavirer une fois.

Abo l'aspergea avec son pistolet à eau.

— Révisons, Sam. Tu es assis du côté droit. Si je dis « À droite », qu'est-ce que tu fais ? Tu pagaies vers l'avant ou vers l'arrière ?

— Hhmm, l'arrière ?

— Merci, monsieur de La Palice, ironisa Matthew.

— Tu n'as qu'à regarder Peter et faire comme lui, dit Abo. Beau boulot, à propos, Peter. Rien de tel qu'un peu de muscle !

Mais Peter ne l'écoutait pas. À trois mètres de lui, Dixie se badigeonnait les lèvres de baume. Elle les frotta l'une contre l'autre, puis remit le stick dans la poche de son short. Peter humecta les siennes. Elles étaient sèches. Serait-il déplacé de demander à emprunter son baume ?

Tu es tellement nul, se dit-il.

Regarde le stick à lèvres. Dans ta poche.

C'était la pensée la plus déprimante qu'il ait eue de toute la journée.

14

Jour 2
Miles 25-30

Cet après-midi-là, les rapides continuèrent de se succéder, à des intervalles si brefs qu'on avait à peine le temps d'avaler une gorgée d'eau.

Au-dessus d'eux, de grandes cavités béantes ponctuaient le gigantesque Redwall. À un moment, ils aperçurent une mère mouflon poussant son petit à travers un éboulis rocheux.

Amy, qui pagayait à l'arrière du raft d'Abo, regretta d'avoir laissé son appareil dans son sac. Elle aurait aimé avoir une photo du petit mouflon. Elle aurait aussi aimé avoir quelque chose à grignoter. Son taux de sucre était bas, et elle se sentait faible. Ce qui était logique puisqu'elle n'avait pas déjeuné. Pas à cause du sable qu'il pouvait y avoir dans la salade de poulet, mais à cause du nœud qui allait et venait au creux de son estomac.

Ç'avait commencé ce matin, après le petit déjeuner. Une douleur ? Pas vraiment, mais c'était venu d'un coup, une sensation de chaleur et de pression dans le cou, comme si elle forçait pour gonfler un ballon. Elle avait eu peur que ça ne s'aggrave, mais la douleur avait mystérieusement cessé aussi vite qu'elle était arrivée.

Elle était ballonnée, sans doute. Mais cela se répéta deux, trois fois peut-être au cours de la matinée. Si bien qu'à l'heure du déjeuner, elle n'avait pas le moindre appétit, et que maintenant elle en subissait les conséquences.

Finalement, ils atteignirent une zone calme, et elle put ouvrir son sac pour y prendre des bonbons à la menthe. Abo sortit un livre d'histoires indiennes et se mit à leur faire la lecture.

Amy l'écouta pendant quelques minutes, mais le soleil cognait sur ses épaules, et ses pensées commencèrent à vagabonder. Elle était là, en train de descendre le Colorado avec un groupe de parfaits inconnus, des gens qui ne savaient strictement rien d'elle. Elle aurait pu être n'importe qui : déléguée de classe, championne du club des débats, as des sciences. Avoir tenu le rôle principal dans la pièce du lycée au printemps. Avoir été classée première au concours de chant de l'État. Personne n'en saurait rien.

Hormis sa mère, évidemment. Amy jeta un coup d'œil de l'autre côté du bateau, où Susan écoutait Abo avec attention. Sa mère l'agaçait vraiment, plus encore qu'elle ne s'y était attendue. Elles étaient trop souvent ensemble. *Dans quel raft est-ce qu'on va monter ?* et *Où est-ce qu'on va installer notre tente ?* et *Viens t'asseoir avec moi !* Est-ce que ça allait continuer comme ça pendant tout le séjour ?

Parce que franchement, elle se disait déjà que ce serait bien, un de ces soirs, de partir camper à l'écart. Pas loin, juste assez pour avoir l'impression d'être toute seule sous les étoiles, et non au lit, en sécurité, à côté de sa mère. Elle avait envie d'indépendance, de pouvoir tenir son journal tard dans la nuit sans que Susan soit là à se demander ce qu'elle écrivait.

Et surtout que pouvait-elle écrire ? Parlait-elle du lycée ? De ses amis ? De ses non-amis ? Des affreuses fêtes auxquelles elle s'était forcée à aller l'automne et l'hiver précédents, parce que sa mère l'y encourageait ? Des soirées, qui s'étaient révélées épouvantables, où les filles retiraient leurs T-shirts et où les gars s'aspergeaient de bière, et puis les flics débarquaient, les jeunes s'enfuyaient dans la nuit, et les rares qui restaient, ceux qui avaient insisté pour rester sobres, récoltaient néanmoins des amendes parce que le ballon avait relevé 0,001 degré d'alcool ? Elle-même n'avait bu qu'une seule fois, le soir de Halloween. Mieux valait l'oublier.

Vraiment.

Amy savait que si sa mère avait eu la moindre idée de ce qui se passait dans ces fêtes, elle ne l'aurait jamais incitée à y aller mais elle ne voulait pas le lui dire, de crainte d'attirer des ennuis aux autres. C'étaient des jeunes très populaires au lycée, aux parents non moins populaires, et Amy savait que Susan décrocherait le téléphone en moins de temps qu'il n'en fallait pour le dire, et qu'elle se retrouverait encore plus à l'écart. Elle avait donc commencé à mentir, disant à sa mère qu'elle allait aux soirées, ce qui lui faisait plaisir, puis se contentait de s'asseoir dans une cafétéria, prenant soin de ne rentrer qu'après minuit.

« C'était comment ? demandait Susan avec enthousiasme en posant son livre.

— Bien.

— Raconte !

— Je suis trop fatiguée », répondait Amy.

Elle était assez âgée pour apprécier l'ironie de la situation. Elle mentait à sa mère en affirmant qu'elle allait aux fêtes, et tous les autres mentaient à leurs parents en affirmant qu'ils n'y allaient pas. Sans compter que boire tout ce chocolat chaud ne l'avait pas aidée à perdre du poids non plus.

Un soudain éclat de rire dans le raft de Dixie ramena Amy au présent. Elle tordit le cou et leva les yeux vers les gigantesques falaises. Loin au-dessus d'elle, deux grottes s'étaient formées tout près l'une de l'autre, comme deux orbites vides.

C'était une chose sur laquelle elle avait envie d'écrire, ce raid et le paysage qui l'entourait, les couleurs de la roche, l'orange, le rose, le vert et le gris, et combien elle se sentait coupable de peser si lourd dans le raft, et combien elle aimait les guides, surtout JT et Abo ; et Ruth, qui avait été si calme lorsqu'elle était tombée et qu'elle s'était blessée à la jambe ; et comment, chaque fois qu'elle s'adressait à Peter, elle avait l'impression qu'il regardait à travers elle sans la voir, comme si elle n'était même pas là, ce qui était le cas, parce que pourquoi est-ce qu'un célibataire approchant la trentaine se serait intéressé à une fille dans son genre ?

Tout cela, Amy voulait l'écrire.

Sans que sa mère regarde par-dessus son épaule.

Devant eux, le fleuve décrivait une courbe sur la droite. Comme ils s'engageaient dans le virage, Abo rangea son livre et ils entendirent le grondement d'une nouvelle série de rapides.

— Fini de rigoler, lança Abo. Les derniers rapides de la journée. À vos pagaies. Au travail. Arrêtez de bayer aux corneilles. Sam !

— Quoi ?

— Qu'est-ce que tu fais si je dis « à droite » ?

— Je pagaie en arrière !

— Bien, fit Abo, sa voix reprenant le ton calme qu'il avait eu pour lire, comme s'il n'y avait vraiment pas de quoi s'inquiéter pour ces rapides. En avant.

Et, sa sérénité se communiquant à eux tous, et même au raft, ils franchirent le dernier obstacle de la journée en experts. Ils dévalèrent le rapide pile en son milieu, d'un même mouvement, une belle descente propre, où seuls les genoux d'Amy furent légèrement éclaboussés.

Ce soir-là, il y eut de la musique. Après qu'ils eurent fini la vaisselle, après que JT eut refait le pansement de Ruth, trouvé l'hydrocortisone pour l'eczéma de Lena, le paracétamol pour le mal de tête de Mark et de quoi bander les chevilles enflées d'Amy – après tout cela, Dixie sortit sa guitare. Elle avait réussi à aller se baigner sans que personne s'en aperçoive ; ses cheveux encore humides étaient peignés en arrière et elle avait noué son sarong autour de ses hanches. Elle s'agenouilla sur le sable, dans la lumière déclinante, sortit la guitare de son étui, se mit à l'accorder et à gratter les cordes. Son répertoire était du folk des années soixante – de la musique pour tous les âges et facile à reprendre en chœur, elle avait pu le constater au cours de ses cinq courtes années de guide.

Timidement, les gens se joignirent à elle. Il s'avéra que Mark avait une belle voix de baryton et une bonne mémoire ; il se souvenait de paroles et de mélodies que tout le monde avait oubliées. Susan fredonnait. De l'autre côté du cercle, Amy avait passé les bras autour de ses genoux. L'air était toujours chaud, et bientôt la lune se leva au-dessus du canyon, les baignant de sa lumière blanche.

Ce fut peut-être la beauté du clair de lune qui inspira Lloyd, ou les premiers accords d'une vieille chanson du Kingston Trio. Quoi qu'il en fût, il se leva et tendit la main à Ruth. Se méprenant sur ses intentions, elle lui dit qu'elle n'était pas prête à aller se coucher, mais il persista, et finalement elle se leva avec raideur et le suivit vers un espace dégagé. Là, il la prit dans ses bras et l'attira à lui. Ensemble, ils dansèrent gauchement sur le sable au son doux de la guitare de Dixie, un vieil homme frêle soutenant une vieille femme qui tenait à peine sur ses jambes.

5 juillet, jour 2

C'est la fin du deuxième jour. J'allais écrire que les choses s'étaient un peu améliorées aujourd'hui, et puis voilà que maman a trouvé le moyen de retirer son maillot de bain devant tout le monde. Franchement, s'il y a un truc que je ne veux jamais revoir de ma vie, c'est les nibards de ma mère. Et elle a fait ça comme si c'était tout naturel ! Comme si elle était dans sa propre salle de bains ! Ça a gâché toute la journée.

Bon, d'accord, pas toute la journée. Faut reconnaître que c'est incroyable ici, quoi. Je ne m'attendais pas à ça du tout. Je m'imaginais une rivière boueuse entourée de falaises sans intérêt. Je croyais qu'il ferait bien trop chaud. Et que j'allais détester les rapides.

C'est vrai qu'il fait chaud et qu'on est entourés de falaises, mais l'eau est tout sauf boueuse. Elle est froide et verte, et les falaises sont tout en orange et en roses, avec des fleurs qui poussent à même les parois. Les rapides sont plutôt cool. Aujourd'hui, je suis montée dans le raft à pagaies et on a fait les Roaring Twenties, des rapides qui se suivent pratiquement sans interruption. On a été totalement trempés, et maintenant je n'ai plus qu'une envie, c'est de remettre ça !

On garde le chien pour l'instant. Le type du Wyoming HAIT les chiens. Il dit que c'est parce que sa femme a des allergies, mais je l'ai vue flatter le chien quand il avait le dos tourné et elle n'est pas tombée raide morte ni rien. Alors je ne vois vraiment pas où est son problème.
Il y a vraiment des gens qui ont besoin de se lâcher. Le chien est super mignon. Il est tombé à l'eau aujourd'hui alors on l'a appelé Mixeur. Quand il est mouillé, son poil lui colle partout et lui tombe dans les yeux. Un soir que maman aura bu assez de vin, je lui demanderai si on peut le ramener à la maison.

La plupart des gens sont moins pénibles que je le pensais. Il y a une famille de Salt Lake et la mère m'a donné de la crème super bonne pour mes mains parce que l'air est si sec ici que ma peau se transforme en cuir. Je ne vais pas raconter de bobards, les garçons sont chiants, même si j'ai fait un effort pour leur apprendre quelques tours de cartes hier soir. Et ce qui m'énerve, c'est qu'ils pensent que le chien leur appartient. Pour ce qui est du père, il est sympa mais il passe son temps à pomper de l'eau et à engueuler ses fils.

Il y a un vieux couple adorable. Ils doivent avoir dans les quatre-vingt-dix ans, ils ont fait la descente des tas de fois, mais aujourd'hui le chien a fait tomber la femme et lui a vraiment amoché la jambe. Elle est peintre, lui était une sorte de docteur, et ils se font des sourires à tout bout de champ, c'est vraiment chou, mais je voudrais bien qu'il se serve d'un Kleenex de temps en temps. Ce soir, Dixie a joué de la guitare et ils se sont levés et ils ont dansé. C'était trop mignon.

Après, il y a une drôle de bonne femme qui apparemment enseigne à Harvard. Elle veut tout le temps aider, et en fait elle est dans les jambes de tout le monde, mais personne ne lui dit rien pour ne pas lui faire de peine. Comme ce matin, elle voulait aider JT à charger son bateau et il a dit Oh ! tu n'as qu'à te mettre dans la chaîne comme tous les autres ! mais elle a dit Non, ça m'intéresse vraiment de voir comment tu ranges tout le matériel, je ne peux pas te donner un coup de main à bord ? Alors il a dit oui, et puis elle a trébuché et elle a renversé le café de JT partout sur son siège. JT est TRÈS patient.

(Elle est plutôt GROSSE, mais moins que moi.)

Ensuite, il y a Mitchell. Lui, il se prend vraiment pour quelqu'un parce qu'il sait tout sur un type qui a descendu le fleuve dans un canot à rames dans les années 1800. Sa femme est enseignante, et à mon avis elle aurait bien besoin de cours pour prendre confiance en elle. Mitchell n'arrête pas de lui donner des ordres. Et il est constamment en train de faire des photos ! Comme quand on est arrivés au camp et que tout le monde était censé aider à décharger le bateau. (Il a pris une photo de Ruth au petit déjeuner, et Ruth lui a dit, je cite : « Je n'apprécie guère d'être prise en photo avant midi, Mitchell. » Bravo, Ruth. Le reste du temps, il se vante de tous les autres raids qu'il a faits. Soi-disant qu'il a grimpé l'Everest. Ouais. Et alors ?

Pour finir, il y a Peter. Il porte un caleçon de bain qui flotte autour de ses cuisses et une casquette de base-ball des Cincinnati Reds, et il a déjà pris un coup de soleil sur la nuque. Pourquoi est-ce qu'il n'a pas été fichu de lire la liste de choses à emporter et de choisir un chapeau plus grand ? Jusqu'à ce soir, je pensais que c'était un connard. Et puis il est venu s'asseoir à côté de maman et moi au dîner. Alors peut-être que ce n'est pas vraiment un connard. Difficile à dire.

Les guides sont plutôt cool. JT ne dit pas grand-chose, mais il a toujours une espèce de demi-sourire aux lèvres. Abo est le barreur. Le plus canon, et de loin. Et puis Dixie. Je veux son corps, je veux ses cheveux, je veux son rire, et elle est capable de pencher le derrière par-dessus bord et de faire pipi devant tout le monde !!!! Je ne pourrais jamais faire ça !
Même si je n'étais pas GROSSE.

JOUR 3

Miles 30-47
Fence Fault – Saddle Canyon

15

Jour 3
Miles 30-39

JT avait espéré partir de bonne heure le lendemain matin, mais le pansement de Ruth s'était défait pendant la nuit, et la plaie était encore à vif et suintait. JT et Dixie la nettoyèrent avec de l'eau bouillie, pendant que Ruth regardait, contrariée d'avoir besoin de tant d'attention.

— Vous avez d'autres choses à faire, s'écria-t-elle. Laissez-moi m'en occuper ! Ce n'est qu'une coupure !

Qu'une coupure ? JT aurait bien voulu que ce fût le cas. La peau de Ruth était fine, traversée de veines arachnéennes. Muni de gants, il étala la pommade antibiotique sur la blessure et bien au-delà. Dixie plaça par-dessus une large compresse de gaze stérile que JT fixa à l'aide de sparadrap. Puis ils enveloppèrent de gaze extensible la partie inférieure de la jambe avant de recouvrir le tout d'un bandage.

— Il ne nous reste que quatre carrés de cette gaze, tu sais, fit Dixie.

— Et combien de rouleaux d'extensible ?

— Six.

— Merde. Bon, il va falloir l'économiser. Je veux que tu portes un pantalon imperméable aujourd'hui, dit JT à Ruth en l'aidant à se relever. Il faut que la blessure reste au sec.

— Oh ! Très bien, soupira-t-elle.

— Tu peux t'appuyer sur cette jambe ?

— Bien sûr que oui.

JT et Dixie attendirent, les yeux sur elle. Ruth planta son pied dans le sable et s'appuya dessus, puis les regarda d'un air triomphant.

— Vous voyez ? Ça va très bien.

Il était neuf heures passées lorsqu'ils embarquèrent enfin. JT trouva une ligne de bulles et laissa le courant porter le raft. Ils étaient à l'ombre et l'air était frais. Pendant l'heure qui suivit, ils descendirent sur des eaux calmes, trois minuscules embarcations entre les murailles de terre cuite. Par endroits, des cascades luxuriantes de verdure surgissaient des parois. La roche striée et décolorée prenait çà et là une teinte rouge sombre entrecoupée de bandes noires. Parfois le sommet du canyon était visible ; d'autres fois il disparaissait et les falaises se refermaient au-dessus d'eux.

En fin de matinée, ils firent une courte halte à Redwall Cavern, vaste amphithéâtre en forme de coquillage qui s'enfonçait sous le rocher. Comme ils débarquaient, Mitchell ne perdit pas de temps pour les informer qu'en 1869, John Wesley Powell avait estimé l'endroit susceptible d'accueillir jusqu'à cinquante mille personnes (« Une exagération, évidemment », admit-il). Certains traversèrent en marchant, d'autres en courant la longue plage qui s'étendait sous la falaise, et tous hurlèrent pour entendre l'écho. Tous prirent des photos.

Cependant, JT ne voulait pas s'attarder ; un autre groupe venait d'accoster, et il apercevait la petite file de kayakistes qui négociait le virage en amont.

— Allons au barrage, dit-il à Abo et Dixie. Il y aura peut-être moins de monde.

Ils remontèrent donc à bord des rafts et repartirent sur les eaux vertes et profondes, flanquées des parois abruptes formées par le lit d'une mer disparue.

JT fit en sorte que les trois rafts restent groupés, afin de pouvoir leur résumer l'histoire du projet de barrage sur le Grand Canyon – expliquant que, dans les années soixante, le Bureau of Reclamation était allé jusqu'à percer un tunnel au beau milieu d'une falaise, au mile 39.

— Heureusement, le projet n'a jamais été réalisé, poursuivit-il, et cela grâce à une grosse campagne de publicité du Sierra Club[1].

— De David Brower, pour être précis, intervint Mitchell.

— Qui est-ce ? demanda discrètement Susan à Jill, ne voulant pas révéler son ignorance.

Mitchell l'entendit néanmoins.

— Qui est-ce ? Le président du Sierra Club ? L'homme qui a sacrifié Glen Canyon ? Même s'il a eu des remords par la suite.

— En effet, commenta JT, échangeant un regard avec Abo.

— Il a dit que c'était son plus grand regret, continua Mitchell. J'ai rencontré David Brower une fois. Un type assez intelligent. Regardez. C'est là ?

Haut sur leur gauche, un petit éventail d'éboulis dégorgeait d'une cavité obscure.

— J'espère que personne n'est claustrophobe, plaisanta Mitchell.

Ils se dirigèrent vers la rive. JT envisagea de laisser Mitchell prendre le contrôle de l'excursion, puisqu'il était si bien informé. Mais son côté obstiné l'emporta, et à peine furent-ils descendus des rafts qu'il se mit à donner des ordres – disant à Abo de rester avec Ruth et Lloyd, rappelant à tous les autres d'attacher leur gilet à quelque chose de stable.

— Le chien peut venir ? demanda Sam.

JT n'y voyait pas d'inconvénient.

— Tiens, dit-il en lui lançant un bout de corde. Fabrique-lui une laisse.

Ils suivirent le sentier et s'engagèrent dans le tunnel, enjambant précautionneusement pierres et flaques d'eau,

1. Association écologiste américaine fondée en 1892. *(N.d.T.)*

s'accrochant les uns aux autres pour ne pas tomber. À mesure que l'endroit devenait plus sombre, ils ralentirent, pour ne plus avancer qu'à tâtons. Leurs rires et chuchotements résonnaient entre les murs humides. L'air sentait l'eau et le métal. Comme ils tournaient un coin, la dernière lueur du jour s'évanouit ; à présent, seule la torche de JT, à la tête du groupe, trouait l'obscurité.

Il faisait froid. On entendait l'eau goutter. Evelyn trébucha. Mitchell la soutint.

— Merci, murmura Evelyn.

— Pourquoi est-ce qu'on chuchote ? chuchota Peter.

Finalement, JT s'arrêta, et tous se rassemblèrent autour de lui alors qu'il braquait sa lampe sur le plafond, indiquant le puits aérien qui menait jusqu'à la surface.

— Excusez-moi, fit Mitchell, excusez-moi.

Il se faufila parmi le groupe, s'accroupit et dirigea son appareil vers le minuscule rond de lumière.

— J'espère bien que tu m'en enverras un double, lança Peter.

Le flash aveuglant fit tressaillir tout le monde, y compris le chien qui, échappant aux mains de Sam, détala dans la direction d'où ils étaient venus.

Le temps que JT pointe sa torche vers le tunnel, il avait déjà disparu.

— Oh, bon. Ce n'est pas bien grave, dit-il. Mais on devrait peut-être y aller.

— Non, attends ! Éteins la lampe, suggéra Mitchell.

JT prit donc le temps d'éteindre, pour leur montrer ce qu'était le noir total. Aussitôt, l'air sembla inexplicablement plus chaud. Ils tendirent le cou dans tous les sens, parlant à voix basse.

— Bon, fit JT. Fini la rigolade. Rentrons avant que Ruth et Lloyd aient sifflé toute la bière.

Pour une raison ou une autre, le trajet de retour parut plus court. L'air se réchauffait à chaque pas, et on avait l'étrange sensation de passer d'une époque à une autre. Mitchell les informa que le virus Ebola venait à l'origine des cavernes à chauves-souris, et JT rétorqua qu'il n'y avait pas de chauves-souris dans celle-là. Mitchell répondit qu'on ne savait jamais avec ces choses-là, mais que, bon, il ne s'inquiétait pas. Finalement, un cercle de lumière apparut.

Et avec lui la puanteur, reconnaissable entre mille, d'une mouffette.

Elle déferla sur eux, forte et âcre, les enveloppant d'un nuage toxique. Il y eut des cris et des grognements, suivis d'une bousculade, et tous émergèrent dans la lumière chaude et blanche. Le chien était là, allongé à l'entrée, qui se frottait le museau entre les pattes.

— Je le crois pas, bordel, fit JT.

Abo, qui était resté avec Ruth et Lloyd, gravit la pente en courant.

— Je n'ai pas pu l'arrêter, dit-il, hors d'haleine. On observait la mouffette depuis le raft, on la voyait à peine à travers les buissons et personne ne bougeait, Ruth prenait des photos, et soudain, voilà que ce fichu clébard dévale la colline en aboyant.

— Sam, reste ici ! ordonna Jill sèchement.

Le gamin s'agenouilla sur le gravier, à trois mètres du chien.

JT se gratta la nuque. Il ne savait pas quoi dire. Il fixa l'animal, les mains sur les hanches.

— Vous avez du jus de tomate ? demanda Peter.

— Foutu chien, grogna JT. Espèce de foutu chien.

Ils durent fouiller jusque dans les profondeurs de la caisse de provisions pour trouver le pack. Une par une, JT ouvrit les boîtes et versa le jus de tomate dans un seau à écoper. Puis, tandis qu'Abo tenait la tête du chien et Peter son arrière-train, il en aspergea copieusement l'animal, faisant pénétrer le liquide dans son poil.

— Je ne pense pas avoir jamais vu une bête faire pitié à ce point, observa Mitchell.

La puanteur ne diminua pas pour autant, et JT se réprimanda. Bien sûr que le chien allait avoir peur de l'appareil et s'enfuir ! S'il avait pensé à le laisser avec Abo dès le départ, rien de tout cela ne serait arrivé.

Plus question à présent de persuader le moindre occupant d'un raft à moteur de l'emmener à Phantom.

Le contretemps les mit tellement en retard qu'ils étaient encore sur le site du barrage quand les kayakistes arrivèrent. Ils furent visiblement intrigués par le chien, ce qui n'était guère étonnant. Bien que peu enclin à leur fournir une explication, JT remarqua que la plus jeune d'entre eux, une fillette de dix ou onze ans, était engoncée dans un gilet de sécurité bien trop petit pour elle, et entrevit là une opportunité.

— J'ai quelque chose qui pourrait être plus confortable, dit-il. Et le tien pourrait aller au chien mieux que celui qu'il porte en ce moment. Si tu n'es pas trop attachée à celui-ci, évidemment.

La fillette, décidément trop grande pour son gilet vert pomme à grenouilles mauves, ne demandait pas mieux que de l'échanger – en fait, elle aurait voulu prendre en photo le chien vêtu de son ancien gilet, mais JT n'allait sûrement pas lui mettre quoi que ce soit avant qu'il ait été récuré pour de bon.

— Appelez le dépôt quand vous débarquerez, dit-il au barbu. Je vous renverrai celui-ci par la poste, si vous voulez. C'est quoi votre nom, déjà ?

— Bud. Comment est le tunnel ?

JT sourit.

— Noir.

Pendant que les kayakistes montaient à la queue leu leu le sentier qui menait au tunnel, il eut une pensée sournoise. Et s'ils partaient sans le chien ? Ces gens avaient l'air gentils ; ils trouveraient le moyen de caser l'animal à bord de leur raft de matériel et lui, JT, pourrait jouer au chat et à la souris avec eux pendant le reste du raid.

Encore eût-il fallu qu'il fût capable d'une telle ruse ! D'ailleurs, à l'avant du bateau, Sam avait déniché une petite serviette avec laquelle essuyer le chien et s'occupait particulièrement de ses oreilles et de sa barbichette hirsute ; JT n'avait pas besoin de beaucoup d'imagination pour savoir que l'enfant ne l'aurait jamais, jamais laissé s'en tirer à si bon compte.

16

Jour 3, le soir
Mile 47

Ce soir, peut-être, pensait Susan tout en aidant à décharger les bateaux à la fin de la journée. Ce soir, peut-être, au lieu de donner un coup de main aux guides pour la préparation du dîner, Amy et elle pourraient aller s'asseoir sur un rocher, à l'écart, et se parler.

Était-ce vraiment trop demander ?

Susan savait que les relations entre mère et fille pouvaient être tendues, qu'une mère était souvent la dernière personne à qui une fille de dix-sept ans voulait parler. Elle savait également que tout ce qu'elle disait semblait aussi nul à Amy qu'elle avait trouvé nulles les paroles de sa propre mère trente ans plus tôt. Mais peut-être qu'ici, sur le fleuve, Amy se confierait. Parce qu'elle avait l'impression d'en savoir si peu sur sa fille ces jours-ci ! Avait-elle des amis – de vrais amis, prêts à mentir pour elle ? Ou à l'écouter sans broncher quand elle avait besoin de dire tout haut une affreuse vérité ? Personne ne venait jamais à la maison ; personne ne téléphonait pour tel ou tel devoir. Cela lui fendait le cœur, surtout parce que, au lycée, elle-même avait fait partie d'une grande bande de copains, pris part aux fêtes, aux rigolades collectives, aux journées où on séchait les cours. Et avait toujours eu un petit ami – sauf pendant deux semaines avant d'entrer en première. Comment sa fille pouvait-elle être différente d'elle à ce point ? D'où venait-elle ?

Et comment avait-elle fini par devenir si... corpulente ?

C'est exactement la question que je n'arrête pas de poser, répondit la Salope.

Pendant ces trois premiers jours, Susan avait vraiment fait un gros effort pour donner à Amy l'espace dont elle avait besoin – la laisser faire connaissance de leurs compagnons toute seule, afin qu'ils la voient en tant qu'individu, et pas seulement comme sa fille. Mais elle était aussi déterminée à profiter de cette expédition dans le Canyon pour essayer d'abattre certaines des barrières désolantes qui les séparaient.

Peut-être qu'un peu d'alcool aiderait, songea Susan. Aussi, tard dans l'après-midi, dès que les rafts furent déchargés et que Dixie eut ouvert la caisse de boissons, Susan récupéra son outre de vin blanc et partit à la recherche d'Amy, qu'elle trouva à la pompe.

— Non merci, fit-elle en remplissant sa bouteille. Je vais me laver les cheveux.

— Je devrais peut-être en faire autant, dit Susan gaiement.

— Comme tu veux.

Blessée par cette rebuffade, Susan regagna l'endroit où Amy et elle avaient déposé leurs sacs. Leur emplacement, ce soir, était désagréablement proche du coin toilettes, mais le temps qu'elle descende du raft, qu'elle étire ses membres courbaturés et ramasse ses affaires, tous les autres étaient déjà occupés. Evelyn, remarqua-t-elle, se débrouillait toujours pour prendre l'un des meilleurs ; ce soir, par exemple, elle avait pratiquement traversé la plage en courant pour s'accaparer un grand espace plat doté d'une vue, qui aurait mieux convenu à Jill, Mark et leurs deux garçons. Susan jeta un coup d'œil dans sa direction ; Evelyn était là, en effet, assise en tailleur sur son matelas blanc, en train de lire son guide et de siroter son jus de canneberge.

En remarquant Susan, elle se hâta de repiquer du nez dans son livre. Cette femme était terriblement timide, et il serait gentil d'aller lui offrir un verre de vin. Mais elle ne pouvait tout simplement pas se résoudre à prendre l'initiative avec Evelyn, pas maintenant. Elle était si austère, si sérieuse ; elle ne manquerait pas de porter un jugement critique sur l'un des incidents de la journée – comme quand les garçons avaient essayé de détruire les fines toiles d'araignées accrochées au plafond de Redwall Cavern. Ce n'était pas bien, évidemment, Susan ne les défendait pas vraiment – mais enfin, c'étaient des gosses.

D'ailleurs, Evelyn ne buvait sans doute pas d'alcool, sinon elle aurait apporté autre chose que du jus de canneberge.

En amont se trouvait une petite crique où certains se baignaient. Amy s'y dirigea lourdement, munie de la trousse de toilette en patchwork floral qu'elle lui avait offerte pour le raid. Laisse-la tranquille, songea Susan. Elle partit vers l'aval, s'éloignant de l'espace fréquenté. Le sable humide était jonché de galets roses et ronds, qui eurent sur elle un étrange effet hypnotique ; elle ne regarda guère à plus d'un ou de deux mètres et s'absorba tellement dans ce qu'elle voyait qu'elle fut stupéfaite, en levant les yeux, de constater qu'elle avait envahi l'espace où Jill méditait.

— Pardon, murmura Susan.

Elle ne voulait pas troubler la tranquillité de cette mère si occupée, mais Jill leva la tête, esquissant un sourire serein. Elle soupira, étendit les jambes et remua les orteils.

— Oh ! ne t'excuse pas ! dit-elle. Les seuls qui pourraient me déranger en ce moment sont les garçons. Assieds-toi, je t'en prie.

Susan obéit à l'invitation. L'eau léchait doucement le sable à leurs pieds ; des oiseaux gazouillaient et s'appelaient d'une falaise à l'autre.

— J'allais boire un peu de vin, dit la nouvelle venue. Tu en veux ?

— Non, merci, répondit Jill, ce qui donna aussitôt à Susan l'impression d'être une alcoolique.

Elle aurait dû fréquenter davantage les guides. Eux, au moins, buvaient leur part.

— Tu sais ce que ce voyage a de génial ? demanda Jill au bout d'un moment.

— Quoi ?

Jill soupira.

— On n'a pas à prendre de décisions. Les gosses disent : « Est-ce qu'on peut sauter du bateau ? » et je réponds : « Je ne sais pas, demandez aux guides. » Ils disent : « On peut rester debout pendant ce rapide ? » et je dis : « Je ne sais pas, demandez aux guides. » Quel endroit merveilleux !

Elle parlait avec le respect et la gratitude de ceux à qui la vie n'a pas donné grand-chose.

— Tu sais ce qui me plaît, à moi ? demanda Susan.

— Quoi ?

— De ne pas avoir à faire la cuisine !

— Ça aussi, acquiesça Jill.

— Et de ne pas faire les courses ! Mon but, quand je rentrerai à la maison, sera de n'y aller qu'une fois par semaine. Et si quelque chose vient à manquer, tant pis, ça manquera.

Jill émit un petit bruit dédaigneux.

— Oui, eh bien, avec la chance que j'ai, si j'annonce un truc comme ça, les garçons se trouveront sûrement un projet à l'école exigeant des dragées ou de la guimauve, et en moins de deux je me retrouverai dans la voiture en route pour le supermarché.

— Tu es sûre de ne pas vouloir de vin ?

Jill sembla réfléchir un instant.

— Allons-y, dit-elle.

Susan lui tendit la tasse.

— Mark ne boit pas, dit Jill, alors j'essaie de faire pareil. Mais de temps en temps, je prends un petit quelque chose.

— Si j'avais deux garçons comme les tiens, je serais alcoolique, affirma Susan, en le regrettant aussitôt.

— Mark est mormon, continua Jill. Pas moi. J'ai été élevée dans une famille catholique. Mon père buvait de la bière et ma mère du whisky. Quand Mark et moi nous sommes mariés, nous avons bu du champagne pour la réception, mais il n'y avait pas d'alcool à volonté, et Mark et ses parents disaient, *Oh ! tout le monde s'amuse autant que si on avait eu de l'alcool à volonté !* et moi je pensais : *Vous êtes aveugles ou quoi ? Toute ma famille est dans le parking avec des sacs en papier.* C'est quel genre de vin ?

— Bon marché.

— En tout cas, il est très bon, commenta Jill. Tu sais ce que je trouve drôle ?

— Quoi ?

— D'observer Mitchell avec le chien.

Elles échangèrent un regard et éclatèrent de rire, comme deux écolières prises en faute.

— C'est un cas, ce type, hein ? fit Jill.

— Pauvre Lena.

— Pauvre JT, tu veux dire ! Un de ces jours, il va se lâcher et lui envoyer son poing dans la figure.

Jill vida la tasse d'un trait et la tendit à Susan, qui la remplit derechef.

— Amy est ton seul enfant ? demanda-t-elle.

— Oui.

Il y eut un silence, durant lequel la Salope s'agita dans les buissons. Ce qu'elle veut vraiment savoir, c'est comment il se fait qu'Amy soit si grosse, alors que tu es si mince.

— Comme c'est bien, d'avoir une fille, dit Jill d'un ton empreint de tristesse. J'ai toujours voulu avoir une fille. Un de chaque. Mais j'adore Sam, bien sûr, se hâta-t-elle d'ajouter.

— Tu voudrais d'autres enfants ?

Jill hurla de rire.

— Impossible. Quand Sam est né, je me suis fait ligaturer les trompes. J'étais là, le ventre ouvert, la tête du médecin surgit entre mes jambes, et il fait : « Les trompes ? » et je réponds : « Oui, s'il vous plaît. » La décision la plus facile que j'aie jamais prise. Mark n'est pas au courant, ajouta-t-elle.

Curieusement, Susan ne fut pas choquée par cette révélation.

— Il croit que je prends la pilule, reprit Jill. J'économise une fortune en contraception. Il est très bon, ce vin, tu sais ! Je crois qu'il me monte un peu à la tête.

Il faisait son effet sur Susan aussi. Elle pensait que Jill avait révélé beaucoup de choses sur elle-même au cours des dix minutes écoulées, et qu'elle devrait lui confier des choses tout aussi intimes. Mais elle ne savait pas par où commencer. Et il lui vint soudain à l'esprit qu'Amy n'était peut-être pas seule responsable de la distance qui les séparait.

À cet instant précis Evelyn passa derrière elles, se dirigeant vers l'aval.

— Evelyn, appela Susan, un verre de vin ?

Evelyn lui adressa un sourire gai.

— Non merci ! Je vais faire un petit tour !

— Bon, dit Susan.

Elles suivirent Evelyn des yeux. Quand celle-ci eut trouvé un rocher assez gros pour la dissimuler, elle s'accroupit derrière.

— Elle est bizarre, remarqua Jill.

Elles virent Evelyn remonter son short, descendre plus bas et s'accroupir de nouveau.

— Tu crois qu'elle est vierge ?

Susan se tourna pour regarder droit dans les yeux cette respectable citoyenne des faubourgs de Salt Lake City. Puis elle éclata de rire.

— Quand même pas ! Je l'ai entendue parler d'un homme à Boston. Mais ils ont rompu.

— Tout s'explique. Elle a besoin de sexe.

Moi, j'ai besoin de sexe, songea Susan. Amy a besoin de sexe. On a toutes besoin de sexe.

— À propos, reprit Jill, à ton avis, lequel est le plus sexy ? JT ou Abo ?

Susan n'eut pas besoin de réfléchir très longtemps.

— Abo. J'aime ses pointes décolorées.

— Je dirais Abo aussi, sauf qu'il a un bedon de buveur de bière. Regarde quand il se penche.

— Alors, pour toi, c'est JT ?

Jill ne répondit pas. Elle se laissa aller en arrière sur le sable et ferma les yeux.

— Je voudrais avoir vingt et un ans, dit-elle. Je vivrais sur le fleuve et je coucherais avec des tas de guides.

Susan gloussa.

— Ne va surtout pas répéter ça, dit Jill.

17

Jour 3
Mile 47

Il fallut trois tentatives à Evelyn, trois rochers distincts, et trois cents mètres de rive avant de pouvoir faire enfin pipi.

Le premier rocher la mettait hors de vue du camp, mais pas de Jill et de Susan. Incapable de se détendre, Evelyn avait remonté son short et était descendue plus loin, jusqu'au gros rocher suivant, où elle s'accroupit de nouveau – et se rendit compte que Peter avait planté sa tente au milieu d'un bouquet d'arbustes directement dans sa ligne de mire. Reprenant son chemin, elle trouva enfin un bloc de grès qui offrait une protection totale. Là, à l'ombre du rocher, les chevilles dans l'eau glacée, elle baissa son short, s'accroupit, et libéra enfin le litre d'eau accumulé depuis l'heure du déjeuner.

Épuisée par l'inconfort, elle demeura un instant immobile, le regard fixe, hébété. Elle ne s'était pas attendue à rencontrer ce problème – qui y aurait pensé ? – mais il s'était abattu sur elle dès le premier jour, lorsqu'ils avaient accosté pour une rapide pause-pipi. « Les jupes remontent, les pantalons descendent », avait plaisanté Dixie, indiquant que les hommes devaient aller en aval et les femmes en amont. Le problème était qu'il n'y avait pas d'amont ; il était bloqué par une abrupte paroi rocheuse, qui ne laissait aux femmes qu'une minuscule crique tout près du raft. Dixie et Ruth firent rapidement pipi, mais Evelyn en fut incapable. Peut-être à cause de la présence des autres ; ou de la nécessité de se hâter. Elle essaya de se concentrer sur le son de l'eau (un truc vieux comme le monde), mais en vain. Enfin, persuadée qu'elle retardait le groupe, elle était remontée à bord en se disant qu'ils allaient bientôt établir leur campement, où il y aurait sans doute un peu plus d'intimité.

Ce qui avait été le cas. Mais le même problème s'était présenté le deuxième et le troisième jour. Seulement, le souvenir de la veille avait ajouté à sa tension. Au fil de la journée, elle voyait les hommes uriner sans complexe par-dessus bord, tandis que les femmes sautaient dans l'eau et flottaient, le regard dans le vague, ou, comme Dixie en avait fait la démonstration, laissaient tout bonnement leurs fesses en suspens au-dessus de l'eau. Evelyn ne pouvait faire ni l'un ni l'autre. Chaque fois, elle devait attendre qu'ils soient à terre. En outre, au lieu de se sentir plus à l'aise avec le groupe à mesure que les jours passaient, elle l'était de moins en moins, et trouvait donc nécessaire de s'éloigner de plus en plus, rien que pour avoir l'illusion d'être seule. Qu'avait-elle donc ? Pourquoi, après avoir fait tant de randonnées en groupe, était-elle soudain si timide ?

Un oiseau-mouche surgit devant elle, resta en suspens quelques instants puis disparut. Gorge rouge, vert iridescent : *Selasphorus platycercus*. Evelyn tenait un journal des oiseaux et avait vu trop de colibris pour se les remémorer tous, mais celui-là était le premier qu'elle apercevait dans le Canyon, et méritait donc une mention. Elle se leva et remonta son short. Les pierres immergées étaient glissantes et elle tituba, s'aidant finalement de ses mains pour sortir de l'eau à la manière d'un crabe. Le soleil encore chaud sur ses épaules, elle prit le chemin du retour vers le camp ; malgré elle, elle jeta un coup d'œil vers les buissons et vit Peter penché en avant, ses hanches blanches exposées aux regards.

Brusquement, elle pensa à Julian, seul dans son appartement, en train de regarder un match.

Ç'avait été une rupture compliquée. Lorsqu'elle était survenue, il avait pleuré. Mais il avait dit qu'Evelyn ne pouvait lui donner ce qu'il attendait, c'est-à-dire une véritable partenaire, quelqu'un qui partageait ses intérêts et voulait passer du temps avec lui, non pas se contenter de le retrouver à la maison le soir, après une journée que l'un et l'autre avaient consacrée à des activités différentes. Evelyn aimait faire du canoë ; Julian aimait aller aux matches. Evelyn aimait observer les oiseaux ; Julian aimait lire la rubrique sports et bricoler dans le garage. Ils avaient très peu de passe-temps communs, et malgré l'amour qu'il lui portait, il éprouvait, à l'âge de cinquante-sept ans, le désir d'avoir une compagne plus présente. Evelyn, pour sa part, ne voyait pas de mal à ce que deux personnes qui s'aimaient aient chacune ses centres d'intérêt. En fait, elle pensait même souvent, en voyant d'autres couples inséparables, que cela révélait un sidérant manque d'indépendance.

« Beaucoup de gens partent en vacances séparément, avait-elle argué. Cela ne signifie pas qu'ils ne s'aiment pas.

— Mais je n'ai pas envie de partir en vacances tout seul, avait dit Julian. Je veux quelqu'un qui vienne à Ogunquit avec moi.

— Et moi, j'en ai marre d'aller dans la maison de campagne de ta famille.

— C'est justement le problème », avait commenté Julian.

En fin de compte, la fierté d'Evelyn l'avait empêchée de discuter davantage. S'il désirait trouver quelqu'un d'autre, qu'il le fasse. Elle n'allait pas se mettre en travers de son chemin. Néanmoins, il lui manquait. Ils n'avaient jamais emménagé ensemble – Julian possédait une maison à Brookline et elle un appartement à Cambridge, lequel semblait vide et silencieux sans lui. Les piles de la télécommande rouillaient faute d'usage. La page des sports allait droit au recyclage. Evelyn avait cessé d'acheter de la bière pour en avoir sous la main et passait un temps fou à feuilleter des catalogues en mangeant de la salade toute prête.

Quand elle avait envoyé les arrhes pour ce voyage, elle avait envisagé de réserver une autre place, au cas peu probable où Julian aurait changé d'avis et déciderait de tester la descente de rivière. Mais c'était une grosse somme d'argent, et Evelyn se dit que Julian avait sans doute déjà bloqué ses deux semaines en famille, là-haut, à Ogunquit.

Au campement, les préparatifs du dîner allaient bon train.

— Je peux faire quelque chose ? demanda-t-elle à Abo, qui avait noué un bandana mauve autour de sa tête.

Il avait l'air d'un pirate, songea-t-elle, avec un petit frisson d'excitation.

— Oui, un gâteau, dit-il, en lui lançant un sachet de préparation. Voilà une jatte, des œufs, un fouet, vas-y.

Evelyn se mit au travail, heureuse de se rendre utile. Pourquoi étaient-ce toujours les mêmes qui aidaient à la cuisine ? C'était le troisième soir, et elle avait déjà remarqué une routine : à ce moment-là, Jill partait faire du yoga, Ruth et Lloyd s'allongeaient sur leur matelas (mais bien sûr, c'était compréhensible étant donné leur âge et la jambe blessée de Ruth), Mitchell et Lena dépliaient leurs chaises de camping rembourrées et sortaient une grande bouteille de gin. (« Dis, entendait-elle Mitchell demander chaque soir, comme si l'idée venait de surgir dans son esprit, tu as d'autres citrons verts ? »)

Evelyn avait une piètre opinion des gens qui n'aidaient pas. Dès son plus jeune âge, on lui avait appris à regarder autour d'elle pour voir ce qui devait être fait.

— Qu'est-ce qu'il y a d'autre pour le dîner ? demanda-t-elle avec entrain.

— Des raviolis, répondit Abo. À la viande ou au fromage, avec ou sans sauce, comme on veut. Personne ne pourra aller raconter qu'on ne vous donne pas plein de choix.

— Vous n'allez pas le croire, mais je m'étais imaginé qu'on mangerait des hot-dogs et des hamburgers pendant tout le voyage, commenta Amy, occupée à épépiner un poivron rouge.

— Faudrait me passer sur le corps, affirma Abo. Sors de là, toi ! lança-t-il au chien, qui reniflait le seau à ordures.

— En parlant de corps, fit Peter. Combien de fois est-ce que tu as chaviré ? Allez. Sois honnête.

Abo rejeta la tête en arrière et éclata d'un rire sonore, puis redevint grave.

— Trois.

— Dixie ?

À genoux sur le sable, la jeune femme s'occupait du gril cabossé. Ses talons étaient gris, tannés et crevassés.

— Il y a deux sortes de guides de rivière, Peter, énonça-t-elle. Ceux qui ont chaviré, et ceux qui vont chavirer.

— Dans quelle catégorie es-tu ?

— À toi de deviner, dit-elle. Evelyn, la pâte est prête ?

Evelyn s'agenouilla à côté de Dixie et inclina la jatte pour que la jeune femme puisse transférer le mélange dans le grand faitout en fonte.

— J'aimerais bien voir comment ça fait, dit Amy.

— Monte avec Abo, grogna Dixie en hissant le faitout sur un lit de charbon de bois.

Evelyn offrit de laver la jatte.

— Nan. Laisse-la pour Abo.

— Pour JT, tu veux dire, fit Abo.

Ce dernier arrivait justement, chargé d'un broc plein d'eau.

— Je suis en train de faire un sondage, dit Peter. Combien de fois est-ce que tu as chaviré ?

JT posa le broc sur la table, de petites rides amusées au coin des yeux.

— Pourquoi cette question ?

— J'essaie de déterminer lequel des rafts est le plus sûr.

— Pas le mien, fit Dixie.

— Le mien non plus, lança Abo.

— Et certainement pas le mien, dit JT.

Ils plaisantaient tous, et Evelyn le savait, mais plaisanter n'avait jamais été son fort. À cet instant, elle aurait pourtant aimé pouvoir dire quelque chose qui les aurait tous fait rire et l'admirer, et qui leur aurait donné envie de descendre le fleuve en sa compagnie le lendemain.

Abo plongea une longue cuiller dans la casserole.

— Comment on sait que les raviolis sont cuits ?

— Ils flottent, dit Amy.

— Oh ! fit Abo. Bon. À TABLE !

Amy versa la pile de poivrons rouges dans la salade de Peter. Ils se firent face, souriants, et se tapèrent dans la main.

— LAVEZ-VOUS LES MAINS ! cria Abo.

Evelyn prit place dans la file, une assiette contre sa poitrine.

— Hmmm, fit Lloyd, jetant un coup d'œil dans le faitout.

— Mets-toi dans la queue, dit Ruth.

— Où étais-tu passée ? demanda Mark à Jill, qui venait de rejoindre le groupe.

Elle s'avança.

— Je bavardais avec Susan.

— Tu as l'air bien reposée, dit Mark.

— Je le suis. Oh ! Evelyn, je suis désolée, tu étais dans la file ?

Evelyn voyait mal comment on pouvait se méprendre là-dessus.

— Ce n'est pas grave, assura-t-elle.

Mais Jill insista pour qu'elle passe la première, et Evelyn s'avança le long du buffet. Elle avait les épaules douloureuses d'avoir ramé, et en portant son assiette sur la plage elle songea à Julian, qui gardait une série d'haltères devant sa télévision. Elle devrait s'en acheter.

Soudain affamée, elle s'assit bien en vue, et attendit que les autres viennent se joindre à elle.

Ce soir-là, les chauves-souris sortirent. Elles surgirent brusquement des falaises, décrivant des cercles fébriles, saccadés. L'air semblait plus chaud qu'il ne l'avait été pendant la journée, un phénomène qui, selon Mitchell, n'avait pas de sens mais qui, JT le savait, était courant un soir d'été.

Déjà, il sentait monter le niveau des eaux. Le lâcher principal ne surviendrait qu'après onze heures environ, mais les vagues semblaient clapoter plus fort le long de la rive. Ils campaient juste au-dessous de Saddle Canyon, au mile 47, et, avant d'aller se coucher, il enrôla Abo et Dixie pour reculer la cuisine de quelques mètres, par précaution.

Il était fatigué, mais sentait qu'il ne dormirait guère cette nuit. Il n'aurait pu dire pourquoi, au juste. Peut-être à cause de la chaleur ; peut-être à cause de la jambe de Ruth, qui n'avait montré aucun signe d'amélioration lorsqu'il avait refait son pansement ce soir. Peut-être à cause du chien, qui, en dépit d'un second bain au jus de tomate, empestait toujours. Au moins aurait-il un gilet à sa taille, dorénavant.

Avec des gestes las, il s'essuya les pieds, les badigeonna de crème et enfila ses chaussettes. Enfin, il s'étendit sur son matelas et s'exhorta à ne pas se faire tant de souci. Sur l'ensemble d'un raid, un tibia égratigné et un chien puant n'étaient que des contrariétés mineures. Tout irait bien. Il se laissa aller, inspira à fond et ferma les yeux. Le raft se balançait doucement sur l'eau peu profonde. Le murmure rassurant des voix proches parvenait jusqu'à lui.

En amont, à Glen Canyon, les techniciens du barrage ouvraient les vannes et, sous les étoiles, l'eau montait.

6 juillet, jour 3

Ce matin, on s'est arrêtés dans une caverne gigantesque. Les gens ont joué au frisbee, ce que je déteste, je n'ai jamais su l'envoyer comme il faut, il part toujours de travers, et puis il roule et tout le monde est agacé contre moi. Ils ont essayé de me faire jouer, mais j'ai sorti mon appareil et j'ai fait semblant d'être occupée. Ils ont compris, et ils étaient sûrement soulagés de toute façon.

Après, on s'est arrêtés dans ce tunnel où ils devaient construire un barrage. C'est là que ça devient intéressant. Alors, on entre dans le tunnel, et il fait très très sombre. À un moment, Mitchell décide de faire une photo, le flash fait peur au chien, et le chien fiche le camp. Le père de Sam se fâche contre lui parce qu'il était censé tenir le chien. La mère de Sam crie sur son père parce qu'il a crié sur Sam. Bref, on repart… ET LE CHIEN A TROUVÉ LE MOYEN DE FONCER DANS UNE MOUFFETTE !!!! Je ne savais même pas qu'il y avait des mouffettes dans le Grand Canyon !!! En tout cas, ça EMPESTAIT, et JT a essayé de le laver au jus de tomate, mais ça n'a rien fait DU TOUT. Alors maintenant, on a un chien qui pue la mouffette.

J'adore dormir à la belle étoile, mais maman veut que je reste avec elle. Qu'est-ce qu'elle s'imagine – que je vais coucher avec un des guides ?

Comme s'ils en avaient envie.

JOUR 4

Miles 47-60
Saddle Canyon – Sixty Mile Rapid

18

Jour 4, le matin
Miles 47-53

Il faisait encore sombre le lendemain matin quand un bruit venu de la cuisine fit sursauter JT et le réveilla. Il se redressa. Les bassaris rusés rôdaient souvent à la recherche de restes de nourriture, durant la nuit, et il ne voulait pas avoir à nettoyer les dégâts en se levant. S'efforçant de ne pas marcher sur le chien, pelotonné dans le fond du bateau, il mit sa lampe frontale et sauta sur le sable humide. La vaste étendue de plage se découpait sur la masse sombre des rochers et des buissons. JT cala ses pieds dans des tongs et se dirigea vers la cuisine, se demandant pourquoi le chien n'avait rien senti.

Mais au lieu d'un bassaris, une silhouette humaine apparut, penchée sur les caisses de provisions.

— Lloyd, murmura JT. Tu as besoin de quelque chose ?

Surpris, Lloyd leva le bras, comme prêt à frapper.

— Lloyd, c'est JT, dit-il gentiment. Qu'est-ce que tu cherches ?

— Quelqu'un a pris mon stéthoscope !

— Ton stéthoscope ?

— Quelqu'un l'a volé, affirma Lloyd.

— Pourquoi dis-tu ça ?

— Parce que, dit Lloyd. Parce que.

JT attendit patiemment.

— Je vais découvrir qui l'a pris, dit Lloyd. Et quand je le saurai…

JT regarda autour de lui, cherchant Ruth des yeux, mais ne vit aucun autre mouvement.

— Lloyd, dit-il. Où as-tu dormi hier soir ?

Lloyd scruta l'obscurité environnante.

— Je crois que c'est par là, dit-il.

Sur quoi il se dirigea vers une forme indistincte sur le sable.

— Ruth, chuchota JT d'une voix rauque.

Une tête se redressa.

— J'avais bien dit qu'on était là, dit Lloyd à JT. Ce n'était pas la peine de la réveiller.

— Lloyd, qu'est-ce que tu fais debout ? demanda Ruth d'une voix ensommeillée, cherchant ses lunettes à tâtons.

— Quelqu'un m'a volé mon stéthoscope, répondit Lloyd.

— Tu n'as pas apporté ton stéthoscope, Lloyd, fit Ruth.

— Si ! cria Lloyd.

— Chut !

Ruth essaya de se lever mais sa jambe devait lui faire mal car elle se rassit aussitôt.

— On le retrouvera demain matin, dit-elle. Viens te coucher, Lloyd. Il est trop tôt pour se lever. Je suis vraiment désolée, ajouta-t-elle en se tournant vers JT.

— Pas de quoi, répondit-il.

— Tu vas pouvoir te rendormir, n'est-ce pas ?

JT leva les yeux au ciel.

— Non. Il est l'heure de préparer le café.

— Seigneur ! soupira Ruth.

— Quand il fera jour, je veux jeter un nouveau coup d'œil à ta jambe.

— Oh ! pff ! fit Ruth. Elle va bien.

— Un instrument qui coûte mille dollars, marmonna Lloyd.

— Reposez-vous, murmura JT.

Comme il s'éloignait, il entendit Ruth gronder Lloyd :

— Si tu te lèves la nuit, il faut que tu me le dises ! Tu ne peux pas partir comme ça !

Songeur, JT regagna le coin-cuisine et pressa l'allume-gaz. Dans un bruit de soufflet, un cercle de flamme bleue jaillit sous la casserole. L'histoire du stéthoscope ne faisait que confirmer ses soupçons. Depuis trois jours, Lloyd égarait constamment son sac, oubliait le nom de tout le monde et se demandait d'où diable était sorti le chien. Pas besoin d'être neurologue. Si on lui avait demandé conseil de manière générale, il aurait dit sans hésiter qu'un raid de treize jours dans le Grand Canyon n'était pas ce qui convenait le mieux à un homme de soixante-seize ans atteint d'alzheimer. Cependant, JT connaissait Ruth et Lloyd. Il avait été leur guide à quatre ou cinq reprises au fil des années. Il savait que ce couple avait plus que quiconque besoin de ce périple pour son bien-être physique et mental. Il savait aussi que Ruth était une femme capable, qui avait la tête sur les épaules, et qu'elle avait probablement consulté le médecin de Lloyd et pris une décision en toute connaissance de cause.

Cela ne l'empêchait pas d'être contrarié que Ruth n'ait pas mentionné l'état de santé de Lloyd sur le formulaire médical. Les guides avaient tous reçu une formation complète en médecine d'urgence, mais c'était aux randonneurs de leur faire part de problèmes spécifiques.

Tout ce qu'il demandait, c'était qu'on soit honnête avec lui.

Ce matin-là, au lieu de partir tout de suite, ils gravirent un canyon ombragé, tapissé de fleurs de datura aux trompettes d'un blanc éclatant. De délicates fougères bordaient le lit du cours d'eau, et des touffes de mimulus orange jaillissaient des parois roses et luisantes. Le canyon se terminait en cul-de-sac par un long bassin étroit où ils se baignèrent tous, Peter y compris.

— Sauvez-moi si je me noie, lança-t-il avant de se laisser glisser dans l'eau.

Au retour, Mitchell surprit tout le monde par un brusque revirement : Lena et lui voulaient monter dans le raft de JT ce jour-là. Sans vouloir faire de peine à Dixie, ils désiraient faire mieux connaissance avec lui. Il y avait longuement réfléchi la veille au soir, et tant que le chien restait à l'autre bout du raft, il estimait que Lena ne risquait rien.

Ce quatrième matin, JT se retrouva donc pour la première fois avec Mitchell et Lena à bord. À vrai dire, il était content que les choses se soient passées de cette manière. Au fond de lui, il était convaincu que derrière chaque casse-pieds se cachait une personne bien intentionnée et sans doute capable d'apporter quelque lumière sur un sujet qui l'avait toujours laissé perplexe. Par conséquent, comme ils s'engageaient sur le fleuve, il se mit à poser des questions. Mitchell se fit une joie de répondre et, en l'espace d'une demi-heure, JT avait appris que Mitchell avait refait à la pagaie le moindre mile de l'expédition de John Wesley Powell en 1869, hormis cette dernière section.

— Qu'est-ce que tu feras quand tu auras fini ? demanda JT.

— J'écrirai un livre.

JT était sûr que ce livre-là avait déjà été écrit.

— Je t'ai vu écrire dans ton journal, reprit-il par gentillesse.

— Oh ! il a une quantité astronomique de notes ! s'écria Lena. On commence à manquer d'espace ! Je le taquine. Je dis, Mitchell, quand est-ce que tu vas mettre au point ce fichu truc ?

— C'est un projet ambitieux, commenta JT.

— Il faut bien avoir de quoi s'occuper quand on est à la semi-retraite. Et vous autres, les guides ? Vous prenez votre retraite, un jour ?

Ce n'était pas une question à laquelle JT pouvait répondre facilement. Certains de ses amis changeaient de métier lorsqu'ils fondaient une famille, quittant le fleuve pour partir à la recherche d'un revenu régulier. D'autres finissaient par avoir des problèmes de dos ou d'épaules. Et certains continuaient à ramer jusqu'à soixante-dix ans passés – dans des barques en bois, des rafts, des kayaks, n'importe quoi, car les priver du canyon était comme les priver d'eau ou de nourriture.

JT ne savait pas s'il serait de ceux-là. Son fils Colin, conseiller juridique dans un cabinet de Phoenix, le poussait déjà à prendre sa retraite : « Tu as cinquante ans, papa. Trouve un vrai boulot. Tu as besoin d'une assurance santé, d'un plan retraite. » JT lui faisait remarquer qu'un plan retraite ne lui servirait pas à grand-chose en commençant aussi tard. « Peu importe, disait Colin. Tu ne devrais pas charger et décharger des glacières. Qui s'occupera de toi quand tu auras besoin de te faire opérer du dos ? Ou de la hernie dont tu te plains ? »

JT était touché que Colin s'inquiète pour lui, mais il soupçonnait son fils d'avoir toujours regretté qu'il n'ait pas été plus traditionnel, au lieu de se contenter de quelques travaux de menuiserie ici et là, en attendant l'ouverture du fleuve à la navigation, en avril.

— Certains d'entre nous prennent leur retraite, dit-il à Mitchell. D'autres ne s'en vont jamais.

— À quelle catégorie appartiens-tu ?

JT sourit.

— Je ne l'ai pas encore découvert.

— Tu ne te lasses jamais de ce travail ? demanda Lena.

— Oh ! dit JT, peut-être qu'il y aura un raid en octobre qui paraîtra s'éterniser un peu ! Mais en général, non. Si j'en arrive au point où j'ai l'impression de simplement trimballer des gens d'un point à un autre, je saurai qu'il est temps d'arrêter. Je n'en suis pas encore là.

Mitchell ouvrit son guide, puis scruta les falaises.

— On dirait qu'on arrive à Nankoweap, dit-il. On va s'arrêter ? J'aimerais beaucoup voir ces réserves à grain.

— On verra, répondit JT. C'est un endroit couru. S'il y a du monde, j'aimerais autant ne pas encombrer la piste.

En effet un autre groupe se trouvait déjà à Nankoweap ; depuis le fleuve, JT distinguait une file de minuscules silhouettes grimpant lentement la colline pentue et clairsemée vers les réserves à grain creusées à même la falaise. JT fut tenté de faire l'impasse sur la randonnée, mais il était déjà midi passé, et tout le monde avait faim.

— Il va faire chaud et très sec, là-haut, avertit-il après déjeuner. Si vous venez, apportez deux litres d'eau, et trempez votre chapeau et votre chemise. Non, dit-il à Sam. Le chien reste ici.

Certains ne vinrent pas. Dixie resta avec Ruth et Lloyd et Peter choisit de faire une sieste. Tous les autres, à part Mitchell, suivirent le conseil de JT et partirent vêtus des pieds à la tête de coton mouillé. Mitchell ne portait qu'un T-shirt, sec de surcroît, affirmant qu'il aimait vraiment la chaleur, qu'une chemise mouillée sécherait en l'espace de quelques minutes de toute manière, et qu'il n'aimait pas la sensation de yoyo qu'on avait en passant du chaud au froid et du froid au chaud. JT avait trop chaud pour discuter, et Mitchell sembla se débrouiller sans difficulté pendant les sept ou huit cents mètres de marche à travers la végétation malingre et dans la montée le long de la falaise. Ils étaient à vingt mètres des réduits en pierre quand il se pencha sur le côté et vomit, non seulement une fois mais à répétition, si bien que JT dut le retenir par son short pour l'empêcher de tomber dans le vide. Il envoya les autres en avant, aida Mitchell à s'asseoir et lui fit boire de petites gorgées d'eau, mais le visage et le cou de l'homme avaient pris une teinte écarlate. Devinant qu'il était au bord de l'épuisement, JT ouvrit sa propre gourde et versa un litre de bonne eau potable sur la tête et les épaules de Mitchell.

— Désolé, toussa celui-ci.

La prochaine fois, tu n'auras qu'à m'écouter, eut envie de dire JT.

— C'est fantastique ! cria Lena d'au-dessus. Mitchell ! Tu viens ?

— Dans une minute !

Une minute, mon cul, songea JT.

— Ça va ?

— Mieux, fit Mitchell, juste avant de recommencer à vomir.

Mitchell ne monta jamais jusqu'aux réserves à grain ; il semblait incapable de rassembler les forces nécessaires pour accomplir les derniers mètres. Il ne semblait pas s'en soucier non plus – mauvais signe, pour quelqu'un qui mourait d'envie de voir ce lieu une heure plus tôt. JT connaissait les signes avant-coureurs de l'insolation, et il ne pensait pas que Mitchell en soit là pour le moment, mais c'était à deux doigts.

Il faisait chaud pendant cette descente. JT se souvint qu'il faisait toujours chaud en juillet ; néanmoins, il avait un couple âgé, une adolescente en surpoids et un homme qui refusait d'obéir à ses instructions ; et comme ils retournaient vers les rafts, JT se demanda jusqu'où la température pourrait monter avant que tout ce petit monde se mette à débloquer pour de bon.

19

Jour 4
Miles 53-60

— Eh ben, vieux, qu'est-ce qui s'est passé ? demanda Peter.

Sans répondre, Mitchell entra dans l'eau et s'y immergea.

— Il a eu un peu chaud, répondit JT.

— Une insolation ? demanda Evelyn d'un ton anxieux.

— Non, mais ce n'est pas passé loin. Écoutez, dit-il au groupe, au cas où vous ne vous en seriez pas rendu compte, il ne fait pas moins chaud ici qu'en haut. Je veux que vous buviez tous autant que vous pouvez, et plus encore.

— C'est quoi, une insolation ? murmura Sam.

Étendus sur le côté, le chien et lui se faisaient face comme des amants épuisés. L'animal avait les yeux grands ouverts, et il haletait bruyamment. De temps à autre, Sam versait une poignée de sable sur une de ses pattes, qui était alors secouée de tremblements convulsifs.

— On peut en mourir, dit Mark. Il vaut mieux écouter JT.

— Là n'est pas la question. Il faut se rafraîchir. Sauter dans l'eau. Tremper vos vêtements. Ce que vous voudrez. Celui qui a chaud est un nigaud.

Le visage sombre, ils firent la queue pour remplir leurs gourdes. Peter portait le broc, et, tout en versant l'eau aux autres, il murmura à l'oreille d'Amy que JT avait mis un truc dans l'eau et que c'était juste une ruse pour les soûler tous cet après-midi et ne pas avoir à faire la cuisine ce soir. Peter n'aimait pas que les choses deviennent trop sérieuses. Évidemment, cela lui déplaisait que des gens comme Mitchell s'imaginent en savoir plus long que des guides qui, à eux trois, avaient descendu le fleuve plus de quatre cents fois. Cela lui déplaisait aussi que ces gens-là ne s'excusent pas de leurs erreurs de jugement. À son avis, si Mitchell l'avait fait au moment propice, cela aurait beaucoup contribué à apaiser la tension sur la plage. Mais Mitchell ne voulait parler à personne.

Peter n'était pas du genre à faire des commérages, mais il n'était pas non plus homme à garder constamment ses pensées pour lui. Et cet après-midi-là, dans le raft à pagaies, il émit le souhait que Mitchell se lâche un peu, maintenant qu'il avait eu chaud aux fesses. (« Sans jeu de mots de mauvais aloi », ajouta-t-il.)

— Vous savez qu'il est en train d'écrire un livre ? fit Jill.

— Sur quoi ? s'enquit Evelyn.

— Nous, répondit Peter. Je rigolais, ajouta-t-il aussitôt, en voyant que Mark semblait alarmé.

— Il m'a dit que ce raid était une grosse déception pour lui, expliqua Susan, parce qu'il n'a pas pu le faire dans une barque en bois.

— Qu'est-ce qu'elles ont de si spécial ? demanda Peter.

— C'est davantage comme Powell, dit Evelyn.

— Et c'est qui déjà, ce Powell ?

Il y eut des grognements tout autour de lui. Mais personne n'expliqua rien.

— Ce qui m'embête, c'est qu'il donne le mauvais exemple, dit Jill. J'essaie de convaincre les garçons de suivre à la lettre les instructions des guides, et puis Mitchell fait tout le contraire. Comme de ne pas porter une chemise mouillée pour la randonnée.

— Je me demande ce qu'il raconte, fit Amy. Chaque fois que je le regarde, il est en train d'écrire dans un de ses carnets.

— Ou de prendre des photos de nous, ajouta Susan.

— Allons, allons, intervint Abo. Il aura sous-estimé la chaleur d'aujourd'hui, voilà tout.

— Non, sûrement pas ! s'exclama Jill. Il pensait vraiment être plus malin que JT. Pareil ce matin, pendant la randonnée. On arrive au ruisseau, JT lui dit de garder ses chaussures, et qu'est-ce qu'il fait ? Il les enlève ! « Elles coûtent deux cents dollars », dit-il à JT.

— Estime-toi heureuse de ne pas être à la place de Lena, fit Peter.

— Je ne laisserai jamais un type me mener par le bout du nez comme ça, commenta Amy.

— Tu as bien raison, mon chou, fit Susan.

— En avant, dit Abo, et ils pagayèrent avec le courant.

— Qui était le pire passager que vous ayez jamais eu ? demanda Peter.

Abo gloussa.

— Vas-y, raconte, encouragea Peter.

— Bon, d'accord, mais je vous préviens, dit Abo, c'est une longue histoire. Ce type qui encadrait un groupe de scouts. Vous vous souvenez de la liste d'objets qu'on vous a demandé d'apporter pour le raid ? Lui, il a dit à ses scouts que tout ça, c'était de la blague, que les températures ne descendraient pas au-dessous de quarante degrés, alors qu'ils pouvaient oublier les chemises en polypropylène, la polaire, et même les trucs imperméables. Et puis ils arrivent, et c'est la mousson.

— C'était quand, ça ? demanda Evelyn.

— Fin juillet. Il pleut sans arrêt. Tous les jours, les gamins se font tremper. Tous les jours, on a huit scouts à moitié morts de froid. Nous, les guides, on sort tous les vêtements qu'on a pour les garder au sec. Et puis on arrive à Bedrock, où il y a un *énoooorme* rocher qui coupe le fleuve en deux, et il faut rester sur la droite, parce que si on va à gauche, on est mort. Bref, qui sait ce qui s'est passé, un des groupes rate le passage, ils se prennent le rocher, et hop, tout le monde au bouillon. On se retrouve avec quatre gamins en hypothermie. On accoste, on dit aux gosses de retirer leurs fringues mouillées et de se mettre à deux par sac de couchage pour se réchauffer. Le chef des scouts pète un plomb, nous accuse de vouloir en faire des pédés – c'est lui qui parle, excusez-moi – et il balance les sacs de couchage dans la flotte. Évidemment, ils étaient complètement inutilisables.

— Qu'est-ce qui est arrivé aux enfants ? demanda Jill.

— C'est la meilleure. Ils se sont tous réchauffés ! Tout seuls ! Du coup, leur chef a eu la grosse tête et a passé le reste du raid à nous regarder comme si on était John Wayne Gacy[1]. Je croyais ne jamais voir le bout de ce raid.

— Waouh ! fit Peter.

— Comme tu dis, répondit Abo.

— Je suppose que Mitchell n'est pas si terrible, continua Peter.

— Mitchell n'est rien à côté, affirma Abo. Alors je veux que vous soyez gentils avec lui.

— Vous avez entendu ça ? répéta Peter à Jill et Susan. Soyez gentilles avec Mitchell.

— Nous sommes très gentilles, répondirent-elles à l'unisson.

Peter ne pouvait pas contredire les deux femmes, mais il savait faire la distinction entre une gentillesse sincère et une fausse. La sincère, c'était quand un nouveau arrivait à l'école et qu'on l'invitait à jouer au ballon à la récré parce que sa mère l'avait humilié en se moquant de son chagrin. La fausse, c'était quand on se forçait à jouer avec les gamins du coiffeur pendant que sa mère se faisait couper les cheveux.

1. Tueur en série américain exécuté en 1994. *(N.d.T.)*

La gentillesse de Jill et Susan, il en était sûr, appartenait à la seconde catégorie.

Pour le reste, Peter était cent pour cent certain que Dixie couchait avec Abo. La veille, pendant qu'ils déchargeaient les rafts, il avait entendu Abo demander à Dixie si elle savait à quoi ressemblait une hernie, et Dixie avait inspecté une partie très privée de l'aine d'Abo, l'avait même palpée, de ses deux doigts. Et aujourd'hui, après qu'ils avaient dressé les tentes, quand il était descendu chercher une de ses bières sur le raft de Dixie, Abo était là, les pieds sur les genoux de Dixie, qui se penchait pour lui récurer les ongles avec la pointe de son couteau.

Ils devaient forcément coucher ensemble.

Peter rapporta sa bière à sa tente, l'ouvrit et savoura sa première gorgée de liquide frais et pétillant. Leur campement ce soir se trouvait au début de nouveaux rapides, sur une petite plage entourée de blocs gris et massifs qui descendaient jusque dans l'eau. Il n'y avait guère de place. Comme il avait passé du temps à aider Abo à installer les toilettes portatives, il avait dû se contenter d'un petit espace sableux et inégal tout près du coin-cuisine, un endroit qui n'offrait pas la moindre intimité – Evelyn s'étant comme d'habitude approprié le meilleur emplacement. Mais ce soir, Peter était résolu à faire contre mauvaise fortune bon cœur – après tout, il avait une canette de bière pleine entre les mains, et deux autres prévues pour la soirée.

Ah ! rien de tel qu'une bière fraîche par une chaleur de quarante degrés.

En amont, Jill essayait de persuader les garçons de se laver. Ils ne voulaient pas en entendre parler et se recroquevillaient sur le sable, les bras autour des genoux. Peter savait qu'il aurait dû descendre au bord de l'eau muni de ses propres affaires de baignade, faire le pitre, éclabousser les garçons, détendre l'atmosphère. Il n'aimait pas vraiment les enfants, mais Jill arborait une mine si pincée, si irritée, qu'il avait pitié d'elle.

Il était sur le point de prendre sa serviette et sa trousse de toilette quand il vit du coin de l'œil Amy venir péniblement dans sa direction. Elle portait le T-shirt Jamba Juice trop grand pour elle et, quand elle s'approcha, il remarqua des perles de sueur au-dessus de sa lèvre, là où il y aurait pu y avoir une moustache.

— Salut, dit-il en levant les yeux vers elle.

— Salut, soupira-t-elle.

— J'allais justement me laver.

Amy s'effondra à genoux sur le sable.

— Tu n'as pas bonne mine, constata-t-il.

Elle ouvrit les yeux et prit une profonde inspiration.

— Oh ! mon Dieu ! dit-elle. Je n'ai jamais eu aussi chaud de ma vie.

— Tu veux un peu de ma bière ?

À sa grande surprise, elle accepta la canette et la vida d'un trait.

— Waouh ! Ta mère sait que tu bois comme ça ?

— J'ai presque dix-huit ans, dit-elle, avant de roter comme une grenouille. Quand ma mère avait mon âge, c'était légal.

Peter eut une idée. Il savait que c'était une infraction à la loi, mais la loi ne semblait pas s'appliquer ici, au fond du Canyon. Et d'après ce qu'il savait de Susan, il doutait qu'elle s'y opposât.

— Reste là.

Il retourna au raft de Dixie, adressa aux guides un signe niais et sortit deux autres bières. Il revint, en donna une à Amy et garda l'autre.

— Où est ta mère, au fait ? demanda-t-il.

— En train de lire. Pour une fois qu'elle n'est pas en train de me faire chier.

— Je ne peux pas lire, ici, dit Peter, ouvrant sa deuxième canette, qui ne comptait pas vraiment comme la deuxième, puisque Amy avait bu la plus grande partie de la première.

— Abo lit la nuit, dit Amy. Tu l'as vu ? Il est allongé sur son matelas avec sa lampe frontale et il lit avant de s'endormir.

Peter eut l'impression qu'elle le réprimandait.

— Je suis censée lire *Les Versets sataniques* pour mon cours de littérature de l'année prochaine, reprit Amy. Mais j'ai du mal.

Là, Peter n'arriva pas à dissimuler sa surprise.

— Moi aussi, j'ai apporté ce bouquin !

— Tu le lis ?

— Non, avoua-t-il. Il est tout au fond de mon sac.

— C'est juste qu'il est tellement dense, et je veux qu'il me plaise, parce que je sais que c'est un bon auteur, mais...

Amy se pencha en avant, comme pour inspecter ses orteils, un geste qui aurait enchanté Peter chez Dixie, et qui lui répugna chez elle.

— J'aurais dû apporter un Tom Robbins.

Mais Amy semblait dans un autre monde. Elle respirait à petits coups, et il se demanda si elle n'était pas en train de pleurer. Puis il vit un mince filet de salive tomber de sa bouche dans le sable. Il regretta brusquement d'avoir laissé échapper sa chance d'aller se baigner avec les garçons.

Il s'éclaircit la gorge. Certaines personnes, avait-il entendu dire, étaient allergiques à l'alcool.

— Hé ! Amy !

Elle ne répondit pas. Peter regarda autour de lui, partagé entre l'envie et la crainte de voir quelqu'un arriver.

Puis Amy releva la tête et respira à fond. Elle sentit sa salive et s'essuya hâtivement la bouche.

Peter lui donna un petit coup de coude.

— Qu'est-ce qui s'est passé, bordel ?

— Rien.

— Rien, mon cul !

— J'ai des maux d'estomac, répondit Amy. Ce n'est pas grave.

Peter chercha nerveusement Susan des yeux.

— Qu'est-ce que ta mère en dit ?

— Ne raconte rien à ma mère, répondit Amy. Rien. Ce n'est pas grave. C'est l'altitude.

Peter allait rétorquer qu'ils n'étaient pas dans l'Himalaya, mais Amy désigna le fleuve :

— Regarde, il y a trois rivières, ici.

Peter suivit son regard. Elle avait raison. Des vagues agitées dansaient près de la rive ; plus loin, le courant principal se ruait vers l'aval ; enfin, au-delà, le contre-courant flottait vers l'amont dans un nuage de bulles.

— Tu veux du Pepto-Bismol ou un truc comme ça ?

— Non.

— Les guides ont toutes sortes de médocs dans leur trousse de premiers secours.

— C'est bon, là !

— Ne te fâche pas.

— Je ne me fâche pas.

— Tu as l'air fâchée.

— Eh bien, je ne le suis pas. Je regrette seulement de t'avoir dit tout ça, si tu ne me laisses pas tranquille avec cette histoire.

— Très bien, dit-il. Je te laisserai tranquille.

— Merci.

Peter remarqua la trousse de toilette d'Amy.

— C'est une Vera Bradley ?

— Comment tu le sais ?

— Mon ex les adorait.

Amy la souleva et la laissa pendre à son doigt.

— C'est ma mère qui me l'a offerte. Je pense que c'est de l'escroquerie totale. Mais ça lui fait plaisir de me voir m'en servir.

— Cent dollars pour un petit sac, fit Peter. Ça me tuait. Mais elle était contente.

— Vous êtes sortis ensemble pendant combien de temps ?

— Six ans.

— Qui a rompu ?

— Elle.

— C'est con.

— Ouais.

— T'es pas content qu'on ne soit pas avec un groupe de scouts ?

Peter termina sa bière.

— Tu y as cru, à cette histoire ?

— Je ne devrais pas ?

— Quand est-ce qu'on sait qu'un guide ment ?

— Quand ?

Peter secoua la tête.

— Quand il ouvre la bouche ! Bon sang, ajouta-t-il, t'es vraiment une des personnes les plus crédules que j'aie jamais rencontrées.

20

Jour 4, le soir
Mile 60

Pendant que tous les autres étaient en train de dîner, et lorsqu'elle fut sûre que le chien n'allait pas venir lui renifler la jambe, Ruth s'installa sur une souche et remonta son pantalon. Elle défit le bandage, puis retira doucement la gaze. Ce qu'elle vit n'était guère encourageant. La plaie était encore rouge, suintante, et la peau tout autour blanchissait quand on appuyait dessus.

Le moment était-il venu de se mettre sous Cipro ?

Dans leur trousse à pharmacie personnelle, Ruth avait emporté un traitement antibiotique de cinq jours. C'était une habitude qu'ils avaient prise après une descente particulièrement douloureuse au cours de laquelle Ruth avait contracté une infection à l'oreille le cinquième jour, du genre de celles qui auraient été facilement soignées par un traitement d'amoxicilline. En l'absence d'antibiotiques, Ruth avait souffert le martyre six jours durant, pendant que Lloyd s'inquiétait des dégâts à long terme sur l'oreille interne. Par la suite, ils avaient toujours emporté un antibiotique à large spectre. Ce n'était pas quelque chose qu'ils criaient sur les toits. Même s'ils étaient prêts à le donner à quiconque en aurait vraiment besoin, Lloyd ne voulait pas avoir la responsabilité de prescrire des médicaments à des inconnus alors qu'il était en vacances.

Là, les yeux fixés sur sa blessure, Ruth savait qu'elle devait prendre une décision. À en juger par la rougeur et l'enflure, le recours aux antibiotiques s'imposait ; cela considéré, elle ne voyait pas de lignes rouges remontant sur sa jambe. S'ils avaient apporté deux traitements (et pourquoi donc ne l'avaient-ils pas fait ? Quelle négligence idiote !), elle n'aurait pas hésité une seconde. Mais avec une seule série de comprimés, elle était réticente. C'était seulement une plaie externe, après tout, quelque chose qui devrait cicatriser tant qu'elle la nettoyait et la tartinait de pommade.

JT s'approcha d'elle à grands pas.

— Il fallait m'attendre, gronda-t-il. Regarde, le vent se lève, ta plaie va être pleine de sable.

Il s'agenouilla, inspecta la blessure et fronça les sourcils.

— Je n'aime pas cette rougeur. Voyons ce qu'en pense Dixie.

Il appela la jeune femme, qui vint à son tour examiner le genou de Ruth.

Dixie ne voulut pas se prononcer avant d'avoir consulté Lloyd. Ruth retint une grimace. Elle avait peur que Lloyd ne sorte le Cipro. Combien de coupures et d'égratignures avait-elle soignées au fil des années ? Elle savait à quoi ressemblait une infection, et ceci n'en était pas une. Lloyd arriva. Pour commencer, il n'y comprit rien, et Ruth dut lui expliquer par deux fois comment c'était arrivé (« Quel chien ? »). Puis, lorsqu'il eut enfin saisi qu'il ne s'agissait pas d'une morsure, il haussa les épaules, lui dit de mettre deux pansements par-dessus et d'arrêter de se plaindre.

Alors, JT et Dixie nettoyèrent la plaie, remirent de la pommade et refirent le pansement, tandis que Ruth restait assise, se sentant impuissante. Quant à Lloyd, il se dirigea vers l'emplacement d'Evelyn et entreprit de vider le contenu du sac de celle-ci, à la recherche d'une longue liste d'objets qu'il n'avait pas vus depuis Lee's Ferry.

La veille, Jill avait dit aux garçons en termes non équivoques qu'ils devaient essayer d'aller aux toilettes, mais ce soir elle se surprit à s'en soucier de moins en moins. Que pouvait-il arriver sur le plan médical ? Cinq jours, ça n'allait pas les tuer. Quatorze jours non plus, sans doute, mais elle doutait qu'ils en arrivent là.

Et cela ne ferait pas non plus de mal à Mark de passer une journée sans faire des pompes. À l'âge de quarante ans, Mark avait fait bien plus de 200 000 pompes : 50 par jour, 365 jours par an, tout au moins pendant les quatorze dernières années, depuis qu'ils étaient mariés. À la maison, il les faisait dans leur chambre, en se levant. Ici, il les faisait sur le sable, dans le noir, après que tout le monde était allé se coucher. Bien que reconnaissante d'avoir épousé un homme qui ne se laissait pas aller, Jill ne pouvait s'empêcher de se demander, allongée sur son matelas à écouter les petits grognements de Mark, s'il aurait vraiment les poignées d'amour tant redoutées au bout de quatorze jours. Et d'ailleurs, quelle importance ? Elle avait envie de lui dire que ce ne serait pas la fin du monde. Qu'elle l'aimerait toujours.

À trois mètres d'eux, Sam se mit à tousser. Elle reconnut la toux sèche, hachée, guetta le sifflement de l'aérosol, l'inhalation rapide. Rien. Sam se redressa.

— Où est ton inhalateur, Sam ? demanda Mark entre deux grognements.

L'enfant continua à tousser.

— Dans sa trousse de toilette, dit Jill à Mark.

— Où est sa trousse de toilette ?

— Dans son sac.

Elle attendit le soupir d'exaspération que Mark poussait chaque fois que les garçons n'étaient pas à la hauteur de ses attentes (« Soyez prêts, responsables, gardez vos médicaments à portée de main »), au lieu de quoi elle l'entendit farfouiller dans le sac de Sam. Puis vint le *pschitt*, l'inspiration profonde.

— C'est bien, bonhomme. Rendors-toi.

Puis Mark revint et s'allongea près d'elle sur le matelas. Il sentait la lotion solaire. Tout le monde sentait la lotion solaire.

— Merci, murmura-t-elle.

Merci d'avoir trouvé l'inhalateur. Merci de ne pas l'avoir critiqué parce qu'il ne l'avait pas sur lui.

— Je suis content que tu aies organisé ces vacances, murmura-t-il au bout d'un moment.

— Tant mieux, dit-elle. Moi aussi.

— Les garçons s'amusent bien, tu ne crois pas ?

— Si.

Elle était étendue sur le dos, les yeux levés vers les étoiles éparpillées dans le ciel ; de chaque côté se dressaient les falaises noires, les isolant du reste du monde. Jamais elle n'avait rien vu d'aussi beau. Quels autres mondes existaient là-haut, et vers quoi se dirigeaient-ils tous ? Elle tendit la main et étala ses paumes sur le sable frais et soyeux. Elle avait l'impression d'être immense, capable d'entourer l'univers de ses bras. En même temps, elle se sentait aussi insignifiante qu'une tête d'épingle.

— J'espère que je pourrai pagayer dans Crystal, dit Mark après un silence, l'arrachant désagréablement à ses pensées.

— Pourquoi ne le ferais-tu pas ?

— Beaucoup de gens vont vouloir pagayer dans Crystal, dit-il. J'ai entendu Mitchell en parler.

— Chut. Il est juste là.

— Mitchell n'a pas levé le petit doigt, murmura Mark. Comparé à toute l'eau que j'ai pompée.

Elle tendit le bras et prit sa main.

— Regarde les étoiles, Mark, murmura-t-elle. Compte-les.

Et il se tut, ainsi qu'elle l'avait espéré. Ils restèrent immobiles, flottant sur le sable, comptant les étoiles, bercés par le murmure incessant du fleuve en mouvement.

7 juillet, jour 4

Mitchell emmerde tout le monde. Ce soir au dîner, il a commencé à nous raconter que le barrage allait céder. Il dit qu'il est instable, que les murs se fissurent, et que le jour où il va craquer, il y aura une vague de cent quatre-vingts mètres de haut qui nous fera tous échouer dans le golfe du Mexique. JT était prêt à le tuer – JT n'est pas bavard, mais il a fini par demander à Mitchell s'il était ingénieur ou expert en hydro-électricité, et est-ce qu'il savait ci et ça, et il utilisait tous ces termes techniques, et finalement Mitchell l'a bouclée. Mais le mal était fait. Evelyn est convaincue que ça va arriver pendant le raid.

Il n'est pas très gentil avec sa femme non plus. Cet après-midi, par exemple, elle était tout excitée d'avoir trouvé un fossile et elle a demandé à Mitchell d'en prendre une photo pour qu'elle puisse le montrer à ses élèves de maternelle, et Mitchell a répondu que ça ne donnerait rien, que ce serait seulement une photo d'un caillou gris. Je vous jure qu'elle était au bord des larmes. Alors, j'ai pris une photo pour elle. Je ne supporterais JAMAIS d'être mariée à un type comme lui !!!!! Même si je suis GROSSE !!!!!

C'est décidé, demain je monte dans un raft différent de celui de maman. Tant qu'elle sera dans le même que moi, je ne dirai que deux mots, à tout casser. Parce que je sais qu'elle analyse toutes mes paroles. « Oh ! Amy, je ne savais pas que tu voulais aller en Chine un jour ! », « Oh ! Amy, je ne savais pas que tu voulais apprendre à faire du kayak ! », « Oh ! Amy, je ne savais pas que tu avais vraiment peur de prendre l'avion ! ». Je déteste me révéler devant elle. J'aurais préféré faire cette descente toute seule.

En rentrant, il faudra que j'aille visiter des universités. Je me demande s'il y a un truc du genre liposuccion-minute. Voici ma liste : l'université de l'État. Voici la liste de maman : Harvard, Yale, Brown, Berkeley, Stanford, Amherst, Princeton. D'après elle, si on a obtenu la note maximum à ses examens, il faut viser haut. Si elle dit ma note à quelqu'un, je la TUE.

Peut-être que je devrais aller à l'université d'Alaska. Là-bas, je pourrai porter un manteau 365 jours par an, et personne ne s'apercevra vraiment que je suis GROSSE.

JOUR 5

Miles 60-76
Sixty-Mile Rapid – Papago

21

Jour 5
Little Colorado

Le lendemain, en milieu de matinée, leurs trois rafts arrivèrent au confluent avec le Little Colorado. Un seul coup d'œil suffit à JT pour savoir qu'il n'avait pas plu en amont, car l'affluent roulait son étrange couleur bleu turquoise. Par une chaude journée d'été, le Little Colorado pouvait être aussi bondé qu'un centre nautique de banlieue, mais JT avait décidé de faire halte quand même, et pas seulement parce que Mitchell en avait parlé toute la matinée. Les gens de tous âges aimaient cette rivière ; l'eau était chaude, et on pouvait jouer et se prélasser dans une succession de bassins et de cascades.

JT dut manœuvrer habilement parmi la vingtaine d'embarcations amarrées ce jour-là pour trouver un espace à son raft. Comme ses passagers débarquaient avec impatience, il les mit en garde contre le travertin, dont les arêtes rugueuses éraflaient facilement la peau ; Abo faisant office de modèle, il leur montra comment attacher leurs gilets de sauvetage la tête en bas, style couche, pour se protéger. Puis il les laissa partir, et aussitôt ils se hâtèrent d'aller rejoindre la foule en amont. Les gens criaient, s'éclaboussaient, se laissaient glisser le long des cascades et s'agrippaient les uns aux autres pour former des chenilles maladroites qui se désintégraient, bras et jambes en l'air, les mains saisissant des pieds, au milieu de fous rires que JT avait l'habitude d'entendre ici, sur le Little Colorado, mais que la plupart des adultes n'avaient pas connus depuis l'école primaire.

Pendant qu'ils s'amusaient dans les eaux chaudes et bleues, JT passa de bateau en bateau en quête de gaze. Ce matin-là, Lloyd avait pris l'initiative de changer lui-même le pansement de Ruth. Il avait accompli un travail précis, méticuleux, enveloppant généreusement sa jambe, ce qui aurait été louable dans un hôpital mais était regrettable ici, sur le fleuve, alors qu'ils étaient déjà à court de gaze. Le temps que JT se rende compte de ce qui se passait, Lloyd avait déjà entamé le dernier paquet.

Ruth ne s'était-elle pas souvenue qu'ils manquaient de gaze ? Pourquoi ne l'avait-elle pas empêché d'en utiliser tant ? Parfois, cela le sidérait de voir que des gens intelligents pouvaient être distraits à ce point.

Néanmoins, la chance lui sourit ce jour-là, car l'équipage du raft motorisé avait quelques rouleaux supplémentaires à lui céder. Sa pharmacie en partie regarnie, il mit le chien en laisse et gravit une petite colline pour gagner un endroit où les guides se laissaient des messages.

C'était ici, des années auparavant, qu'il avait déposé des lettres d'amour destinées à une autre guide, une fille qui s'appelait Mac. Elle semblait toujours participer au raid suivant, jusqu'au jour où ils étaient enfin parvenus à synchroniser leurs emplois du temps, et là, ils n'avaient plus eu qu'à décider sur quel raft dormir, celui de JT ou le sien. Au bout de trois ans ensemble, ils avaient roulé jusqu'à Las Vegas un soir et s'étaient mariés. Moins d'un an plus tard, Colin était né, ce qui avait obligé Mac à quitter le fleuve pendant quelques saisons, ce qu'elle ne lui avait jamais vraiment pardonné. Lui, c'est-à-dire JT. Pas Colin. Elle adorait Colin, mais JT et elle n'avaient jamais réussi à comprendre comment être à la fois parents et guides de rivière. Mac en voulait à JT chaque fois qu'il partait faire un raid. JT lui rappelait que c'était elle qui choisissait de ne pas s'absenter pour deux semaines en lui laissant le bébé, qu'il aurait été content de garder Colin pour lui permettre de faire quelques descentes chaque saison. Malgré tout, les yeux de Mac débordaient de ressentiment à son retour. Ils avaient fini par décider qu'il était plus important pour Colin d'avoir deux parents relativement heureux qu'une seule cellule parentale malheureuse. C'est ainsi que JT s'était retrouvé père divorcé avec un fils à élever, un fils à qui il avait eu l'intention de transmettre l'esprit du fleuve, mais qui à présent dirigeait la branche Tutelles et successions d'un cabinet juridique de Phoenix.

Il n'y avait pas de mots d'amour ce jour-là, rien qu'un bonnet de natation à pétales roses que quelqu'un avait laissé pour Abo. « Je me suis dit que tu en aurais peut-être besoin », disait une note sur un bout de papier. C'était une écriture de femme ; JT se demanda depuis combien de temps il était là, et où se trouvait la femme à présent. Parfois, il avait l'impression que les fantômes des amours des guides hantaient le canyon et se manifestaient ici et là sous la forme de cailloux en cœur ou d'étoiles filantes – ou de bonnets de bain mièvres.

De retour au bord de l'eau, Dixie et Abo rassemblaient leurs ouailles excitées, à l'allure pataude à cause du gilet qui leur tombait au-dessous des hanches. Comme ils les remettaient à l'endroit, JT remarqua qu'une des attaches de celui de Matthew ne tenait plus qu'à un fil.

— Qu'est-il arrivé à ton gilet, Matthew ?

Le garçon baissa les yeux.

— Il est comme ça depuis quand ?

— Je ne sais pas.

La sangle en nylon noir était tout effilochée, et quelques marques ressemblaient de manière suspecte à des coups de dent, ne laissant guère de doute sur l'identité du coupable.

— Tu as du fil et une aiguille ? demanda Jill.

— Oui.

Il n'avait pas voulu avoir l'air grognon mais comprit à l'expression de Jill que c'était le cas. Il sortit son nécessaire à couture et répara la sangle ; cela fait, il avertit les participants de garder l'œil sur leurs affaires.

— Si ce chien bouffe quelque chose qui m'appartient, il passe à la casserole, fit Dixie.

— Quand est-ce que tu es devenue si méchante ? demanda Abo.

— Tu n'es pas méchante, intervint Peter.

— Oh si, je le suis, rétorqua Dixie.

— Embarquez, dit JT. On a du chemin à faire.

— *Avant de dormir*, plaisanta Evelyn.

— Qui a écrit ça ? demanda Lena.

— Walt Whitman[1], répondit Mitchell.

Amy rencontra le regard de Peter, et ils réprimèrent tous les deux un sourire.

Jill et Mark restèrent sur la plage pendant que les autres montaient à bord. Jill rangeait son sac.

— Mais qu'est-ce qu'ils ont, ces gamins ! fit Mark en secouant la tête.

C'était une remarque, pas une question, et Jill le sentit, il s'attendait qu'elle sache exactement à quoi il faisait allusion et compatisse affectueusement.

— Que veux-tu dire ? demanda-t-elle d'un ton froid.

— On n'a pas le dos tourné qu'ils s'attirent des ennuis. Ils ont une malchance terrible. Sam avec les fourmis rouges le premier jour, et maintenant Matthew avec ça. Pfff ! soupira-t-il en secouant la tête de nouveau, c'est comme si on leur avait jeté un sort.

Jill ne pensait pas qu'une piqûre d'insecte et une sangle grignotée soient la preuve d'un mauvais sort.

— Il n'y a pas de quoi en faire une montagne, rétorqua-t-elle.

— Oh ! je ne dis pas ça ! Pas du tout.

---

1. Mitchell se trompe. Le poème *Stopping by Woods on a Snowy Evening* est en réalité de Robert Frost. *(N.d.T.)*

Sur quoi Mark se mit à rire, d'un rire destiné à obtenir son approbation, alors qu'en réalité il avait vraiment l'impression d'avoir raison.

— Tout ce que je dis, c'est que s'il y a des ennuis à trouver, ils les trouveront.

— Le chien a fait tomber Ruth. Tu veux dire qu'elle cherchait les ennuis, elle aussi ?

— Ne t'énerve pas, répondit Mark. Je dis seulement qu'on devrait peut-être faire un peu plus attention à eux. Prévenir au lieu de guérir. Je ne vois pas ce qu'il y a de mal à ça.

Jill se redressa.

— Ce qu'il y a de mal, c'est que tu gâches mes vacances, Mark.

Elle ne savait pas exactement ce qu'elle allait dire ensuite et espéra ne pas dramatiser.

— Je voudrais vraiment que tu te détendes, reprit-elle. J'essaie de passer de bonnes vacances en famille et tu gâches l'ambiance en t'inquiétant pour tout et n'importe quoi.

— Tu n'as rien compris à ce que je disais.

— Et qu'est-ce que tu disais ?

Mark secoua la tête et regarda vers l'aval.

Jill mit les mains sur les hanches.

— Qu'est-ce que tu disais, Mark ?

— Ça n'a pas d'importance.

— Il faut vraiment que tu fasses ça ? Ici ? Maintenant ? Aujourd'hui ? Alors qu'on vient de se baigner dans l'endroit le plus magnifique au monde ?

Mark marmonna quelque chose à propos des eaux claires des lacs de montagne.

— Tant pis, dit Jill. J'apprécierai ces vacances à ma manière, et toi à la tienne.

— Eh bien, j'espère seulement qu'on arrivera tous entiers, conclut Mark en montant dans le raft à pagaies.

Jill resta un instant sur la plage, prenant de profondes inspirations pour retrouver son calme. Puis elle se dirigea vers Abo, qui enroulait son amarre.

— J'ai les bras un peu fatigués, dit-elle. Je crois que je vais faire une pause, si ça ne t'ennuie pas. Monter dans un autre raft.

— Pas de problème, mon chou, fit Abo.

Il était tard dans l'après-midi lorsqu'ils accostèrent pour la nuit. La plage, longue et plate, s'étirait vers l'amont. Tous connaissaient la routine à présent. Ils déchargèrent les rafts et s'installèrent rapidement.

JT appréciait leur indépendance, mais ne pouvait s'empêcher de se sentir préoccupé. La blessure de Ruth semblait s'être aggravée ce matin par rapport à la veille ; par deux fois, la nuit précédente, il avait rêvé d'évacuation par hélicoptère. Au petit déjeuner, elle boitait ; à Little Colorado, elle n'avait pas accompagné le groupe, se contentant de s'asseoir dans l'un des bassins, la jambe posée sur un rocher au sec. Elle avait demandé à Lloyd de lui tenir compagnie, mais il avait refusé.

— Non, ma petite, avait-il dit en emboîtant le pas aux autres. Aujourd'hui, je vais prendre du bon temps.

De plus, à Little Colorado, JT avait entendu la conversation entre Mark et Jill. Il avait vu pas mal de couples se désintégrer durant ces raids ; le Canyon pouvait vous dessiller les yeux, déstabiliser des gens d'ordinaire placides, leur faire prendre subitement conscience des imperfections de leur mariage. Exactement comme on pouvait tomber amoureux en un clin d'œil, on pouvait aussi cesser d'aimer. Il espérait que ce n'était pas en train d'arriver à Mark et Jill.

Pourtant, le moment n'était pas approprié pour les conflits ou les états d'âme. Ils se trouvaient juste au-dessus de Hance Rapid, le point d'entrée dans Inner Gorge, les gorges intérieures, la contrée des géants. Les parois allaient se resserrer, et ils remonteraient un milliard d'années en temps géologique en s'enfonçant dans le schiste Vishnu, la roche la plus ancienne et la plus noire. C'était là que le fleuve devenait sombre et impitoyable ; que les falaises se refermaient avant qu'on ait eu le temps de dire au revoir au ciel, où un échouage signifiait un long séjour dans l'eau avant d'être repêché. JT avait vu de vrais fantômes sur cette section du fleuve, dans l'eau et dans la roche, et c'était tout ce qu'il y avait, au fond, la roche et l'eau – et le courant. Toujours le courant.

Cette partie du Colorado plaisait à certains et faisait peur à d'autres. Cela dépendait de beaucoup de facteurs : le temps, le débit du fleuve, les gens avec qui on se trouvait. Pour ce groupe, JT n'osait pas se prononcer.

8 juillet, jour 5

~~Cascades bleues et chaudes~~
Cascades turquoise
Eau chaude
Bains minéraux :
Je ~~me baigne~~ cherche le bassin le plus profond
Pour baigner mes membres
Dans ces eaux magiques

En amont
~~Les hobbits~~
Bilbo Baggins taille ses ~~turquoises~~ pierres précieuses
Les plonge dans les sources
Troublant l'eau
De sorte que lorsque je m'immerge
Il n'y a
Rien que du bleu.

JOUR 6

Miles 76-93
Upper Granite Gorge

22

Jour 6, le matin
Miles 76-89

La journée du lendemain démarra de manière douteuse, avec le chavirage du raft à pagaies à Hance. Cela malgré une reconnaissance rigoureuse des rapides, tout le monde ayant grimpé jusqu'à un bon point de vue et les guides ayant étudié avec attention les zones de pression, noté l'emplacement de chaque rocher, chaque marmite, chaque déversoir. En fin de compte, ils optèrent pour un passage à gauche. JT franchit l'obstacle bien proprement et attendit au-dessous. Ce fut Abo qui eut des ennuis. De la rigolade, se disait-il, mais au moment où il orientait le raft à travers le fleuve pour passer à gauche, une guêpe atterrit sur son genou, et Abo, étant allergique, prit une seconde pour chasser l'insecte, une seconde critique durant laquelle il relâcha sa prise sur la pagaie, permettant au bateau de virer de cinq, peut-être dix degrés vers la droite. Ce fut suffisant. Aussitôt, ils furent entraînés entre deux déversoirs pointus vers le cœur furieux de Hance, et même avec Peter à l'avant (toute cette puissance, toute cette masse !), le raft se cabra et se retourna, projetant Abo, Evelyn, Jill, Sam, Matthew et Peter dans les vagues froides et coléreuses.

Comme toujours en pareil cas, il n'y avait pas le temps de se lamenter ; JT passa directement en mode secours, scrutant la surface à la recherche de gilets. En l'espace de quelques secondes, tout le monde réapparut juste à côté du raft – enfin, tout le monde sauf Peter, qui ne savait pas nager, et pendant que les autres, dans une confusion totale, parvenaient à se hisser sur le ventre lisse du raft retourné, JT suivit des yeux – avec consternation désormais – Peter, dévalant Hance, droit sur Son-of-Hance – une deuxième machine à laver, pour ainsi dire. Hormis un pied qui émergeait ici et là, il n'y avait aucun signe du jeune homme, ce qui n'inquiéta pas vraiment JT au début, mais les secondes continuaient à s'égrener, si bien qu'il fut très, très content lorsque Peter refit enfin surface dans les derniers remous, avec l'air hébété de qui a fait une chute de vingt mètres et, contre toute attente, a non seulement survécu, mais ne s'est rien cassé. JT rama vigoureusement pour intercepter Peter avant que le courant l'emporte plus loin encore, jusqu'à Sockdolager Rapid, et quand il sortit le jeune homme de l'eau, il lui fallut une bonne dose d'efforts pour convaincre un Peter claquant des dents qu'il était encore en vie, que le gilet de sauvetage avait rempli son rôle et que la lumière blanche qu'il avait vue sous l'eau n'était pas la porte du paradis, mais la couleur du ciel vue à travers une mer de bulles par un naufragé en état de choc.

Pendant ce temps, le raft à pagaies retourné avait dévalé Son-of-Hance à toute allure et Abo criait maintenant à ses cinq passagers restants de l'aider, de se lever, d'attraper la corde de flip, tous, et de se pencher en arrière. Convaincre cinq individus de douze à cinquante ans qui venaient de franchir leurs premiers rapides importants à la nage de se lever de là où ils étaient étendus à plat ventre, cramponnés à n'importe quoi, d'empoigner la corde qui passait sous le raft et de tirer n'était pas chose facile. Mais – et cela stupéfiait toujours JT de voir comment cinq novices pouvaient se hisser à la hauteur des circonstances – ils le firent, ils redressèrent le raft à temps pour se remettre à leurs places avant Sockdolager, attraper les pagaies qui restaient, et foncer.

Finalement, au-dessous des rapides, ils trouvèrent un endroit où accoster. Glacés, grelottants, l'adrénaline courant encore dans leurs veines, les nageurs retirèrent leur gilet et marchèrent de long en large, hors d'haleine, échangeant leurs récits tout en laissant le soleil chaud pénétrer tout l'épiderme qu'ils voulaient bien exposer. Peter était aux anges, convaincu que sa survie était due à une aptitude innée pour la natation. Elle avait toujours été là, et il n'en avait rien su, voilà tout ! Parce que, hein ? il avait suffi qu'il agite bras et jambes pour défier la loi de la gravité, il avait flotté, il ne s'était pas noyé, il savait nager, après tout, et sa mère allait en tomber raide quand elle le saurait. Raide !

— Vous savez combien de leçons j'ai pris, combien de stages j'ai fait, combien de profs m'ont pratiquement arraché les bras pour essayer de m'apprendre le crawl ? demanda-t-il. Vous vous rendez compte que j'ai la nausée dès que je sens une odeur de chlore ? Et là – là, sur le Colorado, je sais NAGER !

Il se pencha en arrière, regardant le ciel, et se frappa la poitrine.

— TU M'ENTENDS, MAMAN ? JE SAIS NAGER !

Pendant ce temps, Sam et Matthew se vantaient d'avoir été les premiers à remonter à la surface, et Mark savourait secrètement le fait que ç'avait surtout été grâce à sa force et à celle d'Abo qu'ils avaient redressé le raft. Jill, pour sa part, ne semblait pas pouvoir se réchauffer. Quand JT lui conseilla de mettre une chemise en polypropylène, elle le regarda d'un air perplexe : « Quelle chemise en polypropylène ? — Le maillot en polypropylène que j'ai dit à tout le monde de garder dans son sac, au cas où. » Comme Jill fronçait les sourcils sans comprendre, JT soupira et gagna son raft pour fouiller dans son propre sac et lui prêter l'un des siens. Cette chaleur supplémentaire réconforta un peu Jill – enfin, jusqu'au moment où elle se rendit compte que Sam avait perdu une de ses tongs dans l'aventure, une de celles pour lesquelles JT avait confectionné des brides à l'aide d'un bout de corde. Elle ordonna à Matthew de lui en prêter une, ce qu'il refusa, par considération fraternelle envers Sam, qui aurait alors porté une sandale d'une demi-taille trop grande pour lui, laquelle aurait risqué de le faire tomber. Ce raisonnement lui valut une gifle de la part de Mark, et bref, les choses commençaient à prendre très mauvaise tournure pour la famille Compson, quand Evelyn attira enfin JT à l'écart et lui confia qu'elle avait une paire supplémentaire de Teva que Sam pouvait utiliser, ce qui soulagea grandement Jill et Mark, même si Jill se demanda secrètement pourquoi Evelyn n'avait pas proposé les sandales plus tôt.

Dans l'ensemble, ce n'était pas de cette manière que JT aurait choisi de passer sa première matinée dans les Gorges intérieures.

Mais il était au fond d'un naturel optimiste, et se rappela qu'il n'y avait pas de quoi s'inquiéter pour un chavirage et quelques chamailleries. Des choses pareilles arrivaient sans cesse. Quand on était guide de rivière, on ne pouvait se focaliser sur le verre à moitié vide. Les emmerdements étaient inévitables. Ça faisait partie du voyage. Lorsqu'il estima que tout le monde s'était réchauffé, il donna le signal du départ.

Pour JT, il s'agissait seulement d'une autre aventure matinale sur le fleuve. Mais pour les passagers, songeurs, quelque chose avait changé. Comme ils s'enfonçaient plus profondément dans les gorges, plusieurs d'entre eux eurent le sentiment de ne plus être sur le même fleuve – comme si le Canyon, malgré toute sa beauté, était devenu plus menaçant, le courant plus rapide, et que les parois qui se dressaient au-dessus d'eux avaient été forgées sur une autre planète. Ce n'étaient plus des falaises de grès ensoleillées qui montaient en escaliers ; à leur place s'élevaient des murailles verticales de schiste noir et luisant, hautes de près de deux cents mètres, veinées d'éclairs de granit rose. Il faisait sombre ici, au fond, et il régnait une sorte de violence permanente et inexplicable dont ces voyageurs novices mettraient un certain temps à prendre conscience.

Dans l'intervalle, ils ne pouvaient que tendre le cou et regarder autour d'eux, dans un silence fasciné.

Niché au fond de la gorge, Phantom Ranch s'annonce par un collier de boules rouges, enfilées comme des perles en travers du fleuve au mile 87,5. Elles marquent l'emplacement de la station de jaugeage, après quoi vient la plage où s'amarrent les bateaux. Envahi par une foule de descendeurs et de randonneurs, Phantom, comme le Little Colorado, vous rappelle une fois de plus que ce raid en plein été ne ressemble pas tout à fait à l'aventure imaginée en janvier précédent à Cambridge, Massachusetts.

JT était partagé au sujet de Phantom. Il y avait un petit village à huit cents mètres de là, sur la piste, avant-poste d'une époque révolue, équipé d'un magasin qui vendait de tout, d'un bureau de poste et d'une cafétéria. Il était agréable de faire halte à Phantom pour y prendre des nouvelles d'autres groupes, récupérer un éventuel courrier et découvrir si des surprises les attendaient en aval. Par ailleurs, les passagers aimaient visiter le magasin, acheter un ou deux souvenirs et envoyer une carte postale portant le cachet « Acheminé par mule » de Phantom Ranch.

Le problème avec Phantom, c'était qu'il y avait aussi une cabine téléphonique. En un sens, c'était pratique à mi-parcours, si l'on avait réellement besoin de vérifier quelque chose ; mais JT avait trop souvent vu un de ses clients passer un coup de fil et apprendre des nouvelles déplaisantes mais pas accablantes (le chat qui avait vomi du sang, la maison du voisin qui avait pris feu), des événements contre lesquels on ne pouvait rien faire sinon s'inquiéter, ce jour-là et les sept jours suivants, communiquant sa mélancolie à tout le groupe.

JT en avait discuté avec Dixie et Abo au petit déjeuner. Tous auraient préféré éviter de reprendre contact avec la civilisation, néanmoins ils devaient essayer de se débarrasser du chien.

— Mais nous n'allons pas nous attarder, avertit JT durant leur briefing quotidien. Un quart d'heure maximum.

Les boules rouges de la station derrière eux, JT dirigea son bateau vers une vaste étendue de sable sur la droite. La plage de Phantom ressemblait comme toujours à un parking bondé, plein d'une longue file de rafts lourdement chargés. Des randonneurs venus de la rive Sud, fatigués, écrasés de chaleur, se trempaient les pieds dans l'eau glacée, pendant que les descendeurs réarrangeaient leur matériel, se baignaient, ou échangeaient anecdotes et informations devant le panneau d'affichage.

JT accosta, espérant dénicher parmi eux l'ami des animaux dont il avait désespérément besoin.

— Trouve quelqu'un à qui faire du charme, dit-il à Dixie en attachant la corde. Dis que le propriétaire attend en haut.

— Tu veux que je mente ?

— Il y a bien quelqu'un qui attend quelque part, dit JT.

Dixie partit donc à la recherche d'un randonneur serviable et crédule. Pendant ce temps, la moitié de leur groupe se dirigea vers l'avant-poste. Jill et Mark voulaient tous les deux que les garçons envoient une carte postale, mais Sam savait qu'il vivait ses derniers moments avec le chien et refusait de partir ; et puisque Jill et Mark ne pouvaient pas forcer Sam à y aller, ils ne pouvaient pas forcer Matthew non plus.

— Évidemment, on n'oserait pas se faire obéir, n'est-ce pas, fit Mark. Loin de nous l'idée d'exercer notre autorité une fois de temps en temps.

D'ailleurs, Sam avait entamé un jeu de course-poursuite avec le chien, se ruant ici et là, soulevant de légers nuages de sable. Aux yeux de JT, c'était une bonne chose ; leurs sauveurs potentiels verraient Mixeur comme l'animal débordant d'énergie qu'il était, et non comme un avorton maladif qui s'écroulerait à mi-chemin du sommet. Il retira même le gilet de sauvetage du chien, pour mieux montrer son poil brossé de frais. De fait, il ne fallut guère de temps à Dixie pour capter l'attention d'un couple dépenaillé croulant sous du matériel des surplus de l'armée – c'étaient les plus démunis qui avaient le cœur le plus généreux, de l'avis de JT. Il s'apprêtait à aller les rejoindre et leur donner deux coupons d'excursion, quand les membres du groupe qui étaient montés au magasin revinrent, arborant un air coupable.

— Qu'est-ce qu'il y a ? Vous vous êtes goinfrés de glaces ? demanda JT.

— Comment résister ? répondit Mitchell. Tu veux que j'aille t'en chercher une ?

— C'est bon, merci. Des nouvelles de chez vous ?

— Le téléphone était en panne.

— Flûte.

Pendant ce temps, Sam continuait à distraire les randonneurs avec les tours de Mixeur. Pour sa part, Matthew dessinait une carte compliquée dans le sable à l'aide d'un bâton, mais personne n'y prêtait attention. Matthew essaya donc de participer au jeu de Sam, agitant le bâton devant le museau du chien et courant un peu avant de recommencer. Mixeur ne réagissant pas, Matthew fouilla dans sa poche et trouva des miettes de cookie qu'il lui tendit. Mixeur arriva en trottinant, renifla, lécha les miettes. Puis il se hâta de retourner vers Sam.

Qui sait au juste ce qui passa par la tête de Matthew ? D'aussi loin qu'il s'en souvienne, son frère cadet avait toujours attiré l'attention plus que lui, et ce depuis son tout premier anniversaire, quand il avait reçu pour cadeau ce paquet hurlant au visage écarlate qui, dès le début, avait eu le droit de passer plus de temps que Matthew sur les genoux de Jill. Cet intrus aveugle et rapace, qui lui avait volé sa mère et l'avait gardée clouée au lit pendant ce qui lui sembla d'interminables semaines, avait en grandissant appris à dessiner mieux que lui, à raconter de meilleures blagues, et finissait toujours par recevoir les Legos les plus intéressants à Noël.

En tout cas, pendant que Sam jouait avec Mixeur, Matthew retourna au bateau de JT, ouvrit la caisse de provisions et en sortit le beurre de cacahuètes. Il enfonça le doigt dans le pot et colla un gros tas de pâte au bout du bâton. Ensuite, il regagna l'endroit où Sam et Mixeur étaient en train de jouer, et tendit le bâton sous le museau du chien.

Cette fois, Mixeur accorda à l'objet toute son attention. Une fois sûr qu'il était complètement sous le charme, Matthew lança le bâton le plus loin qu'il put dans l'eau et, s'essuyant les mains sur son short, regarda le chien s'élancer à sa pousuite, *sans* gilet de sauvetage.

Cela semblait une rivalité normale entre deux frères, Sam indigné par la manœuvre, Matthew content de lui. Quant au jeu, il parut tout d'abord anodin, un chien qui courait derrière un bâton dans des eaux paisibles. Ayant récupéré son trésor, Mixeur se mit à nager fièrement vers la rive.

Cependant, le courant, à Phantom Ranch, est rapide et puissant et a entraîné plus que sa part de randonneurs à la mort. Sous les yeux horrifiés de Sam et de Matthew, les mouvements de Mixeur semblèrent soudain ne plus servir à rien et son corps disparut, ne laissant que sa tête hors de l'eau, la mâchoire serrée autour du bâton tandis que la rivière l'emportait, pareil à un petit bateau, vers le golfe du Mexique.

En voyant le chien s'élancer dans le fleuve, JT voulut se ruer vers la rive. Néanmoins, conformément aux lois de la physique, aggravées par le manque de traction, son brusque élan fit déraper ses pieds derrière lui dans un violent nuage de sable, ce qui eut pour effet de l'envoyer s'étaler à plat ventre. Dixie, plus légère et plus prévoyante, atteignit son raft avant que JT arrive au sien. Il parvint à se jeter à bord juste au moment où elle s'emparait des rames.

— Ne le perds pas de vue ! cria-t-elle en donnant une poussée pour s'éloigner de la rive.

À sa gauche, d'abruptes parois sombres surgissaient de l'eau ; à sa droite, la plage de sable s'étrécissait jusqu'à disparaître. Et à environ trente mètres devant eux il y avait le chien, la tête tout juste visible au-dessus de la surface bouillonnante, les mâchoires fermement serrées autour du bâton.

— Reste autant à gauche que tu peux, cria JT.

Sur la passerelle devant eux, des randonneurs leur faisaient signe, pointant le doigt vers l'animal, qui était entraîné droit sur les falaises. Juste au moment où il semblait devoir s'écraser contre le pan de roche précambrienne, le courant invisible tourbillonna juste assez vers la droite pour l'emporter sous la passerelle.

— À droite ! cria JT.

Cependant, à ce stade, la situation avait plus ou moins échappé à leur contrôle.

JT croyait connaître chaque mètre carré de ce canyon, mais il avait oublié que, juste après la passerelle, la muraille cédait brusquement place à une plage. Si seulement il pouvait y avoir un gentil petit contre-courant, songea JT, que ce gentil petit contre-courant ramène le chien, que tout se termine là, sur cette seconde plage, avec son accès à la piste de Bright Angel et ses gentils randonneurs qui attendaient en amont.

Mais si contre-courant il y avait, il ne remplit pas son rôle, et le chien continua à descendre au beau milieu du fleuve, le bâton à la gueule.

— On change ! cria Dixie, et, à la vitesse de l'éclair, ils intervertirent leurs places.

JT saisit les avirons mais resta debout afin de mettre tout son poids dans chaque poussée, car s'ils ne rattrapaient pas le chien avant le bout de cette seconde plage, ils devraient affronter Pipe Creek Rapid.

Ce n'était pas un gros rapide, assez menaçant toutefois pour un chien sans gilet de sauvetage.

La plage passa à toute allure. Une petite île aussi. Puis le fleuve amorça un virage, et JT entendit le grondement sourd de Pipe Creek Rapid.

Le raft sautilla sur les vagues. Debout à l'avant, Dixie bataillait pour ne pas perdre l'équilibre. Conscient de l'existence d'un fort contre-courant du côté droit, JT rama vigoureusement pour rester à gauche. Il se demandait jusqu'où il devrait descendre ce fichu fleuve à la recherche du chien, et s'il était un genre de capitaine Achab ou de colonel Kurtz[1] – quand il regarda vers la droite. Là, emporté doucement vers l'amont par le contre-courant, se trouvait Mixeur.

JT eut tout juste le temps d'accoster la petite plage au-dessous. Une fois qu'ils eurent touché terre, il détacha un matelas, le jeta dans l'eau, se laissa tomber dessus et se mit à pagayer pour aller récupérer le chien.

Qui, après tout ça, tenait toujours le bâton farouchement serré entre ses dents. Ses narines étaient dilatées, et ses grands yeux regardaient JT avec un immense calme, comme s'il ne faisait aucun doute qu'ils se trouvaient sur la même longueur d'onde. JT agrippa le bandana de l'animal et regagna la plage en pagayant. Quand le chien sentit la terre ferme sous ses pieds, il ne se mit pas à courir et à renifler partout, ni à frétiller pour quêter l'approbation de JT, mais se contenta de s'asseoir sur le sable, la tête haute, le bâton à la gueule, fier d'avoir accompli sa mission.

Les autres rafts arrivèrent peu après. Le premier à débarquer fut Sam, qui se précipita vers le chien. Jill et Mark suivirent, l'air anxieux. Matthew resta sur le bateau. Lentement, les autres descendirent et gagnèrent un à un la plage de galets.

— Si tu te demandes ce qui se passe, il est puni, déclara Mark.

1. Référence aux héros de *Moby Dick*, d'Herman Melville, et d'*Au cœur des ténèbres*, de Joseph Conrad. *(N.d.T.)*

— Qui ? demanda JT.

— Matthew ! Pour avoir lancé le bâton !

JT jeta un coup d'œil vers le raft où le garçon était assis, leur tournant le dos.

— Vous n'avez pas besoin de faire ça, dit JT.

— C'est incroyable, fit Mark, il faut toujours qu'il aille se fourrer dans les ennuis.

— N'importe quel gamin aurait pu en faire autant, répondit JT, qui détestait voir punir des gens (hormis par lui) pendant ses raids.

Cependant, il n'aimait pas non plus s'opposer aux décisions des parents.

— Mark ne voudrait surtout pas manquer une occasion de discipliner son gamin, commenta Jill.

Elle avait incliné la tête et démêlait violemment les nœuds de ses cheveux.

JT fut saisi de picotements nerveux. La pire chose à faire était de prendre parti pour une épouse.

Dixie s'approcha, suivie de Peter.

— Il y a un sort sur ce raid ? demanda-t-elle. Enfin, qu'est-ce qu'on a fait pour mériter ça ?

Abo baissa les yeux, se gratta la nuque.

— Ce n'est qu'un chien, Dixie.

— Qu'est-ce que c'est censé vouloir dire ?

— À t'entendre, on dirait qu'on parle de Darth Vader[1].

— Eh bien, excuse-moi si je ne suis pas ravie à la perspective de trimballer cette bestiole pendant le reste du raid, rétorqua Dixie. Je vous avais prévenus, les gars. Mais personne ne prête attention à ce que je dis.

Sur quoi elle retourna vers son raft à grands pas, entra dans l'eau et s'accroupit.

— Pourquoi Dixie est fâchée ? demanda Jill.

JT se passa une main dans les cheveux mais ne répondit pas. Parce que, à vrai dire, ce qu'elle reprochait à ce chien n'avait pas grand sens pour lui.

---

1. Dark Vador dans la version française de *Star Wars*. *(N.d.T.)*

À cet instant, Ruth, vêtue des pieds à la tête de la microfibre beige qui était devenue son uniforme pour ce voyage, s'approcha en boitant. Elle s'agenouilla sur sa jambe valide et le chien trottina vers elle puis s'assit, haletant, pour que Ruth puisse le caresser.

— Lloyd, appela Ruth par-dessus son épaule. Regarde qui a survécu.

Lloyd était penché sur son sac.

— Ça irait si je pouvais trouver mes clés, lança-t-il.

— Allons, tout le monde, dit JT au groupe. Préparons le déjeuner.

Mais Mitchell déplia sa carte.

— Je crois, commença-t-il, que si on peut escalader cette plate-forme, on tombera sur Bright Angel.

JT supposa que Mitchell s'était emmêlé les pinceaux, mais il n'avait pas envie de chercher à comprendre. Il se dirigea vers les rafts pour sortir la table du déjeuner.

— Tu veux que j'y aille ? demanda Mitchell en lui emboîtant le pas.

— Hhmm ?

— Le chien, dit Mitchell. Quelqu'un va le ramener à Phantom, non ?

JT fixa l'homme. Un début de barbe grisonnante avait poussé sur son menton, et sa chemise couleur argile pendait par-dessus son maillot de bain sombre. Il rabaissa sa visière.

— Tu rigoles ?

— Ben regarde, fit Mitchell en secouant la carte.

JT plissa les yeux vers lui – ou plutôt vers ses grosses lunettes de soleil.

— On ne peut pas rallier Phantom d'ici.

— Bien sûr que si, affirma Mitchell. Tu vois ?

Il désigna quelques lignes aux contours très denses sur la carte.

Mais JT ne quittait pas des yeux les lunettes de soleil.

— Tu penses le savoir mieux que moi ?

— Je consulte la carte, c'est tout.

— Eh bien consulte tout ce que tu voudras, répliqua JT. Il n'y a pas moyen de retourner à Phantom d'ici.

— En ce cas, tu suggères qu'on fasse quoi du chien ?

— Facile, dit JT. Il reste jusqu'au bout. Mitchell expulsa une petite bouffée d'air.

— Oui, c'est ça, reprit JT, comme s'il avait encore besoin de s'en convaincre lui-même. Je ne vais certainement pas forcer l'un d'entre nous à le remonter à pied à Havasu.

— Et Hermit ?

JT ne répondit pas. En théorie, il serait possible que quelqu'un le sorte à Hermit Creek, mais les chances de trouver un randonneur qui l'accepte semblaient à présent quasi nulles. D'ailleurs, poursuivre le chien durant cette dernière escapade de Phantom à Pipe Creek avait cristallisé quelque chose en lui. Cela lui déplaisait de se voir en propriétaire, mais au fond c'était bien de ça qu'il s'agissait : l'idée, désormais claire, que le chien était à lui et qu'il le resterait, pas seulement dans l'immédiat mais bien après la fin du raid. Il se voyait déjà en train d'installer une clôture neuve autour du jardin de sa petite maison. Le vieux bac à sable de Colin était un bon endroit pour creuser.

— Ce serait bien que tu me répondes, JT, fit Mitchell.

Le guide prit conscience qu'à mi-chemin de l'expédition, il était temps de remettre Mitchell à sa place. Il l'entraîna à l'écart. Pour une fois, il retira ses lunettes, car bien que la lumière vive du soleil de midi lui brûlât la rétine, il voulait regarder Mitchell droit dans les yeux.

— Qu'est-ce que tu as contre moi ? commença ce dernier. Tu m'en veux depuis le début. Tu vas m'expliquer, ou juste continuer à m'emmerder ?

— La ferme, Mitchell, dit JT.

À sa grande surprise, il obtempéra.

— Bon, reprit JT, maintenant, tu as le choix, Mitchell. Soit tu restes avec nous, soit tu trouves un autre groupe pour les sept jours à venir. C'est plutôt simple, non ? Bien. Maintenant, je suppose qu'à ce stade, la dernière chose que tu as envie de faire, c'est de suivre mes conseils, mais je suis ton guide-chef, et c'est mon boulot. Je te conseillerais donc de choisir la première option et de rester avec nous. Et tu sais pourquoi ? Parce que si tu ne le fais pas, tu verras dans ce raid la plus grande occasion manquée de ta vie. Le problème n'est pas le chien, Mitchell, mais d'apprendre à lâcher prise.

Mitchell croisa les bras sur son large torse. Ses avant-bras étaient couverts de poils argentés qui scintillaient en lignes parallèles, comme s'ils avaient été peignés.

— Et si tu restes avec nous, je te promets deux choses, poursuivit JT. La première, c'est que tu oublieras les allergies. Lena ne fera pas de choc anaphylactique, à moins qu'elle ne décide d'aller faire des câlins au chien, ce dont je doute.

Mitchell cracha dans le sable.

— Continue à m'écouter, Mitchell, avertit JT, parce que voici ma deuxième promesse : je te garantis que le bouquin que tu es en train d'écrire sera fichtrement meilleur *avec* un chien que *sans*. Tu me suis ? Pense à ce que John Wesley Powell aurait fait. Tu crois qu'il se serait débarrassé du chien ?

Cette perspective tempéra brièvement la furie de Mitchell.

— La question ne mérite même pas d'être posée, conclut JT. Maintenant, conduis-toi en adulte et lâche-toi un peu. Ne prends pas cette descente tellement au sérieux. Amuse-toi. Sois sympa. Les gens veulent te trouver sympa, Mitchell. Je t'assure.

C'était l'un des discours les plus sévères et les plus longs que JT ait jamais adressés à l'un de ses passagers. Il ne se souvenait pas de la dernière fois qu'il avait autant parlé, et il n'aurait pas été surpris que Mitchell et Lena s'invitent à bord du premier raft venant à passer et disent au revoir et bon débarras, une fois pour toutes, à JT et à son équipage. Mais il n'attendit pas de voir la réaction de Mitchell. Ils se trouvaient à deux miles en aval de Phantom Ranch, au sixième jour de leur raid, avec un chien, une personne âgée blessée, un homme atteint d'alzheimer, une adolescente obèse, Abel et Cain – et maintenant un copilote psychorigide qu'il s'était peut-être irrémédiablement mis à dos. Avec ça, il faisait au moins quarante-cinq degrés, il avait le déjeuner à préparer, des pansements à changer et devait s'assurer que douze personnes s'hydrataient suffisamment pour ne pas s'effondrer. Il n'avait pas pu se débarrasser du chien, alors le chien allait rester.

Et, comme il venait de le dire à Mitchell, cela ferait un jour une bien meilleure histoire.

23

Jour 6, midi
Mile 89

Pendant que JT était parti avec Mitchell et que tout le monde entourait le chien, Evelyn ouvrit sa gourde et s'autorisa quatre petites gorgées d'eau.

À partir de ce jour-là, Evelyn avait commencé à se rationner.

Oui, elle avait entendu JT recommander à tout le monde de boire suffisamment, mais elle était sûre de savoir assez bien maintenir son homéostasie personnelle pour juger du minimum d'eau qui lui était nécessaire – juste assez pour rester hydratée, sans pour autant avoir à subir l'inconfort d'une vessie pleine. JT avait conseillé deux litres toutes les quatre heures ; Evelyn décida qu'elle pouvait diviser cette quantité par deux sans mettre sa santé en danger.

La formule était d'une simplicité enfantine :

J – B = E

J étant la quantité d'eau recommandée par JT

B la quantité d'eau qui finirait normalement dans sa vessie, et

E la quantité d'eau qu'elle, Evelyn, devrait boire pour rester suffisamment hydratée.

Et donc, aujourd'hui, elle avait réussi à ne boire qu'un demi-litre entre le petit déjeuner et le déjeuner. La douleur étant bien moindre, il lui fut plus facile d'uriner. Pour s'assurer qu'elle ne souffrait pas de déshydratation, elle pressa le pouce à l'intérieur de son avant-bras et constata avec satisfaction que sa chair rebondissait aussitôt. Elle se félicita de sa méthode.

Mis à part son problème, Evelyn appréciait le voyage. Elle avait vu un troupeau de dindes sauvages, un faucon pèlerin, un condor de Californie et un nombre incalculable d'autres rapaces. Des mouflons broutaient le long du fleuve et de drôles de petites souris à grandes oreilles filaient sur le sable à l'aube. Et elle avait mémorisé toutes les couches de roche.

Mais surtout, elle se faisait des amis. Tout au moins le pensait-elle. La veille, Jill l'avait invitée à dîner avec sa famille. Elle avait passé la soirée à leur parler de ses recherches à Harvard, et ils l'avaient écoutée avec plus d'attention que ses étudiants n'avaient coutume de lui en accorder.

Les guides, surtout, étaient très gentils et répondaient à ses questions avec beaucoup de patience. *Est-ce qu'il neige jamais ici ? Comment ce rocher a-t-il pu se retrouver au beau milieu du fleuve ? Pourquoi les Anasazis ont-ils construit des réserves à grain à cette hauteur ? Que vont décider les autorités pour ce tamaris qui envahit tout ? Comment savez-vous que le niveau de l'eau va monter ? C'est vrai que le barrage risque de céder un de ces jours ?*

Elle avait soin de prendre des notes abondantes, et elle écrivait dans son journal à la fin de chaque après-midi pendant que les autres buvaient. (C'était la seule chose qu'elle désapprouvait dans ce raid, la quantité d'alcool consommée, et pas seulement par les passagers mais par les guides eux-mêmes. Est-ce qu'ils n'auraient pas dû faire attention pour eux tous ? N'étaient-ils pas, en quelque sorte, les « conducteurs désignés » ?) Julian aurait été intéressé par la taille des truites ; il aimait pêcher. Et les membres de son département voudraient des détails sur la faune et la flore. Elle avait aussi fait une liste numérotée de ses photos, chaque jour, afin de savoir précisément où chacune avait été prise – elle ne voulait pas être de ces gens qui reviennent de vacances avec un tas de jolies photos sans aucune information à leur sujet !

Ils étaient plusieurs à tenir un journal, remarqua-t-elle. Mitchell avait un carnet à spirale d'une couleur sale. Amy écrivait dans un truc couvert de tissu à fleurs. Quant à Evelyn, elle préférait ses cahiers d'écriture ordinaires à la couverture marbrée blanc et noir sur laquelle noter la date et le lieu. Elle avait toujours tenu des journaux de voyage, un pour chaque voyage, depuis qu'elle était enfant. Chez elle, à Cambridge, elle les gardait alignés sur une étagère inférieure de la bibliothèque, par ordre chronologique, comme une collection personnelle d'œuvres abstraites.

Aux yeux d'Evelyn, Matthew était injustement puni pour sa conduite à Phantom. Après tout, il avait seulement fait un effort pour amuser le chien. Quel mal y avait-il à ça ? Ce n'était pas sa faute si l'affaire s'était terminée de la façon qu'on savait.

Après le déjeuner, elle remarqua l'enfant assis tristement à côté du chien, pendant que Sam et son père s'affairaient à bord du raft. Evelyn vit là une occasion, non seulement de consoler Matthew, mais de tenter de sympathiser avec le chien. Elle s'approcha donc, un sourire incertain aux lèvres. Matthew avait retiré son chapeau et son crâne semblait pâle et vulnérable sous ses cheveux coupés ras.

— Ça t'ennuie si je caresse le chien ?

Matthew changea de place pour qu'Evelyn puisse s'asseoir à côté d'eux. L'animal roula aussitôt sur le dos, les pattes écartées. D'un geste hésitant, Evelyn lui tapota la poitrine.

Matthew se pencha au-dessus du chien et le frotta vigoureusement, comme s'il essayait d'allumer un feu. Une des pattes arrière battit l'air.

— Il préfère qu'on fasse comme ça, expliqua-t-il. Allez-y, essayez.

Timidement, Evelyn caressa l'abdomen de l'animal. Il ne semblait guère y avoir d'espace pour le ventre, avec tout cet appareil masculin, et elle avait peur de… enfin… de l'exciter.

— Plus fort, conseilla Matthew.

Evelyn décrivit de petits cercles avec ses doigts, prenant soin de rester au même endroit. Les pattes commencèrent à s'agiter.

— Vous voyez ? Il vous aime bien. Maintenant, essayez ça.

Matthew se leva, fouilla dans sa poche et en tira quelques oursons en gélatine enrobés de sable et d'herbe. Il en tendit un à Evelyn, qui hésita, puis l'offrit au chien.

— C'est bien, dit Matthew en ébouriffant les oreilles de Mixeur.

— Tu aimes les animaux en général ? demanda Evelyn.

— J'aime les mammifères, répondit Matthew. Et les reptiles. Je voudrais aller aux îles Galapagos.

— J'y suis allée ! s'exclama Evelyn.

— J'étais déguisé en Charles Darwin pour la journée des Grands Hommes à l'école, reprit Matthew. On avait loué une barbe blanche. J'ai fabriqué mes moineaux avec des plumes achetées à Hobby Village. Tous les becs étaient différents, ajouta-t-il fièrement.

— Je suis vraiment impressionnée, déclara Evelyn.

— Comment ça se fait que vous soyez toute seule ? demanda Matthew brusquement.

— Eh bien, fit Evelyn, prenant le temps de réfléchir, j'aime faire les choses toute seule, je suppose.

— Pas moi. Je déteste être tout seul. Maman, elle aime bien être seule. Des fois, elle veut tellement être seule qu'elle va s'enfermer dans la salle de bains.

Evelyn remarqua soudain que les cheveux de Matthew, longs d'un centimètre à peine, commençaient déjà à reprendre leur frisure d'origine.

— Et ce n'est pas juste à cause de mon frère et de moi qu'elle va là-dedans toute seule, reprit Matthew. Elle y va le week-end, quand papa est à la maison. Papa n'est pas souvent à la maison.

— Qu'est-ce qu'il fait comme travail, ton papa ?

— Je ne sais pas. Quelque chose au Japon. Une fois il nous a rapporté des bandes dessinées, à Sam et à moi, et une espèce de peignoir à maman, mais elle n'a pas été très contente. J'espère qu'ils ne vont pas divorcer.

Le cœur d'Evelyn chavira, et elle sentit le rouge lui monter au visage.

— Je suis sûre que non, se hâta-t-elle de répondre. Regarde, ils passent de très bonnes vacances ensemble.

Matthew regarda Jill qui riait avec JT. Mark et Sam étaient toujours à bord du raft.

— Je suppose, dit-il d'un ton morne, tout en grattant les oreilles de l'animal. Si seulement on pouvait avoir un chien.

Un brusque sentiment de solitude submergea Evelyn. Elle regretta subitement, de tout son cœur, de ne pas avoir pressé Julian de venir, après tout. Il n'y avait personne avec qui elle ait vraiment des affinités ; elle était une cinquième roue, à l'écart des autres, à la fois supérieure et inférieure à tout le monde.

Comment exprimer cela en langage mathématique ?

24

Jour 6, le soir
Mile 93

Ce soir-là, pour marquer la fin d'une longue journée, JT prépara un saladier de margarita. Il était en train de la servir à la ronde quand un groupe de randonneuses émergea des buissons, un groupe de femmes fatiguées, dont le premier geste en arrivant au fleuve fut de se dévêtir et de plonger dans l'eau. Personne ne fut plus intrigué que les deux garçons, qui cessèrent de se disputer l'écrase-canettes et s'agenouillèrent sur le sable, fascinés par le spectacle de quatre femmes complètement nues dans le fleuve. Ils furent encore plus impressionnés lorsque l'une d'elles, ayant reconnu Abo, vint s'asseoir sur son raft pour regarder des photos qu'il avait tirées de sa caisse personnelle. L'écrase-canettes fut oublié.

Finalement, toutes les femmes s'approchèrent et, en échange de margaritas, JT put obtenir d'elles un rouleau de pansement supplémentaire.

— Il y en a parmi vous qui aiment les chiens, à tout hasard ? demanda Dixie. Il est vraiment mignon. Et il n'a pas besoin de beaucoup d'eau non plus.

— Dixie, intervint JT.

— Autant demander, protesta celle-ci.

— On n'essaie pas de se débarrasser du chien, dit JT aux femmes.

— Oh ! que si ! fit Dixie.

JT n'avait guère envie d'une autre confrontation aujourd'hui – pas même avec Dixie. Ou plutôt, surtout pas avec Dixie.

— Je n'ai pas fait ça du tout, protestait Abo auprès de son amie. Quelle menteuse ! Ne l'écoutez pas.

— Vous êtes la copine d'Abo ? demanda Sam. Abo leva les yeux.

— Tu es bien trop jeune pour poser ce genre de question.

Sam chuchota quelque chose à Matthew, qui lui donna un coup de coude.

Une autre femme observait Lloyd qui, debout au bord de l'eau, se lavait le visage.

— Je vais dire à mon grand-père de faire ce voyage.

— Il a quel âge, ton grand-père ? s'enquit Abo.

— Il est plus vieux que ce type.

Lloyd termina sa toilette et chercha à tâtons sa serviette, qui flottait dans l'eau. JT s'approcha, la ramassa et la tordit avant de la lui rendre.

— Merci, fit Lloyd en se tamponnant le visage.

— De rien.

— Ma femme est amoureuse de toi, tu sais, dit Lloyd.

Seule dans la semi-pénombre de la tente, Ruth déroula le pansement, redoutant ce qu'elle allait trouver.

La veille, leurs soins méticuleux semblaient avoir porté leurs fruits, car la douleur s'était considérablement atténuée. Mais cet après-midi, alors qu'elle était assise dans le raft de JT, les élancements avaient repris. Sa peau la démangeait, tantôt brûlante, tantôt glacée. Elle aurait voulu arracher les bandages et plonger sa jambe dans l'eau du fleuve.

Elle retira la dernière épaisseur de gaze. Bien sûr, la plaie était rouge, luisante, gorgée de pus. Oh ! Si seulement elle avait pu prévoir… Regrettant de ne pas avoir pris la décision d'entamer un traitement de Cipro, elle fouilla dans son sac à la recherche de la trousse où ils gardaient la boîte à pilules bleue rectangulaire qui contenait tous les médicaments apportés au cas où. Si elle prenait un cachet tout de suite, elle pourrait dire à JT – qui viendrait aux nouvelles d'une seconde à l'autre – qu'elle s'était mise sous antibiotique.

Quand elle trouva enfin la trousse et l'ouvrit, la boîte bleue n'était pas là.

Ruth savait qu'elle ne l'avait pas laissée à la maison ; elle l'avait sortie dès le premier soir, pour y chercher un relaxant musculaire. Songeant qu'elle ne l'avait peut-être pas remise au même endroit, elle vida son sac sur le matelas. Peine perdue. Elle se retourna et renversa le contenu du sac de Lloyd. La boîte ne s'y trouvait pas non plus.

Maintenant, Ruth se sentait gagnée par la panique. Il y avait beaucoup de médicaments dans cette boîte, pas seulement le Cipro. L'avait-elle oubliée à leur premier campement ? Glissée par mégarde dans un autre sac ? Lloyd l'avait-il prise ? Elle se pencha hors de la tente et le vit qui approchait, son nécessaire à raser à la main.

— Tu sais où est passée la boîte à pilules bleue ? demanda-t-elle lorsqu'il se faufila à l'intérieur.

Il sentait la menthe et les vieilles pièces de monnaie.

Lloyd regarda ses affaires en vrac sur le matelas.

— Qui a fait ça ?

— C'est moi, dit Ruth. Je vais tout ranger. Mais j'essaie de trouver la boîte à pilules. La boîte bleue à compartiments. Essaie de te souvenir. Tu as dit que tu avais un mal de tête hier. Tu as pris un comprimé contre la migraine ?

— Je n'ai jamais la migraine, répondit Lloyd. C'est toi qui souffres de migraines.

Lloyd avait eu une migraine deux jours avant leur départ de Chicago. Ruth jugea inutile de le lui signaler.

— Eh bien, je suis en train de chercher la boîte à pilules et je ne la trouve pas. Tu sais où elle est ?

— Demande à Becca, suggéra Lloyd.

— Lloyd ! cria-t-elle, exaspérée à présent, Becca n'est pas là ! Il n'y a que nous deux ! J'ai besoin de la boîte à pilules !

— Tu es en train de me dire qu'on l'a volée ?

— Non, je…

Lloyd agita le doigt sous son nez.

— Voilà le problème avec toi, Ruthie. Tu tires toujours des conclusions hâtives.

Ruth décida de ne pas insister. À quoi cela servirait-il de lui rappeler que quelques jours plus tôt, c'était lui qui avait tiré des conclusions hâtives au sujet de son stéthoscope ?

— Si je rentre tard, tu t'imagines que je conte fleurette à Esther ! Si le prof de David n'encadre pas sa peinture au doigt, c'est parce qu'il a fait l'école buissonnière ! Arrête de faire toutes ces déductions sans arrêt !

Ruth détourna les yeux. Elle n'allait pas se mettre à pleurer. Non, certainement pas.

— Je voudrais que pour une fois tu réfléchisses à tous les faits avant de lancer des accusations, reprit Lloyd en enfilant un T-shirt blanc.

Le maillot était à l'envers et devant derrière, si bien que l'étiquette se recroquevillait dans le creux de son cou.

— Et je n'ai vraiment pas envie d'avoir un autre enfant avec toi avant que tu arrêtes tout ce cinéma.

Ruth accueillit ces paroles avec stupeur. Elle avait l'habitude de voir Lloyd retomber dans le passé, mais de là à ce qu'il reparle de cette question, sous cet angle nouveau ? Quand Becca avait cinq ans, Ruth et Lloyd avaient bel et bien eu un désaccord sur la question d'avoir ou non un second enfant. Lloyd, accaparé par son cabinet en plein essor, voulait attendre. Ruth, au contraire, souhaitait qu'il n'y ait pas une trop grande différence d'âge entre les enfants. Mais leur discussion n'avait jamais porté sur son « cinéma », comme il disait. Avait-elle été irrationnelle à ce point ?

Ruth aimait à penser que leur union était un succès. Ç'avait toujours été un mariage tranquille, sans beaucoup de disputes. Les conflits se résolvaient essentiellement avec le temps, au fur et à mesure que chacun venait à comprendre, comme par osmose, le point de vue de l'autre. Les querelles bruyantes, accusatrices, les mettaient tous deux mal à l'aise, car ils savaient que les choses dites dans le vif d'une dispute avaient souvent pour but de blesser plutôt que d'insuffler la vérité.

Et voilà que maintenant, en écoutant la tirade de Lloyd, elle se demandait si au fond ils n'avaient pas été trop réservés pendant toutes ces années. Peut-être auraient-ils dû de temps à autre tout mettre à plat, comme aurait dit Becca quand elle était en fac. Peut-être se seraient-ils mieux compris.

— Qu'est-ce que tu regardes ? demanda-t-il.

Sans s'en rendre compte, elle le dévisageait. Il avait raté un coin de barbe gros comme une pièce sur son menton, et une petite touffe de poils noirs sortait de son nez.

— Je te regarde, toi, Lloyd.

— Oh.

Il parut réfléchir à sa réponse et, sentant une occasion, Ruth mit la main contre sa joue, car un contact physique semblait toujours le ramener au présent. Ses yeux injectés de sang cillèrent, remontant le temps.

— Tu passes de bonnes vacances ? demanda-t-elle.

— Bien sûr. Je ne pourrais pas survivre sans faire cette descente une fois par an.

— Moi non plus, murmura Ruth.

Il se pencha pour l'embrasser. Les poils de sa barbe la chatouillèrent.

— Tu es jolie, dit-il d'un ton bourru.

Ruth sourit.

— Tu veux qu'on batifole un peu ? demanda-t-il. Allez ! Personne ne se rendra compte de rien. Becca est en train de flirter avec les guides et David a le nez dans son bouquin. Alors, un petit câlin avec ton vieux mari ? Une galipette ?

Ruth s'abstint de lui rappeler que la boîte à pilules contenait un compartiment pour le Viagra sans lequel il n'y aurait pas de galipettes.

— Ce soir, dit-elle.

— J'espère que tu tiendras parole, la prévint-il. Ne me donne pas de faux espoirs.

Il se pencha pour l'embrasser de nouveau.

— Tu as toujours eu un beau sourire, Ruthie, dit-il. Mais pour l'instant, je vais aller boire une bière. Tu en veux une ?

— Tout à l'heure. Quand j'aurai rangé un peu ici.

Lorsqu'il fut parti, elle s'étendit sur son matelas, se couvrit le visage de son avant-bras et pleura.

Elle était toujours allongée quand elle entendit des pas sur le sable.

— Ruth ?

C'était JT. En hâte, elle se redressa et lissa ses cheveux.

— Je ne te dérange pas ? Je voudrais jeter un coup d'œil à ta jambe avant de commencer le cirque du dîner.

— Je vais m'en occuper, lança Ruth de l'intérieur. Si tu pouvais juste m'apporter les pansements que tu as…

— Eh bien, j'aimerais vraiment nettoyer la plaie moi-même, répondit JT. Tu es habillée ? Je peux entrer ?

Elle entendit ses genoux craquer quand il s'accroupit et souleva le rabat.

— Tu veux un coup de main pour sortir ? Regardons ça à la lumière. Dixie a fait chauffer de l'eau. Oh…, dit-il, comme ses yeux s'accoutumaient à l'obscurité. Ruth. Qu'est-ce qui s'est passé ?

— Je ne sais pas.

— Ce n'était pas comme ça ce matin ?

— Je ne l'ai pas regardée ce matin. Et à l'heure du déjeuner, tu as dû t'occuper du chien, de Mitchell et tout. Ce n'est pas si grave, affirma-t-elle.

— Excuse-moi, mais si je t'emmenais dans une clinique, on te mettrait sous antibiotique avant même que tu aies donné ton nom.

— Justement, intervint Ruth. J'ai du Cipro.

— L'antibiotique ?

— On en apporte toujours.

— Pourquoi est-ce que tu ne me l'as pas dit plus tôt ?

— Parce que, commença-t-elle. Parce que...

Mais elle ne put donner de raison.

JT soupira.

— Bon. Alors. Tu as commencé à en prendre ?

— Je n'arrive pas à le trouver.

JT baissa la tête. Ruth ne pensait pas qu'un tel mélodrame soit nécessaire.

— Je suis sûre qu'il est quelque part par là. Je vais demander à Lloyd.

— Que cherche-t-on au juste ? Un flacon ?

— Une boîte à pilules bleue. Grande comme ça à peu près, avec des compartiments séparés pour chaque jour.

— Lloyd ne l'aurait pas égarée, par hasard ?

Ce fut la manière dont il insista sur le mot « égarée » qui frappa Ruth. De toute évidence, il savait. Elle planta son regard dans ses yeux bleus limpides, puis se détourna.

— Est-ce que tous les autres sont au courant ? demanda-t-elle d'une voix égale.

— Je ne sais pas. Certains, peut-être. Ruth, j'aurais préféré que tu me dises quelque chose.

— Les gens au bureau ne nous auraient peut-être pas laissés venir.

— Mais tu aurais pu me parler, une fois en route.

— Je suis désolée, murmura Ruth. Ne sois pas fâché.

JT soupira.

— Je ne suis pas fâché. Seulement inquiet pour ta jambe. Et si nous devons t'évacuer, il nous faudra évacuer Lloyd aussi.

L'évacuer ? Le mot était dur, brutal, inattendu. *L'évacuer ?* Il ne s'agissait pas d'une morsure de serpent à sonnette ni d'une fracture – ce n'était qu'une coupure, une coupure qui cicatriserait, si seulement elle mettait la main sur le Cipro.

— Ne dis pas ça, riposta-t-elle avec colère.

— Ruth, dit-il, je dois faire ce qu'il faut.

— Mais tu ne peux pas nous évacuer ! Ce ne serait pas juste ! C'est notre dernier raid ! Tu sais ce que ça ferait à Lloyd ? Tu le sais ? Ça le tuerait, dit-elle. Un trajet en hélicoptère, c'est tout ce qu'il faudrait pour tout effacer.

— Mais ta jambe, protesta-t-il. Si ça empire...

— Ça n'empirera pas, affirma-t-elle. Nous allons retrouver le Cipro, et ça va guérir. Arrête de penser à des choses pareilles.

— Il a besoin que tu sois en bonne santé, dit JT.

— Il a besoin de rester sur le fleuve !

— Au détriment de ta jambe ?

— Tu ne m'écoutes pas, répondit-elle. Ma jambe va guérir.

JT passa ses doigts dans ses cheveux, et malgré sa colère, elle éprouva envers lui un élan d'instinct maternel. Bien sûr qu'il s'inquiétait. Bien sûr qu'il envisageait une évacuation. Mais il ne savait pas ce que c'était que d'être âgé et de faire face à la mort, d'être constamment conscient qu'on faisait chaque chose peut-être pour la dernière fois : dernier Noël, dernier voyage en avion, dernière descente du Colorado.

Elle ne pouvait le lui reprocher, mais il fallait bannir ce mot *évacuer*, ici, au fond du Canyon. Elle s'approcha de l'entrée de la tente, puis fit signe à JT de la précéder.

— Aide-moi à me lever.

Il tendit la main, et elle se mit debout. La lumière était rose ; de la poussière d'or flottait dans l'air. Au bord de l'eau, où ils avaient installé la cuisine, tout le monde était réuni autour de la table, en train d'émincer des légumes. JT la guida vers une souche et elle s'assit pendant qu'il allait chercher la pharmacie, ainsi qu'une casserole d'eau chaude.

— Nous avons eu un mariage heureux, JT, dit-elle quand il revint. Nous avons pris soin l'un de l'autre.

JT s'agenouilla et enfila une paire de gants.

— Eh bien, fit-il, il n'y a pas beaucoup de gens qui peuvent en dire autant.

— Et je sais ce qui nous attend.

Elle cilla tandis qu'il tamponnait sa jambe.

— Je sais que ça ne va pas être joli à voir. J'ai lu des livres. Je vais aux réunions de soutien. Parfois, je voudrais qu'il fasse une crise cardiaque dans son sommeil.

JT plongea son regard dans celui de Ruth. Ses yeux étaient gris, dépourvus de cils, mais elle avait tracé une mince ligne sur sa paupière supérieure et noirci ses sourcils ; et il se demanda s'il connaissait une autre femme, amie, maîtresse ou parente, qui s'en serait souciée, sur le fleuve, à son âge.

— Ce raid est notre dernière aventure ensemble, JT, reprit Ruth. Je m'en moque si on doit m'amputer quand on sortira. Mais laisse-nous rester.

En silence, JT enveloppa sa jambe du dernier morceau de la gaze qu'il avait récupérée. On voyait ici et là sur la peau sèche et ridée des taches gris-bleu pareilles à des tatouages abstraits.

Encore et encore il enroulait la gaze autour de la jambe ; epaisse, propre et blanche, protection contre le pire.

25

Jour 6, le soir
Mile 93

— Mec, reprends une margarita, dit Abo.

JT grimpa à bord de son radeau et saisit la tasse que son collègue lui tendait. Le soleil avait déjà disparu derrière les parois de schiste sombre. Soudain il se sentit épuisé, vidé de l'exaltation qui le soutenait d'habitude pendant ces raids. Il aurait voulu ne pas être guide. Ne pas être responsable de tout et de chacun. Il n'avait pas envie d'essayer d'évaluer le niveau de l'eau à Crystal le lendemain matin. Ni de réfléchir à leur lieu de campement le lendemain soir : s'ils essaieraient de se dégoter un endroit à Lower Bass ou continueraient pour inclure une halte à Shinumo Creek puis se contenteraient de ce qu'ils trouveraient en aval. Il ne voulait pas songer à ce qu'ils feraient du chien dans ces lieux surpeuplés, ni à la manière dont il satisferait le désir dévorant de Mitchell d'explorer tous ces putains de canyons secondaires ; et est-ce qu'il avait la berlue, ou est-ce que la pompe à eau fuyait bel et bien pendant que Mark s'en servait, et est-ce qu'il avait apporté une pièce de rechange pour la réparer si elle lui claquait entre les doigts ?

Surtout, il ne voulait pas imaginer ce qui se passerait s'ils ne trouvaient pas la petite boîte à pilules bleue.

Il se laissa aller en arrière et ferma les yeux.

— Où sont parties les femmes ? demanda-t-il.

Abo pointa le doigt vers l'amont, où les randonneuses étaient en train de dresser leur campement.

— Qui est la fille ?

— Une copine à moi.

— Celle qui t'a laissé le bonnet de bain ?

— Une autre.

— Tu as beaucoup de copines, Abo, remarqua Dixie.

Il sourit.

— N'oublie pas que c'est ton tour de préparer le dîner ce soir, lui rappela JT.

— Je ne comptais pas m'en aller, protesta Abo.

— Pas pour le moment, en tout cas, fit Dixie à JT.

— Hé ! Tu ne veux pas coucher avec moi, lança Abo.

— Moi non plus, intervint JT.

— Tu vas te marier avec ce type ? demanda Abo à Dixie. Ça me fait vraiment de la peine, tu sais. Dire qu'il n'est même pas guide de rivière !

— Moi, je le trouve sympa, dit JT à Dixie. Si tu as besoin de quelqu'un pour te conduire à l'autel, tu sais à qui t'adresser.

— Je ne m'en remettrai jamais, JAMAIS, mon chou, insista Abo.

— Oh que si ! rétorqua Dixie. C'est déjà fait.

Comme pour prouver qu'elle avait dit vrai, elle se cala derrière lui et entreprit de lui masser fraternellement les épaules. Abo gémit et inclina la tête en avant.

— JT, tu as l'air bien trop déprimé pour quelqu'un qui se trouve dans les gorges intérieures du Grand Canyon, observa Dixie.

JT poussa un long soupir.

— Un de ces jours, je vais raquer et venir comme passager, dit-il. Pendant que les guides préparent le dîner, je m'assiérai pour méditer. J'écrirai mon journal. Je m'allongerai à l'arrière d'un raft et demanderai au guide si les roches sont sédimentaires ou métamorphiques.

— Tu te ferais chier comme un rat mort, affirma Abo.

— Peut-être que le moment est venu de me faire chier comme un rat mort.

— Ne parle pas comme ça, coupa Dixie. On a Granite, Hermit et Crystal demain matin.

— Au fait, demanda JT, qui est-ce qui prend Ruth et Lloyd ?

— Toi, répondit-elle. Et tu vas tricher dans Hermit. Offre-leur un passage sympa, tranquille, sur le côté droit. À propos, je réclame Amy pour l'avant. Quoi ? fit-elle en voyant Abo tourner brusquement la tête vers elle pour lui lancer un regard de reproche. Il faut qu'on tourne autour du pot pour éviter de dire qu'elle est grosse et que ça aide d'avoir du poids à l'avant ?

— Amy monte avec moi, déclara JT.

— Pourquoi toi ?

— Parce que je suis le chef de ce raid. Aïe ! se plaignit-il, comme Dixie lui flanquait un coup de pied.

— À propos, je dois t'informer qu'Amy a des problèmes d'estomac, fit Abo à JT.

— Qui t'a dit ça ?

— Peter. Ça n'a pas l'air viral, reprit Abo. Sinon, on l'aurait tous chopé à l'heure qu'il est. Quoi qu'il en soit, elle ne veut pas que les autres le sachent.

— Garde l'œil sur elle, alors, conseilla JT. C'est sûrement dû à la chaleur.

— Comment va la jambe de Ruth ? demanda Dixie.

JT leur rapporta ce qu'il avait vu. Il leur parla aussi de la boîte à pilules disparue. Et parce qu'il était las de tout porter sur ses épaules, il les mit au courant de la maladie de Lloyd, ce qui ne les surprit guère, puisqu'ils avaient tous été témoins de ses oublis, et qu'il n'y avait pas besoin d'être un génie pour en tirer cette conclusion. Néanmoins, Abo et Dixie comme JT auraient préféré que Ruth l'ait mentionné sur les formulaires.

— Quelle descente ! soupira Abo. Vous croyez que le chiffre cent vingt-cinq porte malheur ?

— Je ne veux même pas y penser, rétorqua JT.

26

Jour 6, le soir
Mile 93

Un peu plus bas, tout en sirotant une margarita, Susan racontait son divorce à Jill.

— C'est venu de nulle part, dit-elle. Il ne m'aimait plus. En fait, il ne m'avait jamais aimée. Il ne voulait pas qu'on essaie une thérapie de couple. Le lendemain, il s'occupait des papiers. Quinze ans, ajouta-t-elle. Partis en fumée. Comme ça.

— Il y avait une autre femme ?

— Bien sûr. Quoiqu'il l'ait nié à l'époque. Les hommes nient toujours. Et puis il l'a épousée.

— Ils sont toujours mariés ?

— Oh ! ils filent le parfait amour ! affirma Susan. Ils ont une grande maison à Boston, et ils vont dans le Maine chaque été.

Jill allait demander à Susan s'il y avait quelqu'un dans sa vie lorsqu'une ombre surgit derrière elles. C'était Mark. Elle se hâta de vider son verre.

— Tu as vu les garçons ? demanda Mark.

— Je croyais qu'ils étaient avec toi.

— Je suis allé me raser, dit-il. Quand je suis revenu, ils n'étaient plus là.

Jill déplia ses jambes et se leva lentement. Les parois du canyon s'inclinèrent d'un côté, puis de l'autre. Elle tendit la main vers Mark pour retrouver l'équilibre.

Son mari renifla la tasse et fronça les sourcils.

— Mark, dit-elle d'un ton dédaigneux, j'ai bu une demi-tasse à tout casser.

Ce qui n'était pas vrai ; Susan et elle en avaient bu une à la cuisine, et emporté une autre au bord de l'eau. Elle s'éclaircit la gorge.

— Sam ! cria-t-elle d'une voix éraillée. Matthew !

— Je croyais que tu n'aimais même pas l'alcool, observa Mark.

— J'aime ça une fois de temps en temps, quoi. Les garçons !

— Combien est-ce qu'elle a bu ? demanda-t-il à Susan.

— Pas trop, vraiment.

— Ils ne peuvent pas être allés bien loin, dit Jill en s'avançant péniblement sur le sable. Tu as regardé dans notre tente ?

— Pourquoi y seraient-ils ?

— Je ne sais pas, Mark, peut-être juste parce qu'elle est là ?

De fait, lorsqu'ils arrivèrent à la tente, ils entendirent des voix étouffées à l'intérieur.

— Vas-y, toi, disait Matthew.

— Non, toi.

— Ils vont me remarquer. Ils ne te remarqueront pas, toi.

— Je ne me sens pas très bien, dit Sam.

Et Jill et Mark perçurent ce silence lourd qui précède l'éruption.

— Pas sur l'oreiller de maman !

Mark se racla la gorge et Jill s'accroupit pour ouvrir la fermeture du rabat. Aussitôt assaillie par une odeur de vomi, elle recula. Mark acheva de remonter la fermeture et vit Matthew assis en tailleur, une tasse dans chaque main. Sam eut un nouveau haut-le-cœur.

— Non, mais c'est pas vrai ! grogna Mark.

— C'est Sam qui a eu l'idée, dit Matthew aussitôt.

— Il en a bu beaucoup ?

Matthew se mit à pleurer.

— Arrête, ordonna Mark. C'est le sac de couchage de maman, là ?

— Non, renifla Matthew. Peut-être.

— Lève-toi, Sam, dit Jill.

Elle tendit la main à l'intérieur et agita le pied de Sam.

— Ça ne va pas, non ? s'indigna Mark. Je vous ai dit non. Qu'est-ce qui vous a pris, tous les deux ? La journée n'a pas été assez mouvementée comme ça ?

— C'est Sam qui a eu l'idée !

— Et alors ? Tu es le plus âgé. Tu es responsable de lui. Est-ce que je ne peux même pas aller me raser sans garder l'œil sur vous deux ?

Jill prit Sam sous les bras et le tira au-dehors. Elle l'installa sur le sable, s'efforçant tant bien que mal de le maintenir assis. Ses yeux étaient mi-clos, et il marmonna quelque chose.

— Quoi ? demanda Mark.

— J'ai dit « pardon », sanglota Sam.

— Quelque chose ne va pas ? s'enquit JT en s'approchant.

— Sam et Matthew ont éclusé des cocktails, soupira Jill.

— « Éclusé » ? répéta Mark. On utilise le jargon, je vois ?

— On leur a interdit d'en boire, expliqua Jill à JT, et puis Mark est descendu se raser au bord de l'eau.

— Il ne faut pas grand-chose pour être ivre quand on pèse si peu, observa JT. Sam ! Hé ! Sam, mon vieux !

— Salut, dit Sam, essayant de garder les yeux ouverts.

— Tu as bu combien de tasses ?

— Je ne sais pas.

— Lève-toi.

JT aida le garçon à se mettre debout. Sam fit deux pas.

— Je vais bien, affirma-t-il.

Sur quoi il se rassit.

JT soupira.

— Allons faire un peu de café. Je suis désolé.

— Ce n'est pas ta faute, répondit Mark. Ces gamins, je ne sais pas ce qu'ils ont.

— Ce sont des adolescents, dit JT. J'ai vu bien pire.

Curieusement, l'observation agaça Mark.

— Franchement, ça ne me console guère, répliqua-t-il. Et en fait, je pense que c'est ta faute.

— Mark, intervint Jill.

— Vous devez avoir des jeunes tout le temps pendant ces raids, continua Mark. Vous n'avez pas trouvé le moyen de contrôler ce qui se passe ?

— Il s'occupait de la jambe de Ruth, protesta Jill.

— Mais pas Abo. Et Dixie non plus.

— Je crois que je vais aller préparer du café, fit JT.

— J'accepte ses excuses, c'est tout, dit Mark quand JT se fut éloigné.

— Tu te conduis comme un idiot.

— Les garçons ont douze et treize ans !

— Je connais l'âge de nos enfants.

— Il y a des recherches qui montrent que si on boit jeune, on a plus de chances d'avoir des problèmes, adulte.

— C'est exceptionnel, Mark.

— Une fois suffit. Ça change tout ce qui se passe dans le cerveau.

L'espace d'un moment, Jill eut l'affreuse impression qu'à cause de cet incident, les garçons allaient effectivement devenir alcooliques.

Avant qu'elle ait pu trouver quoi répondre, Peter et Amy s'approchèrent. Amy arborait un grand T-shirt bleu sur lequel figurait le logo de l'équipe de natation du lycée. Jill, pour sa part, ne voyait pas d'inconvénient à ce qu'ils viennent les rejoindre, mais elle savait que Mark verrait là une curiosité mal venue. Il supposerait qu'ils étaient venus pour juger. Et elle en entendrait parler.

Des regards furent échangés : sombres, impuissants, pleins de compassion.

— Tout le monde fait un truc comme ça au moins une fois dans sa vie, dit enfin Peter.

Ce qui ne consola pas Mark.

— Tu es mormon ? demanda-t-il à Peter.

— Non.

— Dans ce cas, peu importe ce que tu as fait, affirma Mark. Les mormons ne sont pas comme tout le monde.

— Mark, je t'en prie, intervint Jill.

— Viens, Sam, dit Mark en relevant le garçon.

Son bras était long et maigre, et on lui voyait les côtes.

— Une petite trempette te fera du bien. À toi aussi, Matthew.

Quand Mark et les deux garçons furent hors de portée de voix, Jill s'excusa auprès de Peter et d'Amy :

— Il a tendance à dramatiser.

— Mon père était pareil, dit Peter.

C'était la première fois que cela arrivait à Jill, un de ses enfants s'enivrait, et elle était prête à accepter des conseils.

— Qu'est-ce qui l'a fait changer ?

— Eh bien, répondit Peter en farfouillant dans son oreille avant de marquer une pause. Il est mort.

Gênée par cette gaffe, Jill sentit le rouge lui monter aux joues.

— Je suis désolée.

Ne sachant que dire d'autre, elle demanda si sa mère était toujours en vie.

— Ouais.

— Elle est en bonne santé ?

Peter haussa les épaules.

— Elle a un ulcère à l'estomac, du diabète et de l'hypertension. Elle refuse de porter ses bas de contention et ne veut même pas envisager de vendre la maison, qui a trois niveaux et un énorme jardin à l'arrière, plein de pivoines qui ont besoin d'être arrosées chaque jour – devinez qui s'en occupe ? À part ça, elle va bien.

Jill baissa les yeux vers la berge. Mark avait pris les deux garçons par la main et se tenait entre eux, dans l'eau jusqu'aux chevilles. Un homme fort, solide, flanqué de deux moineaux.

— Mes neveux fréquentent une école privée, dans l'Est, expliqua-t-elle. Ils ont seize et dix-sept ans. Ma sœur me raconte ce qui se passe. J'ai peur qu'on ait des années difficiles devant nous.

Peter hocha la tête d'un air entendu.

— Sexe, drogue et rock'n'roll, dit-il.

Pas exactement ce que Jill avait envie d'entendre.

— C'est comme ça dans ton lycée, Amy ? demanda-t-elle.

L'adolescente rougit.

— Elle ne peut pas le dire parce que sa mère est là, dit Peter, dans un murmure de conspirateur.

Sans un mot, Amy tourna les talons et s'éloigna d'un pas pesant.

— Hé ! je rigolais ! cria Peter dans son dos. Il se retourna vers Jill.

— Oups.

— C'est peut-être un sujet sensible, observa Jill. J'imagine qu'elle ne sort pas très souvent.

Amy marchait d'une drôle de façon, remarqua-t-elle. Avec raideur, en traînant les pieds, une main pressée contre le bas du dos. C'était affreux d'être aussi lourd ! songea-t-elle.

— Je ne pensais pas qu'elle le prendrait comme ça, répondit Peter. Et, à vrai dire, elle a laissé entendre qu'elle avait une vie sociale. Mais peut-être que tu as raison.

Ils auraient sans doute continué à échafauder quelques hypothèses à ce propos, mais la conversation dut s'interrompre, car Mark appelait Jill. Assis sur le sable mouillé, les deux garçons refusaient de bouger. Jill s'arma de courage et se dirigea vers la rive. Amy était sous la responsabilité de Susan, pas la sienne ; pour l'instant, elle devait s'inquiéter de ses propres enfants. Et elle devait aussi se réconcilier avec Mark, pour qu'ils n'aillent pas se reprocher mutuellement l'incident. *Tu es parti te raser. Et toi, tu es partie te soûler.* Des trucs comme ça ne résolvaient rien. Ni sur le moment ni à long terme.

N'empêche qu'il se conduisait vraiment comme un connard.

Je déteste ce voyage. Je déteste ces gens. Je déteste ma mère. Je déteste Peter, parce qu'il s'imagine me connaître. Sexe, drogue et rock'n'roll ? Il ne comprend rien du tout.

Tout le monde est en train de dîner à présent. Je déteste la nourriture. Je déteste être grosse. Je déteste que ma mère me dise tout le temps que j'ai l'air bien comme ça. Je n'ai <u>jamais</u> l'air bien.

Merde… il arrive…

27

Jour 6, le soir
Mile 93

Peter se demandait ce qu'il avait bien pu dire pour l'offenser.

— Je suis en train d'écrire, dit-elle.

— Je t'ai apporté une autre margarita.

— Non merci.

Peter haussa les épaules et but une gorgée.

— Tu as déjà mangé ?

— Non.

— Pourquoi ?

— Je n'ai pas faim. J'essaie d'écrire, lui rappela-t-elle.

Elle agita son cahier, mais Peter s'assit quand même.

— Oh ! mon Dieu ! Tu es aveugle ?

Peter tendit la tasse à Amy. Elle la posa sur le sable et serra le journal contre sa poitrine, comme pour dissimuler ce qu'elle y consignait. Il oubliait tout le temps qu'elle avait dix-sept ans, et puis elle se conduisait en gamine.

— Alors, quand est-ce que tu vas essayer de draguer Dixie ? demanda-t-elle soudain.

— Pardon ?

— C'est tellement évident.

Peter émit un petit bruit dédaigneux.

— Elle a un copain.

— Et alors ?

— Eh bien, peut-être que j'essaierai, et peut-être pas.

— Tu as peur ? Pourquoi, tu es vierge, ou un truc comme ça ?

— À ton avis ? Et toi ?

La question était à peine posée qu'il s'en voulut. Terrain miné. Vite, changer de sujet. Comme de juste, Amy glissa son stylo entre les pages de son journal. Elle plissa les yeux et regarda JT, qui travaillait sur son raft.

— Raconte-moi ta première fois, demanda Amy. Tu avais quel âge ?

— Tu rigoles ? Il est hors de question que j'aie cette discussion, dit Peter. Il y a des lois.

— Tu l'aimais ?

— Tu ne m'as pas entendu ?

— Très bien. En ce cas, je vais demander à Mitchell.

Elle fit signe à Mitchell, qui hésita, ne sachant s'il s'agissait d'une invitation.

— Oh ! bordel ! Bon, admit Peter à voix basse. Ç'a été un désastre.

— Pourquoi ?

— Elle a pleuré.

— J'étais trop soûle pour pleurer, dit-elle. Est-ce que tu baiserais une fille soûle ?

— Nom d'un… !

— Tu le ferais ?

— À ton avis ?

Amy demeura silencieuse.

— Tu vas développer ? demanda-t-il.

— Non.

— Tant mieux, parce que je ne pense pas avoir envie que tu le fasses.

— Tant mieux.

— En ce cas, nous sommes d'accord.

— Oui.

— Tant mieux.

Peter emporta son assiette à la table de la vaisselle, la nettoya et la plongea tour à tour dans chacun des seaux.

Puis, malgré lui, mû par un vague sentiment de sollicitude fraternelle qui l'agaçait mais dont il ne pouvait se défaire, il retourna à l'endroit où Amy était assise. Il parla à voix basse.

— Tu ne devrais pas te mettre dans des états pareils. Les mecs peuvent être de vrais connards, tu sais.

— Merci du conseil.

Il était vraiment en colère maintenant – contre lui, pas contre Amy. Il ne voulait pas entendre parler de cette histoire, et pourtant il ne pouvait se résoudre à s'éloigner.

— Qu'est-ce qui t'a mise de si mauvaise humeur, là-bas, avec Jill ?

Pour la première fois depuis le début de leur conversation, elle se tourna vers lui et lui fit face.

— Tu ne devrais pas dire aux gens comment ça se passe pour moi au lycée. Tu n'en sais strictement rien.

— Ça a quelque chose à voir avec le fait que tu te soûles ?

— Aucune idée, reprit-elle.

— Désolé.

— Aucune.

— Bon ! D'accord !

Amy se laissa aller en arrière sur le sable.

— Je ne croyais pas que j'allais te trouver sympathique, après la première soirée, à l'hôtel.

— Moi non plus, je ne croyais pas que j'allais te trouver sympathique.

— Parce que je suis grosse ?

— Non. À cause de ton T-shirt Jamba Juice. Jamba Juice est nul.

— Non, c'était parce que je suis grosse. Ce n'est pas grave. Beaucoup de gens réagissent pareil. J'ai l'habitude. Des fois, je pense que je devrais entrer dans l'eau, un soir, quand tout le monde est endormi.

— Oh ! trop nul !

Amy se redressa et le foudroya du regard, et il sentit qu'il aurait dû la boucler. Puis, à sa grande surprise, Amy éclata de rire. Peter se demanda s'il l'avait échappé belle ou s'il avait dit quelque chose de brillant. Il ne voulait pas chercher à le savoir : mieux valait s'en tenir là, à un rire qu'ils pouvaient partager, même s'il avait des causes différentes.

En tout cas il fut soulagé de voir Susan venir vers eux avec deux assiettes de quelque chose qui ressemblait à du crumble aux fruits.

— Elle n'est pas au courant, au fait, murmura Amy avant d'accueillir sa mère gaiement. Salut, maman !

— J'ai pensé que vous voudriez peut-être du dessert, dit Susan en leur tendant les assiettes.

Peter prit la sienne avec reconnaissance. La garniture aux cerises, épaisse et collante, sortait sans doute tout droit d'une boîte, mais là, au bord de l'eau, elle lui parut délicieuse. Et quand Susan leur annonça que Ruth devrait peut-être être évacuée à cause de sa jambe, il enregistra à peine l'information, parce que après trois margaritas, une assiette de crumble aux cerises et ce qu'il avait pu grignoter entre les deux, il ne se sentait lui-même pas au mieux.

Tard ce soir-là, Evelyn remontait la rive dans le noir, à la recherche d'un endroit propice pour faire pipi. La nuit, la plupart des gens entraient tout bêtement dans l'eau, à côté des rafts, mais Evelyn se sentait trop gênée, avec les guides si proches. Et elle refusait de se blâmer davantage. Elle était comme elle était, voilà tout. Si elle avait besoin de solitude, quel mal y avait-il à ça ?

Evelyn ne voulait pas trop s'éloigner du campement, pour ne pas envahir l'espace des randonneuses. Quel groupe de femmes ! Se déshabiller comme ça ! Une fois, Julian et elle s'étaient baignés nus dans l'océan, dans le Maine. Il y avait un clair de lune, et le petit postérieur pâle de Julian se détachait sur les vagues sombres. Ils avaient tous deux peur d'être surpris, mais c'était au début de leur relation, à l'époque où, enhardis par l'amour, ils étaient prêts à faire des choses audacieuses, voire osées. La mer obscure la malmenait, la bousculait, mais quand elle revenait à la surface en crachotant, Julian était là.

Enfin, Evelyn atteignit un petit groupe de rochers arrondis, jonchés de petites flaques et rigoles. Elle était sur le point de s'accroupir quand elle entendit une femme soupirer doucement. Juste au-delà des rochers, en retrait du bord de l'eau, Evelyn distingua une forme sur le sable. Ou plutôt, deux formes. Evelyn se détourna aussitôt, mais pas avant d'avoir vu la femme étendue les bras en croix et l'homme qui allait et venait au-dessus d'elle.

Evelyn avait des papillons dans l'estomac. Elle ne croyait pas qu'ils l'aient entendue, mais enfin, elle les avait vus. C'était tout ce qui comptait, car la scène avait réveillé en elle un désir dont elle avait cru s'être débarrassée en même temps que du collier, là-haut à Navajo Bridge. Ses pensées retournèrent à cette nuit passée dans le Maine. Julian et elle n'avaient pas osé faire l'amour sur la plage ce soir-là. Mais ici…

Pendant le reste du voyage, Evelyn ne pourrait s'empêcher d'imaginer ce qu'elle éprouverait, nue sur le sable chaud, avec le bruit du fleuve, une brise légère, et Julian entre ses jambes, lui murmurant des choses terribles et délicieuses au creux de l'oreille.

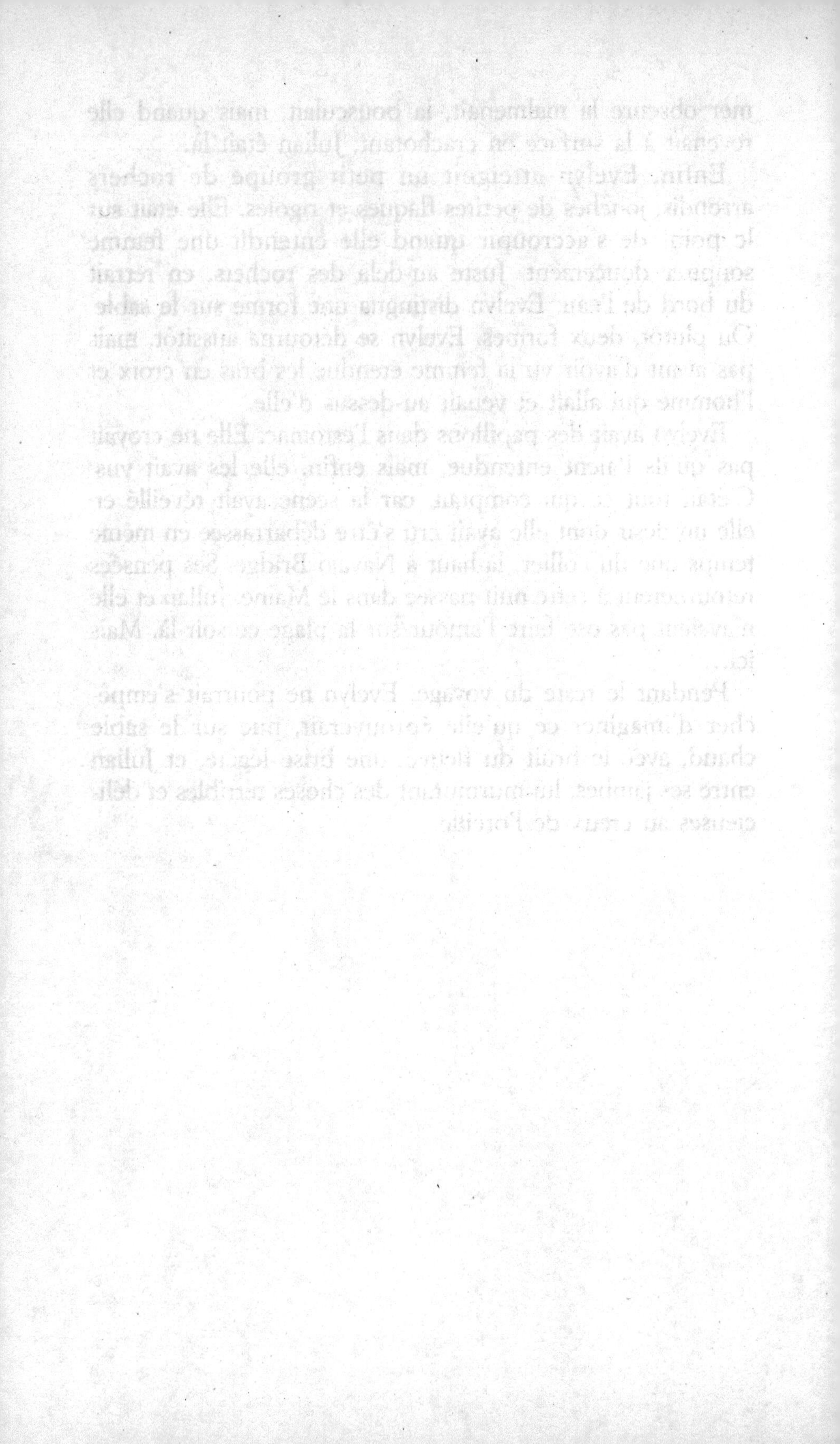

JOUR 7

Miles 93-108
Granite – Lower Bass

28

Jour 7, le matin
Mile 93

Le lendemain matin au petit déjeuner, JT, soulignant la gravité de la situation, demanda à tout le monde de chercher la boîte à pilules de Ruth. Cette dernière n'était pas catholique pratiquante, mais adressa néanmoins une prière à saint Antoine, patron des objets perdus. Après avoir déjeuné en hâte, elle passa la tente au peigne fin. Retourna les sacs de couchage, farfouilla dans le sac de linge sale, chercha dans les poches de tous les shorts et pantalons. Des larmes lui picotaient les yeux, mais elle les refoula. Elle n'allait pas permettre à JT de les évacuer. Non.

Sa fouille fut vaine, et JT ne tarda pas à l'appeler. À regret, elle sortit de la tente et le suivit vers un espace dégagé sur la plage.

— Ça m'a tout l'air d'un streptocoque mangeur de chair, déclara Ruth quand il eut déroulé le pansement. Auquel cas ce n'est pas la peine de nous évacuer, parce que je serai morte ce soir. Autant mourir ici, où c'est si beau.

Aussitôt, elle eut honte de son sarcasme. Elle se conduisait comme une adolescente boudeuse. Mais elle ne pouvait pas s'en empêcher.

— Lloyd sautera de l'hélicoptère, si tu essaies de nous évacuer, affirma-t-elle.

JT se redressa.

— Écoute, Ruth. Je sais que c'est à toi de penser à Lloyd. Mais c'est à moi de penser à toi, à Lloyd et à tous les autres. J'ai une expédition à diriger. Je suis responsable de ta santé et de ta sécurité.

— Je signerai un document dégageant ta responsabilité.

— Ruth, répéta-t-il d'un ton las, je pourrais perdre ma licence de guide. Et tu veux vraiment courir le risque d'être amputée de la jambe ? Qui s'occupera de Lloyd si tu te retrouves dans un fauteuil roulant ?

Ruth crut avoir touché le fond du désespoir. Elle était perdue si elle partait, et perdue si elle restait. Mais JT avait raison. En tant qu'adulte responsable, elle se devait de peser les conséquences à long terme de ses actes.

— Je ne sais pas ce que je vais dire à Lloyd.

— C'est moi qui lui parlerai, si tu veux. Je lui dirai que j'ai dû avertir mon chef et que la décision ne nous appartient plus.

— Nous allons manquer Crystal et Lava.

JT versa un peu d'eau tiède sur sa jambe.

— Quand tu seras guérie, on te trouvera une place sur une autre descente cet été.

Là, il était allé trop loin ; il avait perdu toute crédibilité, car ils savaient l'un et l'autre qu'il n'y aurait jamais d'autre raid. Mais avant qu'elle ait pu le lui faire remarquer – et lui donner deux fois plus de remords – ils virent tous les deux Susan se hâter vers eux.

— Elle était sous une serviette dans le raft de JT, expliqua-t-elle hors d'haleine, en leur montrant la boîte. J'ai ramassé toutes les pilules que j'ai pu trouver, mais les autres étaient à moitié fondues. Je ne sais pas ce qu'il y a.

Elle tendit à Ruth la boîte rongée, en piteux état. Les pilules restantes étaient toutes mélangées dans les divers compartiments. Susan versa le tout dans la paume de Ruth, qui les tria avec impatience et mit de côté quatre comprimés ovales.

— Combien devrait-il y en avoir ? s'enquit JT.

— Dix.

— Retourne là-bas et continue à chercher, ordonna JT à Susan. Donne-moi la boîte. Bon sang !

Il tint le pilulier sous le museau du chien, qui agita la queue, haletant.

— Vilain chien, grogna JT. Vilain, vilain chien.

Cédant à un élan de colère, il lui donna un coup sur le museau avec la boîte. Mixeur couina et s'éloigna piteusement.

— Bon sang, fit JT.

Dans l'intervalle, Ruth avait déjà ouvert sa bouteille d'eau et pris un comprimé.

— Arrête, JT, dit-elle en s'essuyant les lèvres. Nous avons trouvé les comprimés. Ne crie pas sur le chien.

— Quatre sur dix !

— C'est un début.

— Tu ne peux pas prendre la moitié d'un traitement, objecta-t-il.

— Je peux si je suis sur un fleuve, riposta-t-elle avec colère. Cesse de jouer les oiseaux de mauvais augure ! Je suis sous antibiotique à présent ! Tu n'as plus rien à craindre !

Sam arriva, apportant quelques pilules supplémentaires, dont un comprimé de Cipro.

— Tu vois ? s'écria Ruth, triomphante. On en a cinq maintenant ! Tu ne peux pas appeler un hélicoptère alors que j'ai la moitié des médicaments qu'il me faut ! D'ailleurs, qui sait, nous allons peut-être en trouver d'autres. Viens, dit-elle au chien qui passa au large de JT pour venir s'asseoir à côté d'elle.

Il enfouit le museau dans son cou et lui lécha la joue.

— Il faisait seulement comme tous les chiens, dit-elle à JT. Dis-lui que tu es désolé de l'avoir frappé. Allons. Dis-le-lui.

— Je ne le suis pas.

— Oh ! si, il l'est ! affirma-t-elle à Mixeur en lui retroussant les oreilles. Il ne peut pas le dire tout haut, mais il l'est.

Sans répondre, JT se mit à refaire le pansement de Ruth, se servant des nouveaux bandages que lui avaient donnés les randonneuses. Son silence fit à Ruth l'effet d'une réprimande. Elle aurait voulu qu'il lui dise quelque chose, mais il n'en fit rien. Envisageait-il toujours de la faire évacuer ?

Apparemment non, car une fois sa tâche terminée, il se redressa et épousseta le sable qui lui collait aux genoux.

— Allons-y ! cria-t-il. Que tout le monde soit prêt à partir dans dix minutes ! On se grouille !

Il se tourna et aida Ruth à se relever. Elle le regarda ranger la trousse.

— Alors..., commença-t-elle.

— Pas d'hélicoptère, dit-il d'un ton sec. Pas ce matin, tout au moins.

— Merci, dit Ruth humblement.

JT haussa les épaules et s'éloigna. Ruth baissa les yeux sur sa jambe.

Guéris donc, vieille peau !

29

Jour 7
Mile 93

Il n'y avait pas que les rapides, soulignait toujours JT à ses passagers. Il y avait les canyons secondaires, les nuits à la belle étoile, les eaux paisibles, les jungles qui poussaient dans la roche rouge et brûlante.

Mais essayez donc de convaincre douze personnes de ne pas s'exciter à la perspective de franchir les plus grands rapides du continent. Essayez de faire comprendre à un parent que peu importe l'expérience du guide, il n'y a pas à discuter : à 93 miles en aval de Lee's Ferry, ce qui compte, c'est les Big Ones.

Ce matin-là, il apparut clairement que presque tout le monde avait déjà une certaine place en tête. Mark voulait pagayer – en fait, il pensait en avoir le droit, après avoir si souvent pompé de l'eau au lieu de... disons... boire du gin tonic ? Mitchell aussi pensait en avoir le droit, pas seulement parce qu'il en savait plus long que n'importe qui, mais parce qu'il était sûr qu'on aurait besoin de sa force physique lorsque Abo leur donnerait des ordres auxquels il faudrait réagir en un centième de seconde. Jill voulait pagayer, mais elle désirait que les garçons montent avec JT parce qu'il était le plus compétent des rameurs ; ce qui soulevait la question de savoir si elle ne devait pas prendre le même raft que ses enfants, éventuellement pour les empêcher de tomber à l'eau, si le pire arrivait. Et Peter était déchiré entre le désir de montrer à Dixie ses talents de pagayeur et celui d'être disponible pour lui porter secours au cas où elle passerait par-dessus bord.

Après avoir réglé la question de Ruth et de sa jambe, JT réunit tout le monde et étala sa carte sur le sable. Les randonneuses étaient parties des heures plus tôt. L'air sombre, Abo et Dixie arrimaient du matériel sur leurs rafts. JT trouva un bâton et s'accroupit.

— Le premier rapide est Granite, annonça-t-il. Il a un fort courant latéral sur lequel nous allons tâcher de surfer côté droit, juste assez pour contourner le trou au fond. L'objectif est d'éviter la falaise, mais si on n'y arrive pas, gardez vos mains dans le raft. Je ne veux pas de fractures.

— Je peux rester debout, pour celui-là ? demanda Sam.

JT étrécit les yeux.

— Si tu essaies de te lever, je te mets de service toilettes pour le reste du raid.

Sam eut un sourire penaud, mais se sentit fier de lui. Une fois de plus, on l'avait remarqué, contrairement à Matthew. JT reporta son attention sur la carte.

— Bien : après Granite vient Hermit, un de mes préférés, avec un effet montagnes russes très sympa.

Il ne leur révéla pas que, personnellement, il avait l'intention de tricher pour celui-là, et de le franchir par la droite afin d'éviter le train de vagues. Ce n'était pas le moment de rigoler avec cette cinquième vague, pas avec Ruth et Lloyd à bord de son raft. Quant à Abo et Dixie, ils pouvaient décider eux-mêmes de ce qu'ils allaient faire.

— Ensuite, il y a Boucher, continua-t-il, pas trop grand, sans complications. Et puis Crystal. Exactement, ajouta-t-il, levant la main pour prévenir une éruption de bavardages, celui que vous attendez tous. Nous irons le repérer côté droit, bien que je doute qu'il ait beaucoup changé en trois semaines. L'important, c'est d'éviter le trou et de bien s'agripper.

Un murmure sourd d'excitation parcourut le groupe. Un monstre, avaient lu certains. King Kong. Le Maelström. Ses surnoms étaient bien mérités. Crystal était l'un des deux plus grands rapides du fleuve, un embouteillage hydraulique qui pouvait faire trembler sur son siège le plus chevronné des guides.

— Il y a beaucoup de battage autour de celui-là, et c'est mérité, reprit JT. Mais la plupart du temps on arrive à faire une descente tranquille côté droit, et c'est fini en un clin d'œil. Ruth et Lloyd, vous montez avec moi. Abo ? Tu as décidé qui pagaie ?

Abo sauta de son raft sur le sable.

— Oui, chef, affirma-t-il en s'essuyant les mains sur son short. Je veux Peter et Mitchell à l'avant. Susan et Jill, vous faites à peu près le même poids, vous prenez le milieu. Mark, je voudrais que tu sois à l'arrière. Ça laisse une place. Qui la veut ?

Il s'avéra que plusieurs personnes étaient preneuses, et Abo les fit tirer à la courte paille, utilisant des languettes de carton arrachées à une vieille boîte de céréales. En fin de compte, il ne resta plus que Sam et Evelyn. Abo leur tendit les deux languettes. Evelyn attendit. Sam remua les doigts, puis en choisit une. Evelyn prit la sienne et la compara à celle de Sam.

— J'ai gagné ! cria Sam.

(N'ai-je pas inculqué à mes enfants un minimum d'élégance ? se demanda Jill.)

Evelyn s'efforça bravement de cacher sa déception.

— Sans discussion possible, dit-elle gaiement.

Puis elle s'assit, retira ses sandales et se concentra sur un réglage compliqué de la bride.

— J'ai essayé très fort d'imaginer les deux languettes l'une à côté de l'autre, dit Sam à Jill en bouclant son gilet. J'ai fermé les yeux et j'ai regardé très fort dans ma tête, et elles étaient là, l'une à côté de l'autre. Je crois que je suis télépathe, pas toi ? Papa ? Tu crois à la télépathie ?

— Jill ? fit Mark. On peut discuter deux minutes ?

Fronçant les sourcils, Jill suivit son mari vers un bouquet d'arbustes. Elle se contenta de l'écouter exposer ses inquiétudes. Elle pensait bien le connaître, mais quand elle entendit ce qu'il proposait, elle resta sans voix.

— Nous sommes d'accord là-dessus, donc ? dit Mark. Fais-moi confiance, ajouta-t-il avant qu'elle ait eu le temps de répondre. Je crois que j'ai raison. Fais-moi confiance et nous en parlerons plus tard.

— Mais c'est...

— Fais-moi confiance, Jill, c'est tout.

Il repartit vers le groupe.

Jill le suivit, furieuse, mais Mark avait déjà passé son bras autour des épaules de Sam.

— Sam, commença Mark, nous voulons que tu réfléchisses.

Sam les considéra tous les deux avec méfiance.

— Tu vois, Evelyn attend ce voyage depuis très longtemps.

— Et alors ?

— Et elle est plus âgée.

— Mais j'ai gagné.

Maintenant, Mark avait posé les deux mains sur l'épaule de Sam.

— Sam, je voudrais que tu voies les choses sous un autre angle. Tu as douze ans. Tu auras d'autres possibilités de descendre le fleuve. Mais Evelyn a cinquante ans. C'est peut-être sa seule chance.

— Tu as dit que cinquante ans, ce n'était pas vieux.

Mark se gratta la nuque.

— Alors, elle aura peut-être une autre chance, insista Sam.

Mark se redressa.

— Même si tu as gagné, ça ne veut pas dire que tu doives exiger la place. N'est-ce pas, Jill ?

Celle-ci bouillonnait. En un sens, elle savait que Mark avait raison, mais surtout, elle pensait que Sam avait tout autant droit à la place qu'Evelyn ; et ce sentiment était moins une affaire d'âge et de possibilités qu'une simple loyauté de parent, un fait que Mark, elle s'en rendait compte à présent, trouvait moralement répréhensible.

Elle ajusta la casquette de base-ball du garçon.

— Eh bien, papa n'a pas tort, dit-elle, mais c'est à toi de décider. Si tu veux vraiment la place, tu peux l'avoir.

Sam, flairant la division, croisa les bras.

— Mais tu sais ce qui serait bien, ajouta Mark.

Il lança un regard noir à Jill, et soudain elle ne put se retenir. Elle écarta son bras, ou plutôt lui donna une tape, et s'éloigna du groupe à grands pas.

— Essaie de voir les choses du point de vue d'Evelyn, lui dit Mark en lui emboîtant le pas. Elle n'aura pas un nombre illimité de chances de faire cette descente.

— Et Sam, si ?

— Sam veut la place parce que tout le monde la veut, c'est tout.

— Facile à dire pour toi qui as ta place assurée, contra Jill.

— Tu as oublié ce qui s'est passé hier soir ? Celui qui a vomi sous la tente ?

Jill s'immobilisa.

— Qu'est-ce que ça a à voir avec le fait que Sam doit laisser sa place ?

— Il mériterait d'être puni, argua Mark.

— Que Sam ait bu et qu'il pagaie dans Crystal sont deux choses distinctes !

— Cette place est un privilège. Quand on fait une connerie, on perd certains privilèges. Mais passons. Ce que je veux dire surtout, c'est qu'à mon avis ça compte beaucoup plus pour Evelyn que pour Sam.

— Et rappelle-moi pourquoi je devrais me soucier d'Evelyn ?

— Cesse de te conduire comme une gamine, Jill, lança Mark, baissant la voix. Comporte-toi en parent, pour une fois. Dis non à ton gosse. Ça ne va pas le tuer. En fait, un gamin de cet âge...

— Stop, coupa Jill en faisant volte-face pour l'affronter. Tout ça n'a rien à voir avec l'âge. Ça n'a rien à voir avec Sam. C'est de toi qu'il s'agit, Mark, tu ne l'as pas remarqué ?

Il parut à la fois perplexe et sceptique.

— Tu veux m'expliquer, là ? Parce que j'ai loupé un épisode, Jill.

— Va te faire foutre !

— Ça ne s'est pas produit ces derniers temps, observa-t-il.

— Oh ! va te faire foutre ! Va te faire FOUTRE ! Et ne fais pas semblant de ne pas comprendre. Tu sais exactement ce que je veux dire. Tu tiens tellement à faire bonne impression sur les autres, Mark ! Il faut tout le temps que tu sois le bon parent, l'âme généreuse qui apprend à ses enfants à l'imiter ! Qui les oblige à donner la moitié de leurs cadeaux de Noël à une association caritative ! Et à promettre la moitié de leur argent de poche à l'Église ! Bon sang, Mark, tu n'as jamais envie d'être égoïste ?

— Voilà une perspective intéressante sur le rôle de parent.

Son calme attisa la rage de Jill. Comme s'il était au-dessus de tout ça !

— Je veux dire, tout finit par s'équilibrer, non ? continua-t-il. On renonce à une chose et on en reçoit une autre en échange. Ce n'est pas ça que les gens appellent le karma ?

— Tu ne crois pas au karma, Mark, tu es mormon.

Mark se mit à rire.

— Ris autant que tu voudras. Mais tu dois savoir que j'ai l'intention de m'amuser un peu plus après ce voyage. Tu veux continuer à te priver, très bien. Renonce à l'alcool. Arrête de faire du ski parce que tu as mal au genou. Pourquoi ne donnes-tu pas ta place à Evelyn, si tu penses que c'est si important pour elle ? Oh ! parce que tu ne t'es pas soûlé, et que par conséquent tu n'as pas besoin d'être puni ?

Elle perdait le fil de ses arguments et elle détestait ça dans une dispute. Surtout avec son mari, si imperturbable.

— Non, répondit Mark d'un ton patient. Parce que c'est aux enfants de se soumettre aux adultes. Par considération. Par respect. Par gentillesse. Maintenant, retournons là-bas.

— Je n'ai pas fini.

Mark soupira. Il sortit un coupe-ongles de sa poche et se mit à l'ouvrage. C'en était trop pour Jill. Elle lui arracha le coupe-ongles des mains et le jeta aussi loin qu'elle put dans le fleuve. Il scintilla brièvement dans l'air, puis disparut à jamais.

Avant d'avoir pu savourer la satisfaction puérile que lui avait procurée son geste, elle regarda par-dessus son épaule et vit que le reste du groupe observait la scène. Ils se hâtèrent tous de détourner les yeux, mais trop tard : ils avaient tout vu. Tout entendu. Non seulement ça, mais alors qu'elle était là, mortifiée par ce qu'elle avait révélé sur elle-même, sur Mark et sur leur mariage, elle vit Sam s'avancer vers Evelyn et commencer à gesticuler, avec de grands mouvements de mains.

Mark s'éloigna. Jill aurait voulu disparaître sous terre. Elle savait qu'elle aurait dû rejoindre le groupe et participer au chargement des rafts, mais elle n'avait pas le courage d'affronter quiconque et resta seule, immobile sur la plage, pendant que tous les autres s'affairaient. Ils pouvaient bien lui montrer un peu d'indulgence, songea-t-elle. Intérieurement, elle bouillait encore. En organisant ce voyage, elle avait seulement voulu que les membres de sa famille rompent avec la routine, évoluent, s'amusent et se découvrent capables de choses qu'ils n'auraient peut-être pas imaginées à Salt Lake City.

Était-ce vraiment trop ambitieux ?

Au bout d'un moment, elle vit JT se diriger vers elle. Tout le monde était à bord. C'est quand même le comble, se dit-elle.

— Ça va, assura-t-elle.

— Sam pourra pagayer dans Lava, s'il en a envie, dit-il.

— J'ai pollué.
— Pardon ?
— J'ai jeté le coupe-ongles dans l'eau.
— Oh. Il n'y a pas de quoi en faire une montagne.
— Je peux aller le chercher, si tu veux. Le retrouver.
— J'en doute, à vrai dire. Ne t'en fais pas pour ça.
— Où est Sam ?
— Avec Dixie.
— Je suis vraiment, vraiment désolée que vous ayez dû assister à ça, dit-elle.
— Oh ! fit JT, j'ai vu pire !
Sans doute. Mais Jill ne se sentit pas mieux pour autant.

30

Jour 7, les Big Ones
Miles 93-98

C'était génial, pas de doute là-dessus : JT avait beau vanter les plaisirs des moments calmes d'une descente de rivière, il ne pouvait nier que parfois un frisson de trente secondes dans les rapides surpassait toutes les autres merveilles du Canyon.

En quittant la plage, il se hissa à bord du raft, prit sa place et se mit en position. L'air avait un parfum de miel et le soleil descendait le long des falaises. Il enfourna un chewing-gum, donna quelques coups de rames puis pivota pour faire face à l'aval. Ruth et Lloyd étaient en sécurité à l'arrière, et Amy, à l'avant, tenait fermement le chien.

Une fois le raft engagé dans le courant, il se leva pour avoir une meilleure vue. De fortes vagues latérales se ruaient vers la paroi à pic, se retournant sur elles-mêmes au moment de l'impact. Plus bas sur la gauche, le courant formait une bosse lisse et noire au-dessus d'une explosion de remous argentés – le trou qu'il voulait éviter. Son objectif consistait à surfer sur les vagues, assez loin pour contourner le trou mais sans aller percuter la falaise sombre de l'autre côté. Pour ce faire, il choisit un point sur lequel focaliser son regard, et juste avant qu'ils se penchent vers la première latérale, il se laissa retomber sur son siège, plongea les avirons dans l'eau pour amortir le choc, et hop, ils remontèrent et surfèrent sur la vague, qui sembla les maintenir en suspens, bougeant sans bouger, si ce n'est que tout le monde voyait clairement qu'ils fonçaient vers la falaise ; JT dut prendre appui sur son bras droit, bandant tous ses muscles pour faire pivoter le raft vers l'aval – le trou était sur sa gauche, bien, ils allaient l'éviter, mais la paroi approchait, menaçante. Il cria à Amy de garder les mains dans le raft, pesa sur les avirons et ils passèrent tranquillement, à cinq centimètres à peine de la muraille.

Comme ils filaient vers l'aval, Amy se tortilla pour regarder par-dessus son épaule et resta bouche bée. JT parvint à stabiliser le raft et ils virent Abo et son équipage contourner le trou de justesse, les six pagaies se heurtant à l'aveuglette dans l'écume. Puis Dixie franchit le rapide exactement à la manière de JT, passant au ras de la falaise. Là aussi, tout le monde s'en sortit sain et sauf, et JT s'autorisa à penser qu'ils allaient avoir une journée facile, sans danger et pleine de rires. La chance leur souriait, le soleil était chaud, l'eau belle, et il entendait déjà les accents de la guitare de Dixie sous le ciel étoilé, la nuit venue, quand tout cela serait derrière eux.

Amy savait qu'elle était dans le raft des nuls, Ruth et Lloyd à l'arrière, et elle à l'avant. Elle se dit que ça n'avait pas vraiment d'importance. Et elle parvint à le croire jusqu'au moment où elle jeta un coup d'œil vers le raft à pagaies après Granite, et vit qu'Abo avait distribué des chapeaux rigolos, des casquettes à visière en mousse multicolore en forme de canards, d'oiseaux et de grenouilles ; à ce moment-là, elle ne put continuer à nier qu'ils avaient été choisis pour former un petit club sélect, et qu'elle n'en faisait pas partie. On lui avait attribué sa place comme si elle avait été une glacière à viande.

Amy caressa les oreilles du chien, s'ordonna de ne pas s'appesantir là-dessus. Et se rappela que même si elle avait été choisie pour le raft à pagaies elle aurait peut-être été obligée de refuser, parce que son estomac faisait toujours des siennes.

Elle allait ouvrir son sac pour prendre des pastilles digestives quand JT l'avertit qu'on arrivait à Hermit. Est-ce que Hermit était le rapide avec le train de vagues ? C'était quoi, au juste, un train de vagues ? Elle regarda vers l'aval et vit un long chevron d'eau écumeuse. Elle serra étroitement le chien contre elle, prête à faire la descente de sa vie.

Mais au lieu de foncer droit vers le rapide, JT imprima un angle au raft, et Amy se rendit compte qu'ils évitaient toutes les grosses vagues. Elle regarda derrière elle, incrédule. JT avait-il l'intention de faire ça ? Le raft à pagaies dévalait le milieu du rapide et se cabrait sur les vagues géantes, les membres de l'équipe A poussant des cris excités alors qu'ils montaient et descendaient. Puis Amy jeta un regard en arrière vers Ruth et Lloyd et comprit : bien sûr que JT avait eu l'intention d'opter pour cette trajectoire.

Le raft des nuls, pensa-t-elle en ouvrant son sac pour y chercher les pastilles. Le raft de mamie.

Cependant, Amy n'était pas du genre à ressasser ses déceptions. Elle avait accompli sa mission ce matin-là en maintenant le chien à bord, et elle se souvint que des chapeaux débiles ne suffisaient pas à faire une équipe A. Elle pensa au lycée, plein d'équipes A et d'équipes B, et il lui sembla que là, au cœur du Grand Canyon, elle pouvait bien se soustraire à cet instinct scolaire de vouloir classifier tout le monde. Où donc ces choses-là auraient-elles pu avoir aussi peu d'importance qu'ici ?

Ils franchirent un nouveau rapide, puis elle vit que JT dirigeait le raft vers un éventail de débris rocheux sur la droite. De l'autre côté du fleuve, des falaises escarpées émergeaient de l'eau, la roche noire brillante traversée de veines de granit rose et scintillant. De seconde en seconde, le volume du rugissement s'intensifiait, se répercutant jusqu'à noyer tout autre son.

— C'est Crystal ? cria-t-elle à JT.

Il avait déjà sauté à terre et enroulait sa corde autour d'un rocher pour amarrer le raft.

— Gardez vos gilets, ordonna-t-il à tout le monde, alors que les autres bateaux accostaient. Tous ceux qui veulent faire une petite reconnaissance, venez avec moi. Toi, le chien, par ici.

Il glissa une corde à travers le bandana de Mixeur.

Les pagayeurs descendirent bruyamment.

— Salut, mon chou, s'écria Susan en essorant son T-shirt. Comment ça s'est passé ?

Dans le raft des nuls ?

— Bien, répondit-elle.

— Hermit était génial, non ?

Non. On a fait l'impasse sur Hermit. Parce qu'on est le RAFT DES NULS.

— Ne nous attardons pas, dit JT.

Il prit la tête du groupe, se frayant un chemin à travers des buissons épineux qui égratignèrent les jambes d'Amy. Lorsqu'ils atteignirent le bord du surplomb, elle suivit le regard de JT. De grands accrocs rocheux déchiraient le fleuve en lambeaux d'écume blanche. Comment les guides pouvaient-ils distinguer une section chaotique de la suivante ?

— ... foncer à travers les latérales et rester du côté droit, disait JT à Dixie.

Il avait passé un bras autour d'elle et pointait le doigt vers les rapides.

— Voilà ton repère. L'arrière d'abord.

— Vous pourriez nous expliquer à nous aussi ? demanda Mitchell.

L'objectif, expliqua JT, était de passer à droite, où les remous étaient moins violents. Cela signifiait éviter la veine principale qui partait vers la gauche en haut du rapide – car elle vous emportait droit dans le trou, ce qui n'était pas une perspective très tentante.

— Pourquoi on ne se contente pas de longer la rive ? s'enquit Evelyn.

— Parce que les eaux ne sont pas calmes, répliqua JT, et que si on heurte la berge, on risque de rebondir, d'être happé par une latérale et de finir dans le trou.

La trajectoire la plus sûre à ce niveau d'eau, expliqua-t-il, suivait un étroit chenal qui passait à droite de l'obstacle tout en évitant la rive.

— Enfin, ça, c'est le plan, conclut-il avec un sourire.

— Où se trouve ce trou dont vous n'arrêtez pas de parler ? demanda Amy.

JT pointa le doigt. Amy chercha vainement, mais tout le fleuve semblait sauvage, en furie, cruel, au-dessous de cette première chute – jusqu'au moment où elle se rendit compte que c'était justement ça le trou, qu'elle avait les yeux dessus, une cavité béante où l'eau roulait constamment sur elle-même, un vortex géologique qui pouvait vous engloutir en une seconde.

Pour la première fois depuis qu'elle était sur le fleuve, Amy put imaginer clairement combien elle serait minuscule au fond de cette spirale.

Selon le plan, Dixie devait passer la première, suivie d'Abo ; JT fermerait la marche, pour porter secours à d'éventuels naufragés.

JT fit du surplace avec ses avirons et suivit des yeux les deux bateaux qui les précédaient. « Elle y va », murmura-t-il lorsque Dixie commença à prendre de la vitesse. Le raft pivota sur lui-même, coupa vers la droite et disparut dans les vagues. Quinze secondes plus tard, il ressurgit en bas du rapide, tous ses passagers à bord. Dixie se leva et leur fit signe.

JT pesa sur ses avirons pour maintenir leur cap. « À toi, Abo, murmura-t-il, montre de quoi tu es capable. » Le raft à pagaies s'élança dans le sillage de Dixie, Abo assis à l'arrière, si droit qu'il semblait avoir grandi d'au moins dix centimètres. Il laissait traîner sa pagaie dans l'eau, ajustant l'angle de temps à autre. Ses équipiers ramaient calmement quand il donna un ordre soudain, et à la proue Peter se pencha brusquement en avant, aussitôt imité par les autres : torses, bras et pagaies remuant tous au même rythme pour guider le raft le long de la rive droite. À son tour il disparut, avant d'émerger de l'écume à côté de Dixie. Par-dessus le vacarme des rapides, Amy entendit faiblement des cris et hurlements de joie.

JT cala ses pieds au fond du raft.

— Bon, à nous. On y va. Accrochez-vous. Amy, tu tiens le chien ?

Autour d'eux, de petits tourbillons agitaient la surface, et tout semblait plutôt innocent – jusqu'au moment où Amy regarda par-dessus son épaule et vit le long muscle mince de l'eau s'évaser légèrement puis tomber brutalement vers une immense poche de remous tumultueux, une monstrueuse vague remontante qui déferlait sans doute sans répit depuis que le premier déluge avait précipité les rochers géants dans le fleuve. Elle mesurait six mètres de large, quant à sa profondeur…, mais elle était plus grosse que tout ce qu'Amy aurait pu imaginer de la terre ferme, et elle comprit en une seconde pourquoi on en faisait tout un plat.

Le raft pencha sur un côté. Une vague s'écrasa sur son épaule. Ils étaient proches de la rive à présent, mais, du coin de l'œil, elle voyait le paysage défiler à toute allure dans un flou. Elle resserra sa prise sur le chien.

Et puis, peut-être que le fleuve s'apaisa. Peut-être que JT fit un peu trop d'efforts pour corriger quelque chose. Mais au beau milieu d'une de ses poussées, ils heurtèrent de côté une énorme crête d'eau qui les trempa des pieds à la tête. Amy s'accroupit et, de sa main libre, essaya d'essuyer ses lunettes. Puis il y eut un choc violent sous le raft, comme s'ils avaient accroché quelque chose – quelque chose de dur, Amy le sentit sous son genou. Le raft se cabra et l'eau commença à passer par-dessus les boudins, s'engouffrant à l'intérieur.

— Bord haut ! hurla JT, luttant pour garder le contrôle des avirons. Amy ! Bord haut !

Amy tituba vers l'avant – ou vers le haut : difficile à dire avec le raft incliné à quarante-cinq degrés. Elle glissa et s'étala de tout son long dans un couinement de caoutchouc. Elle chercha un cale-pied mais ne trouva rien de ferme hormis le boudin côté penché – et si elle prenait appui contre lui, elle ferait entrer encore plus d'eau dans le raft.

— Bord haut ! continuait à crier JT. Vas-y !

Ruth voulut aller se mettre à côté de Lloyd, mais JT lui fit signe de retourner à sa place.

— Reste où tu es ! cria-t-il. AMY ! BORD HAUT ! TOUT DE SUITE !

Amy agrippa la ligne de vie et tira de toutes ses forces, en vain. Elle ne pouvait tout simplement pas bouger, et le raft se cabrait de plus en plus.

— Le chien ! cria Ruth.

Puis Amy entendit un claquement sec. JT avait laissé tomber ses avirons. En un éclair, il se redressa, cala ses pieds contre la pile de matériel et se pencha en avant pour agripper Amy par les épaules de son gilet. Il tira fermement, et au même moment elle trouva un appui solide pour ses pieds. L'instant d'après, elle se retrouva étalée sur JT. Les rebords de leurs chapeaux se heurtèrent et elle eut peur de l'écraser, mais il se tortilla et les fit remonter sur le boudin aussi loin qu'il en était capable. À présent, elle baissait les yeux sur les flots en furie – un torrent d'eau qui arriva soudain droit sur elle, tandis que le raft retombait à plat.

Ce furent, en gros, tous les souvenirs qu'Amy eut de Crystal. Elle n'eut pas conscience que JT avait regagné son siège. Elle n'entendit pas Lloyd crier du charabia. Elle comprit seulement qu'elle avait atterri au fond du raft ballotté par les vagues, dans la flaque d'eau où flottaient des chaussettes sales, avec vue sur des gourdes qui pendouillaient et une paire de sandales Teva accrochée à une sangle.

Soudain, tout s'apaisa. Le raft continua à tournoyer sur lui-même ; étourdie, elle jeta un coup d'œil par-dessus le bord et vit des eaux bleues et calmes. Ils glissèrent jusqu'aux autres rafts et les guides se dévisagèrent. Puis ils éclatèrent de rire.

— Qu'est-ce qui s'est passé, là ? s'exclama Dixie.

— J'étais sûr que vous étiez fichus, déclara Abo. J'ai dit à mes pagayeurs, ils sont fichus. Ils sont cuits. Ils sont morts, les gars. Mon vieux, fit-il en secouant la tête. Tu étais à cinquante centimètres du trou !

Amy pivota brusquement.

— Où est le chien ?

— Je l'ai, cria Ruth.

Il était là, en effet, collé à la jambe de Ruth, haletant joyeusement.

JT prit sa gourde et but une longue gorgée.

— L'eau s'est défilée sous moi, dit-il d'un ton étonné. Et puis j'ai touché un rocher.

— Quel rocher ? demanda Dixie.

— En tout cas, ça m'a fait l'impression d'un rocher, dit JT.

— Ton chapeau, mon chou, dit Abo, en lançant à Amy sa casquette de base-ball rose.

Elle l'attrapa et s'en coiffa, regrettant de ne pouvoir disparaître dans un trou de souris, car elle venait de comprendre. C'était à cause de son poids qu'ils avaient touché quelque chose, à cause de son poids que le raft s'était incliné. D'une seconde à l'autre, JT allait commencer à lui crier dessus, parce qu'elle était une GROSSE TRUIE. Ils n'auraient jamais dû l'autoriser à participer à ce voyage, pour commencer.

Comme s'il avait lu dans ses pensées, JT lui demanda comment ça allait.

— Je suis désolée. Je ne trouvais rien à quoi m'accrocher, dit-elle piteusement.

— Pas du tout. Tu t'en es très bien sortie.

— Mais non ! s'exclama Amy. On a failli se retourner par ma faute !

JT rejeta sa remarque d'un haussement d'épaules.

— Ce n'est jamais la faute d'une seule personne.

Ça l'était dans le cas présent, aurait voulu répondre Amy. Elle se revit, étalée sur JT de tous ses cent sept kilos ; elle se souvint d'avoir enfoui un bref instant le visage au creux de son cou (sa peau était chaude, ridée, moite et il sentait l'érable), et elle pensa que c'était vraiment quelqu'un de bien, le meilleur homme qu'elle ait jamais rencontré, le genre d'homme qui, un jour, espérait-elle, verrait la personne qu'elle était réellement, sous toute cette graisse.

31

Jour 7, le soir
Mile 108

Peter était stupéfait par la facilité avec laquelle Abo avait couché la veille. Une jolie fille débarque, et pof, elle tombe dans ses bras. Il avait vu de ses propres yeux Abo partir vers l'amont après que tout le monde s'était endormi. Avaient-ils déjà couché ensemble ou était-ce leur première fois ?

Peter devinait qu'il y avait pas mal de sexe dans la vie d'un guide de rivière. Sans doute qu'à chaque descente on tombait amoureux et qu'on se payait des parties de jambes en l'air inoubliables. L'idée lui vint qu'il pourrait se renseigner, pendant qu'il était là, pour savoir comment obtenir un diplôme de guide. Ça ne devait pas être si difficile que ça ; pour autant qu'il pouvait en juger, il fallait tout simplement s'en remettre aux lois de la gravité et laisser l'eau faire tout le boulot.

On était en début de soirée. Assis sur le bord du raft de Dixie, Peter et Amy sirotaient une bière en écoutant les guides évoquer leur journée dans les Big Ones. Peter avait un mal fou à détacher son regard de Dixie, qui s'était enroulée comme un bretzel sur le boudin latéral. Son sarong bleu gisait, froissé, à côté d'elle. Peter se demanda si, au cas où il attraperait un coup de soleil, Dixie lui prêterait ce sarong pour qu'il s'en recouvre les épaules.

— Alors, on s'arrête à Shinumo demain ? demanda Abo.
— C'est le plan, dit JT.
Une paire de lunettes noires bon marché était perchée de travers sur son nez et il griffonnait des notes dans un classeur.
— Tout le monde aime les cascades.
— Bonne occasion de faire des photos qu'on pourra envoyer à Noël.
Dixie déroula ses jambes pour ouvrir une canette d'Olympia, et Peter faillit tomber dans les pommes. Les yeux fermés, la canette inclinée vers ses lèvres, un bref scintillement de bière blonde – Dixie était la fille de la carte d'anniversaire qu'il avait reçue des années auparavant. Il avait l'impression que le ciel venait d'inventer les cinq sens, rien que pour lui.
— Je parie qu'on va recevoir une carte des Compson à Noël prochain, dit Abo, tous les quatre debout devant Shinumo.
— Mitchell voudra peut-être prendre une autre photo de groupe, suggéra Dixie.
JT et Abo émirent un petit rire.
JT pivota vers Peter et Amy.
— Bouchez-vous les oreilles.
— Laissez-moi vous poser une question, intervint Abo. Mitchell est vraiment en train d'écrire un livre ? Parce que si c'est le cas, ça m'inquiète. Et si je suis dedans ? Qu'est-ce qu'il va dire sur moi ?
— Il dira que tu bois trop, affirma Dixie.
Elle se tourna sur le côté et se mit à faire des ciseaux. Peter dut faire appel à toute sa maîtrise de lui-même pour ne pas fixer le creux en haut de ses cuisses.
— Tu penses que je bois trop, chef ?
— Seulement après Crystal et Lava, répondit JT.
— Oh ! Bon, alors ça ne compte pas, fit Abo en ouvrant une autre bière. Peter. Amy. Attrapez !
Il leur lança une canette à chacun.
— Mitchell boit beaucoup de gin, dit Amy.

— On a remarqué, rétorquèrent les trois guides à l'unisson.

— Et il n'est pas partageur, grommela Abo.

— Allons, Abo, murmura JT.

— C'est juste un constat, rien de plus.

— Boucle-la.

— Ça nous est égal, affirma Peter.

— Pas à moi, répliqua JT.

— Quand on parle du loup..., intervint Dixie.

Sur la plage, Mitchell et Mark s'étaient mis à faire des pompes, frappant dans leurs mains entre chaque mouvement.

— Hé ! Mitchell ! cria Abo. Vous essayez de nous faire honte ou quoi ?

Mitchell grogna quelque chose mais continua à faire ses exercices.

JT se tourna vers Peter et Amy.

— On aime bien Mitchell, leur confia-t-il, mais il peut être un peu soûlant. Et vous n'avez pas entendu cette conversation.

— Encore vingt, Mark, lança Abo.

— *Toi*, tu aimes bien Mitchell, corrigea Dixie. Il se prend beaucoup trop au sérieux à mon goût. Il faut qu'on le remette à sa place. Quelques farces ne lui feraient pas de mal. Je devrais peut-être sortir mes petites bêtes.

C'était enfin la chance que Peter attendait depuis qu'il était descendu du bus à Lee's Ferry.

— Quelles petites bêtes ? demanda-t-il d'un ton amène, avant de regretter aussitôt sa question.

Elle lui semblait avoir une connotation sexuelle, encore qu'il n'arrivât pas à s'expliquer pourquoi.

— Montre tes petites bêtes à Peter, Dixie, l'encouragea Abo.

Ça sonnait encore pire ! Minute. Abo voulait-il ce double sens ? Dixie lui avait-elle touché un mot en privé des talents de pagayeur de Peter, ou de son courage quand il avait traversé Hance à la nage ? Il fit pivoter ses jambes et grimpa par-dessus la pile de matériel. Dixie, pendant ce temps, avait sorti un sac d'insectes en plastique — pas ceux aux couleurs fluo qu'on trouve dans les distributeurs de bonbons, mais des versions réalistes, d'une qualité comparable à ce qu'on achèterait dans le magasin de souvenirs d'un musée. Elle choisit un scorpion et le lança à Abo, qui feignit un bond et poussa un cri d'une voix de fausset.

— Lit ou sac à dos ? demanda Dixie. Tasse de café, peut-être ?

Peter se sentait si privilégié d'être inclus dans un complot qu'il dut se retenir, car il connaissait un nombre impressionnant de mauvais tours, comme sa sœur aurait pu le confirmer. En tout cas, si les guides voulaient remettre Mitchell à sa place, il serait très heureux de les y aider.

Mais JT secouait la tête.

— Pas question, vous tous, dit-il en refermant son cahier de menus. Je ne veux pas que Mitchell fasse une crise cardiaque. Il est pénible, mais on ne va pas le faire tourner en bourrique. J'ai assez d'emmerdes comme ça pour cette descente.

— Wouh, fit Abo. Rabat-joie, va !

Tous se turent. Peter examina les insectes et trouva un mille-pattes. Il le posa sur sa cuisse pour l'admirer.

— Au fait, reprit Abo au bout d'un moment, comment va la jambe de Ruth ?

— Pas terrible du tout.

— Même avec le Cipro ?

— Ça ne fait pas effet si vite que ça.

— Tu crois qu'il va falloir l'évacuer ? demanda Dixie.

— Bon sang, je n'en sais rien ! Je regrette qu'elle n'ait pas commencé à prendre du Cipro plus tôt.

— Pourquoi elle ne l'a pas fait ? s'enquit Abo.

— Sans doute qu'elle le gardait pour quelque chose d'important, soupira JT. C'est toujours comme ça, non ?

Il se leva et sauta sur son propre raft, où il ouvrit la glacière et se mit à rassembler les ingrédients du repas.

Cela eut pour effet de disperser le groupe, car Abo et Dixie étaient de service pour le dîner, et Amy retourna à sa tente. Peter resta seul sur le raft de Dixie. Elle avait laissé ouverte sa caisse d'effets personnels, et il y avait une photo fripée d'elle avec son copain, collée à l'intérieur du couvercle. Le copain était presque chauve. Peter aurait préféré ne pas voir la photo parce qu'il ne voulait pas imaginer Dixie avec un type qui n'avait pas de cheveux.

Il glissa le mille-pattes dans sa poche et lissa de la main la surface caoutchouteuse du matelas de Dixie. Il songea à elle étendue dessus le soir, le sarong bleu sur ses hanches. Il se représenta l'amulette en argent torsadé en forme de cheval, chaude contre sa poitrine ; cela ouvrit les vannes, et Peter s'autorisa enfin à se demander comment ce serait de faire l'amour sur un raft, au beau milieu d'une étendue d'eau sombre et lisse, en route pour Baja.

— Pas du tout, mon chéri, assura Jill à Sam. Papa veut seulement dormir à côté des rochers, et je préfère coucher au bord de l'eau ce soir.

— Quand même, il a l'air fâché, observa Sam.

— Grosse bête, dit Jill en lui frottant le dos

10 juillet, jour 7

Je suis la seule encore réveillée et je suis assise sur un rocher où personne ne peut me voir. Très tranquille. Tous les autres dorment, même maman. Je crois que je passe de meilleures vacances qu'elle, à ce stade. Je vais essayer d'être plus gentille à son égard. Elle est tellement pathétique.

Aujourd'hui, grâce à la GROSSE, on a failli se retourner dans Crystal. Est-ce que les guides s'imaginent vraiment qu'on va se souvenir de ce qu'il faut faire en cas d'urgence ? On percute quelque chose, le raft se dresse tout d'un coup, JT me hurle : « Bord haut ! » Kézako ?! Comment suis-je censée me souvenir de ce que ça signifie ? Évidemment, même après qu'il m'a dit quoi faire, je n'ai pas pu. Alors il le fait tout seul, et il me relève et j'atterris sur lui.

J'ai dû lui casser les côtes et il est trop sympa pour dire quoi que ce soit.

JOURS 8 et 9

Miles 108-150
Lower Bass – Upset

32

Jours 8 et 9
Miles 108-150

Hormis le fait que Jill et Mark s'adressaient à peine la parole, les deux jours suivants furent fantastiques. Pour commencer, ils s'étaient tous familiarisés avec la routine de la vie sur le fleuve, de sorte que les défis déroutants des premiers jours – remplir les sacs, charger et décharger – étaient devenus des gestes automatiques. Avec la compétence venait l'assurance, qui à son tour générait une bonne humeur générale, facteur non négligeable lors d'une descente de rivière.

De plus, les Big Ones étaient suivis d'un passage en eaux calmes d'une beauté magique. JT fit en sorte de laisser tout le monde s'arrêter et jouer dans les cascades et bassins ombragés qui offraient un contraste frappant avec le paysage austère des derniers jours. Les Compson prirent bel et bien une photo de famille devant les chutes de Shinumo (mais une photo épouvantable, sourires figés, postures raides). Plus bas, à Elves Chasm, les rochers frais et moussus et les petits ruisseaux apaisèrent les nerfs de tous, encore tendus après la veille. Le seul incident désagréable survint lorsque Mitchell grimpa sur un gros rocher rond pour plonger dans le bassin en contrebas, rappelant à JT combien le vent pouvait tourner vite.

— Je vous l'ai dit à tous le premier jour, ON NE PLONGE PAS ! Vous voulez vous éclater le crâne ou quoi ?

(« Tu m'as pris en photo ? » demanda Mitchell à Lena.)

Il y eut d'autres retournements de situation, plus positifs. D'abord, le Cipro semblait faire effet. Ensuite, Evelyn avait cessé d'essayer de se rendre utile tout le temps. Et l'appareil photo redouté de Mitchell se trouva à court de mémoire, tout au moins jusqu'à la fin de la journée, quand il put récupérer la carte de rechange dans son sac à dos.

Bref, ces deux jours-là se déroulèrent mieux qu'aucun autre depuis leur départ de Lee's Ferry. Tout au moins JT eut-il cette impression. Il avait trop de raids à son actif pour en tirer des conclusions, et savait qu'au fond cela ne voulait rien dire ; mais il savoura indubitablement cette bonne fortune, qui perdura pendant toute la neuvième journée, surtout lorsque Mitchell se rendit compte qu'il avait plus qu'assez d'alcool pour le reste du voyage et offrit du gin tonic à tous ceux qui avaient l'âge légal de boire. Et quand Jill dit quelques mots à Mark, ce qui l'emplit de l'espoir qu'il n'allait pas voir un mariage de plus se désintégrer sous ses yeux.

Le moment le plus magique survint juste avant l'heure du coucher. Dans un mystérieux moment de lucidité, Lloyd entreprit de leur raconter les raids d'autrefois, à l'époque où ils portaient des tennis en toile et des jeans taillés en shorts, où la crème solaire n'existait pas, où le barrage de Glen Canyon n'avait pas été construit, où l'eau était chaude et indomptée, où les tamaris n'avaient pas encore tout envahi, où les avions existaient à peine, et où la nuit, par temps frais, on pouvait allumer un feu de bois et s'endormir en écoutant craquer les braises et en regardant des pluies d'étincelles monter dans la cheminée de falaises vers le ciel étoilé.

À ce stade de la descente, seule Susan ne s'amusait guère. Elle avait beau apprécier la détente apportée par la routine, une certaine lassitude la gagnait. Osait-elle l'appeler ennui ? Parfois les rapides lui paraissaient tous pareils ; parfois les parois du canyon lui donnaient une impression d'enfermement. Était-elle la seule à ne plus en apprécier la beauté ?

À présent, son vin avait un goût de plastique, et il n'était jamais assez frais. Le café était trouble. Et pour être tout à fait franche, elle en avait assez du camping en communauté. Tout le monde ronflait, lui semblait-il, et les matelas étaient si minces que chaque matin elle se réveillait courbaturée, le cou noué, une douleur dans le bas du dos qui persistait, bien que Dixie lui eût montré comment s'étirer. Il fallait se méfier des scorpions, des fourmis rouges, des serpents à sonnette.

Ce matin-là, elle traînait son sac vers les rafts quand une pensée toute simple lui vint à l'esprit : *il y aurait une fin à tout cela.* L'avait-elle oublié ? Dans cinq jours, elle émergerait de la fournaise du canyon pour entrer dans une chambre d'hôtel climatisée dotée d'un matelas douillet et de draps frais et d'un réfrigérateur réservé à son usage personnel. Il y aurait un peignoir propre dans le placard, du vin frais dans le petit frigo. Elle prendrait une douche chaude et, debout sous le jet d'eau propre, elle se débarrasserait du sable accumulé pendant douze jours.

— Comment font les guides ? demanda-t-elle à Jill, plus tard ce jour-là.

Elles étaient confortablement installées à l'arrière du raft de Dixie, les jambes allongées devant elles. Peter avait pris les avirons. Dixie était à l'avant, et lui donnait des instructions de temps à autre.

— Comment ils font quoi ? demanda Jill.

— Comment ils restent aussi enthousiastes ? Je ne m'imagine pas faire ce voyage deux fois, sans parler de cent vingt-cinq.

— Oh, moi, je pourrais passer ma vie ici, rétorqua Jill. Pas de lessives, pas de supermarché, pas de gamins à trimballer…

Les premiers jours, Susan aurait été d'accord avec elle. Mais plus maintenant. Maintenant, elle voulait un bain. Elle voulait voir une rue bordée d'érables à grosses feuilles.

— Mon lit me manque, dit-elle. Un matelas ! Quelle invention ! Et la climatisation, et une pièce où être tranquille toute seule…

— Mais ce voyage ne vous a pas fait du bien, à Amy et à toi ?

— Amy passe son temps à m'éviter.

Jill ne répondit pas, ce qui déçut Susan, car elle avait espéré que Jill aurait peut-être quelque information secrète concernant les sentiments d'Amy qui puisse la contredire.

— Elle préfère de loin la compagnie de Peter.

— Mais c'est une bonne chose, non ? Elle a dix-sept ans, après tout. Il ne faut pas négliger l'importance des relations avec ses pairs.

Ses pairs ? songea Susan. Il a vingt-huit ans !

Et au cas où tu ne l'aurais pas remarqué, fit la Salope, *il est tout le temps en train de lui offrir de la bière. Si Amy n'était pas si grosse, j'aurais peur qu'il essaie d'abuser d'elle.*

Susan sentit les larmes lui picoter les paupières. Elle glissa deux doigts sous ses lunettes de soleil pour s'essuyer les joues.

— Qu'est-ce qui ne va pas ? demanda Jill.

Susan esquissa un sourire désabusé. Elle ne savait pas vraiment quoi dire. Elle avait l'impression d'être une mère épouvantable, avec les pensées qu'elle avait parfois. Mais elles étaient bien là. Peut-être cette mère de deux enfants de Salt Lake City comprendrait-elle, ici sur le fleuve.

— Tu avais une image mentale de tes enfants, avant leur naissance ? demanda-t-elle.

— Bien sûr ! J'étais sûre qu'ils allaient me ressembler.

Susan rit malgré elle, car les garçons Compson, avec leur teint pâle et leurs cheveux blonds, ne ressemblaient pas du tout à Jill, qui avait la peau mate et des cheveux bruns.

— Eh bien moi, j'imaginais une petite fille avec un bob et une frange, déclara Susan. Elle aurait eu une jolie voix. On aurait chanté en chœur pendant les longs trajets en voiture. Elle aurait voulu avoir un cheval, aussi.

— Pour le chant, je ne sais pas, mais je suppose que pour le cheval, ça ne s'est pas fait ?

— Ni la danse, ni les sports d'équipe, ni le tennis.

Susan eut soudain envie de révéler à Jill les notes qu'Amy avait obtenues à ses examens. Elle n'en fit rien, craignant de donner l'impression qu'elle se vantait.

— Mais elle est adorable, affirma Jill. Je l'ai remarqué le premier soir, avec les garçons – quand elle leur a montré des tours de cartes. Et elle est intelligente. Ça se voit. Peter et elle parlaient de Virginia Woolf. Ça m'a impressionnée. Sait-elle où elle veut aller à l'université ?

— Peut-être Duke, répondit Susan. Ou Yale.

— Tu vois ? Tu devrais être fière d'elle !

— Je le suis. Je suis très fière. C'est juste que…

Susan mit une main sur son visage.

— Personne ne dit les choses telles qu'elles sont, gémit-elle. Le médecin parle d'un surpoids. Son père dit qu'elle est bien en chair. Tout le monde tourne autour du pot au lieu de dire qu'elle est terriblement, terriblement grosse. Et elle ne me parle jamais !

Le raft prit de la vitesse, et l'eau clapota doucement contre la coque. Jill se pencha par-dessus bord afin de s'asperger les bras.

— Quand j'étais adolescente, j'avais de l'acné, dit-elle. Mes parents le niaient. Ils disaient : « Oh ! c'est juste un bouton ici et là, mets-toi un peu de maquillage, tu es la seule à le remarquer ! » Ce qui n'était pas vrai. On aurait dit que j'avais la varicelle.

— Ça devait être particulièrement dur, surtout que tu es si mince.

— Parfois, je pense que c'est ça qui a tout déclenché, avoua Susan.

— Pourquoi ?

— Parce que je surveille mon poids. J'aime manger sain. J'aime être mince. Alors, j'y ai peut-être attaché trop d'importance pendant qu'Amy grandissait.

Jill eut un petit bruit de dédain.

— Matthew est sensible – est-ce que cela signifie que je l'ai élevé dans du coton ? Et Sam fait le clown – cela veut-il dire que je ne lui ai pas accordé assez d'attention ? Nous autres, mères, nous faisons bien trop de reproches.

Le raft plongea dans un nouveau rapide. Jill et Susan s'en aperçurent à peine. Pendant un moment, il y eut trop de bruit autour pour parler.

— Alors, qu'est-ce qui s'est passé avec Mark, hier ? s'enquit Susan quand le rapide fut passé.

— Oh ! fit Jill en levant le visage vers le soleil. On a dû passer trop de temps ensemble, ces jours-ci.

Susan savait que ce n'était pas le cas.

— Bon, admit Jill. On se chamaille au sujet des enfants de temps en temps.

— Il est mormon, n'est-ce pas ?

— Oui.

— Et toi non ?

— Non.

— Et comment tu gères ça ?

Susan, qui d'ordinaire était prête à tout pour ne pas se mêler des affaires des autres, s'émerveilla de son audace. Combien de temps lui aurait-il fallu pour poser ces questions à Jill si elles ne s'étaient pas trouvées ensemble sur le fleuve ?

— Tu veux dire, est-ce que je suis la brebis égarée de la famille ? C'est surtout un problème pour ses parents, répondit Jill. Ils viennent pendant les vacances, ils demandent à voir mon garde-manger et ils disent : « Ce n'est pas un garde-manger, pas un vrai garde-manger », et à ce moment-là, Mark intervient et leur rappelle qu'on a déjà eu des souris et qu'on n'a pas vraiment envie de stocker cinquante kilos de riz au sous-sol.

— C'est bien qu'il te défende.

— Je suppose. Mais, étant la garce que je suis, j'ai toujours tendance à remarquer ce qu'il ne fait pas, et pas ce qu'il fait.

Les deux femmes échangèrent un rire complice.

— Où habite le père d'Amy, déjà ? Tu me l'as dit, mais j'ai oublié.

— Boston, répondit Susan. Amy lui rend visite au mois d'août. Il a une maison au bord d'un lac. Elle garde ses enfants.

Il lui sembla soudain lamentable que sa fille, à dix-sept ans, passe son mois d'août à faire ça.

— Comment ça va pour elle, au lycée ? demanda Jill. Je sais que pendant ma scolarité, les jeunes étaient plutôt cruels. C'est toujours pareil ?

— En fait, c'était pire au collège, avoua Susan. À présent, on l'ignore, c'est tout. Bien que je doive admettre qu'elle est allée à quelques fêtes cette année. Pas mal, à vrai dire. Pour Halloween, par exemple, elle est même restée coucher chez une amie. Mais elle n'est pas beaucoup sortie après. Je ne sais pas pourquoi.

— Eh bien, c'est un début, assura Jill. Elle a un petit copain ?

Susan eut envie de lui sauter au cou rien que parce qu'elle avait posé la question. Aucune de ses amies à Mequon n'avait jamais songé à se le demander.

— Comme je le disais, je serai la dernière à l'apprendre.

— Ce n'est pas forcément une mauvaise chose, déclara Jill. À en juger par ce que raconte ma sœur, il vaut peut-être mieux ne pas savoir tout ce que font nos enfants.

À cet instant, le bateau heurta quelque chose de solide. En se retournant, elles s'aperçurent qu'ils venaient d'accoster le long d'une rive pentue, près du raft de JT. Le soleil baissait sur le plateau, annonçant le long et paresseux crépuscule du canyon. Peter rentra ses avirons.

— C'est toi qui nous as conduits ici ? s'exclama Jill.

— À votre service, dit Peter. Disponible quand vous voulez.

Dixie se laissa glisser dans l'eau et saisit l'amarre, calant le raft contre le courant pendant qu'ils prenaient leurs sacs.

— Si on continuait cette conversation avec un verre de vin ? suggéra Susan.

Mais Jill escaladait déjà le tas impressionnant de matériel.

— Je te jure que si Evelyn prend le meilleur emplacement ce soir, je lui tords le cou !

33

Jour 9, le soir
Mile 150

Upset[1] Hotel, comme on l'appelait, était difficile d'accès. L'eau y était profonde, le courant rapide, et des blocs de calcaire pointus rendaient l'accostage délicat. De plus, le site de camping proprement dit était situé en haut d'une pente dont l'ascension, même sans tout leur matériel, était périlleuse.

Cependant, JT ne voulait pas prendre le risque de descendre plus bas. Si les deux camps suivants étaient déjà occupés, il n'y aurait pas d'emplacement assez vaste pour leur groupe avant Havasu, et comme il était interdit de camper sur le site, ils devraient passer leur chemin.

JT n'osait même pas imaginer la réaction de Mitchell s'ils manquaient Havasu.

Ils s'amarrèrent donc à Upset. Avec la bonne humeur qui avait caractérisé les deux jours écoulés, tout le monde forma une chaîne pour transporter les tables, le réchaud, le gril, les toilettes portatives, les caisses de provisions pour la cuisine, l'écrase-canettes, la pharmacie, les vingt-quatre grands sacs étanches bleus et les douze plus petits et blancs, tout en plaisantant sur la facilité avec laquelle ils rechargeraient les rafts le lendemain matin. Ils eurent tôt

1. « Contrariété, peine » en anglais. (*N.d.T.*)

fait d'installer la cuisine et de mettre les steaks à décongeler ; et ceux qui appréciaient la géologie purent prendre un moment pour apprécier la vue.

Mitchell était parmi eux. Pour le dîner ce soir-là, il avait revêtu une chemise hawaïenne turquoise vif à laquelle manquaient quelques boutons, révélant un ventre velu à chacun de ses mouvements.

— Tout devient de plus en plus beau, murmura-t-il en contemplant les falaises gris-vert recouvertes de cactus et de sauge, qui semblaient pencher en arrière.

En quelques gestes rapides, il installa son trépied.

— Qui aurait cru que je m'intéresserais tellement aux rochers ?

— Combien de photos est-ce que tu as prises, Mitchell ? demanda Peter.

— Douze ou treize cents.

— Tu pourrais publier un livre, observa Amy.

— J'en ai l'intention, répondit Mitchell.

Il fixa son appareil photo au trépied et se concentra sur le paysage qui s'étendait vers l'aval. En changeant légèrement l'angle de son objectif, il était aussi en mesure de photographier les guides, qui, restés à bord des rafts, ne semblaient guère pressés de préparer le dîner. Les gens commencèrent à dire en plaisantant qu'ils faisaient la grève, et, pour une fois, tous apprécièrent les efforts de Mitchell – ils se souviendraient de cette scène avec émotion : le soir où les passagers s'étaient mis à faire la cuisine tout seuls pendant que les guides s'accordaient un peu de repos sur les rafts.

Sam appela le chien, et l'humeur changea. Evelyn, surtout, parut inquiète.

— Peut-être que le trépied n'est pas une bonne idée, observa-t-elle tandis que Mixeur courait ici et là.

Mitchell leva les yeux avec surprise, comme si Evelyn venait de résoudre le plus grand mystère du monde. Il pointa le doigt vers elle d'un air jovial.

— Tu sais quoi ? Je crois que tu as raison, Evelyn.

Sur quoi il retira l'appareil photo, démonta le trépied et le rangea dans son étui.

— De toute façon, j'ai sûrement trop de photos de rochers. Hé ! toutou, dit-il comme Mixeur reniflait ses sandales. Qu'est-ce qu'il y a ? Ça sent les pieds ?

Il laissa échapper un rire sonore. Le chien remua la queue. Sous le regard inquiet de ses compagnons, Mitchell se pencha et lui tapota brièvement la tête. La veille au soir, alors qu'ils se confiaient leurs angoisses, Mitchell avait avoué qu'il avait une peur bleue des chiens.

— Je me suis fait mordre quand j'étais petit, leur avait-il raconté. Par un petit clébard qui n'arrêtait pas de japper. Et je dois admettre que c'est la vraie raison pour laquelle je ne voulais pas de ce chien. J'aurais dû être franc avec vous tous. Je suis désolé. Peut-être que ce raid m'aidera à surmonter ça.

Au souvenir de l'émotion de Mitchell, tous redoutaient qu'il ne pousse trop loin ses efforts dans l'espoir de compenser des années de traumatisme. Naturellement, Mixeur avait gardé ses distances avec Mitchell pendant l'essentiel du voyage ; quand quelqu'un n'est guère enclin à lui caresser le ventre à l'improviste, un chien le sent. Confirmant leurs craintes, Mitchell s'accroupit et tendit la main.

— Hé ! toutou, dit-il. Viens là, bébé.

Il apparut vite que Mitchell ne savait pas plus qu'Evelyn jouer avec un chien. En fait, il traitait ce dernier en chat, traînant un bout de corde dans le sable devant son museau. Mixeur s'assit.

— Il faut faire comme ça, conseilla Sam, qui prit la corde et en fit un nœud, qu'il agita au-dessus de la tête de Mixeur.

Aussitôt, celui-ci mordit la corde. Sam tira. Mixeur grogna, s'arc-bouta sur ses pattes et tira à son tour. Sam lâcha prise avec un grand geste, Mixeur tomba en arrière, se releva et vint frétiller devant Sam.

— C'est bien, mon chien. À vous, maintenant, dit Sam à Mitchell.

Mitchell s'essuya les mains sur son short, prit la corde et l'agita devant le museau du chien. Quand celui-ci mordit à l'hameçon, Mitchell regarda son public en riant avant de tirer sur la corde.

— Grr, dit-il. Quel costaud, hein ! Qui c'est ton copain, maintenant ? Hein, qui c'est ?

Il joua pendant un moment, tour à tour tirant, lançant et tenant la corde hors de portée de Mixeur afin que celui-ci saute pour l'attraper. On voyait qu'il croyait avoir inventé le jeu.

— Fais attention, Mitchell, avertit Lena.

Mitchell l'ignora.

— Je crois que ce chien m'aime bien, en fait, observa-t-il avec satisfaction. C'est une première. Peut-être qu'il essaie de me dire quelque chose. Viens là, mon vieux, ordonna-t-il en claquant dans ses doigts. Tu veux que je te ramène chez moi après le voyage ?

Sam parut vexé. Mitchell se mit à quatre pattes. Il tint la corde devant sa bouche en grognant et fit semblant de vouloir la mordre.

— Pas si près, mon chéri, protesta Lena.

Des hurlements de rire s'élevèrent des rafts.

— Qui veut une autre bière ? demanda Peter.

Mitchell se leva.

— Hé ! c'est une idée, dit-il. Bon, toutou, ça suffit pour le moment, ajouta-t-il d'un ton sévère. Bon chien. Tout a une fin. Va jouer tout seul. C'est l'heure du gin tonic de Mitchell.

Mixeur se mit à aboyer.

— Je te le laisse, Sam, lança Mitchell.

Il leva les mains en l'air.

— Je ne l'ai pas, toutou ! Regarde ! C'est Sam qui a la corde !

Le chien n'était pas convaincu. Il n'était pas non plus prêt à se faire jeter si facilement. Il se mit à tourner autour de Mitchell en aboyant, et celui-ci recula.

— Il ne faut pas lever les mains comme ça, avertit Sam. Il croit qu'il y a quelque chose dedans.

— Mais je n'ai rien ! Regarde ! Je n'ai rien dans les mains !

Mitchell agita les doigts au-dessus de sa tête.

— Ça l'excite, reprit Sam. Baissez les bras.

Soit Mitchell n'enregistra pas les instructions de Sam, soit l'instinct de lever les mains face à un chien en train d'aboyer l'emporta. Et du point de vue du chien, que penser de ce gros homme à la barbe naissante, à lunettes noires et en chemise hawaïenne, debout en haut d'une rive pentue, qui agitait les bras en l'air dans une sorte de danse primitive ?

Soudain, Mixeur s'élança sur Mitchell, le renversa, et tous deux roulèrent sur la pente, boule de poil et de tissu criard, un membre bronzé jaillissant ici et là, heurtant rochers et arbustes piquants, avant d'être arrêtés, enfin, par les galets qui jonchaient la berge.

Assis dans son raft, JT savourait sa deuxième bière de la soirée quand cela se produisit, et il était suffisamment détendu pour que la descente semble se produire au ralenti, un ralenti durant lequel lui vinrent successivement trois pensées :

Premièrement : le chien allait sûrement essayer d'égorger Mitchell.

Deuxièmement : il y avait peu de chances que Mitchell atterrisse en douceur contre un des rafts en caoutchouc.

Et troisièmement (cette prise de conscience intervenant au moment précis où Mitchell tombait tête la première contre les rochers) : ils avaient utilisé le dernier morceau de gaze deux jours plus tôt.

Un chaos total s'ensuivit. Lena dévala la colline en hurlant, JT bondit hors du raft, et Mitchell, coincé dans la fourche formée par deux rochers, tenta tant bien que mal de se relever.

— Appuie-toi sur moi, cria Lena, tendant vers lui un bras de moineau.

Mitchell pédala en vain dans le vide, et pour finir Peter dut aller l'aider à se relever.

À ce moment-là, JT ne put réprimer une grimace : Mitchell avait le front tout ensanglanté. Il fit mine d'empêcher ce dernier de toucher la blessure, mais trop tard.

Mitchell fixa ses doigts pleins de sang.

— Il m'a mordu, dit-il avec étonnement.

Maintenant, presque tout le groupe s'était rassemblé autour d'eux pour voir l'étendue des blessures. Ruth elle-même arriva en boitillant.

— Il taquinait le chien, expliqua Sam.

— Je ne dirais pas les choses comme ça ! protesta Lena.

— Il levait les bras, intervint Mark. Et le chien a sauté.

Avec tous ces commentaires, JT avait l'impression que son crâne allait exploser, et cela à un moment où il avait besoin de garder son sang-froid. Il se faisait des idées, ou ils avaient plus de problèmes médicaux que d'habitude, pendant ce raid ? Il fut reconnaissant à Dixie de s'accroupir à côté de Mitchell, la pharmacie à la main.

— Son vaccin contre le tétanos est à jour ? demanda-t-elle à Lena.

— J'entends très bien, coupa Mitchell, et oui, mon vaccin est à jour. Quelqu'un peut m'apporter un miroir ?

— Tu n'as pas besoin de miroir, Mitchell. Laisse-moi regarder.

Stoïque, il lui présenta son front. JT, Dixie et Lena examinèrent la plaie avec attention. Il y avait de multiples petites coupures, mais l'essentiel du sang provenait d'une entaille qui ne ressemblait pas à une morsure.

— Je crois que tu t'es coupé sur un rocher, observa JT en s'asseyant sur ses talons.

— De toute façon, Mixeur ne mordrait jamais personne, affirma Sam.

— Moi, si, opposa Mitchell. Je vous l'ai dit. Les chiens m'ont mordu toute ma vie.

— Allonge-toi, fit Dixie en ouvrant la pharmacie. Hé ! où est la gaze ?

— On n'en a plus, répondit JT. Prends de l'essuie-tout.

Comme s'il avait lu dans ses pensées, Abo arriva derrière lui et lui tendit un rouleau.

— Comment ça, vous n'avez plus de gaze ? dit Mitchell.

— Lloyd l'a utilisée.

— Quoi, il croyait qu'il y avait un supermarché au coin de la rue ?

Il cracha dans le sable.

— Je paie trois mille dollars et vous ne pouvez pas me fournir un rouleau de gaze à cinq balles ?

Pendant tout ce temps, la Salope s'était tenue à l'écart, occupée à se passer du fil dentaire. *Il faut descendre ce type*, dit-elle soudain. *L'attacher à un rocher. Le laisser rôtir au soleil.*

À cet instant, Lena prit la parole, et tout le monde eut l'impression qu'elle ouvrait la bouche pour la première fois.

— Mitchell, dit-elle, d'un ton qui leur rappela qu'elle enseignait en maternelle. Reprends-toi. Nous formons un groupe. Quelqu'un a été blessé et nous avons utilisé toute la gaze. Nous n'en avions pas l'intention, mais nous l'avons fait. Maintenant, donne-moi ton mouchoir et prends ça.

Elle lui tendit une feuille d'essuie-tout.

— J'ai besoin de points de suture ? demanda-t-il.

— Non, affirma Lena. Il y a beaucoup de sang, mais crois-moi, ce n'est pas grave. Les blessures à la tête saignent toujours beaucoup.

— Allonge-toi, Mitchell, conseilla Dixie.

— Je parie que si j'allais aux urgences, on me mettrait des points de suture. Maintenant, je vais avoir une cicatrice, conclut-il. Mais bon, quelle importance, hein, pour un type de cinquante-neuf ans ? Pourquoi je devrais m'inquiéter pour mon physique ?

— Allons, Mitchell, allonge-toi, dit JT.

— Je ne serais pas surpris que ce chien ait la rage.

— Le chien n'a pas la rage, affirma JT.

— Depuis quand tu es un expert en la matière ?

— Mitchell ! Allonge-toi et tais-toi ! cria Dixie.

Lena leva une main pour ramener le calme.

— Je crois que tout le monde devrait respirer à fond, dit-elle. Mitchell, tu n'as pas besoin de points de suture. Le chien n'a pas la rage. Dixie et JT ont de quoi te faire un pansement. Il est temps de te montrer coopératif.

— Merci, Lena, fit Dixie.

— Allons, Mitchell. Allonge-toi, ajouta JT d'un ton las. Ma bière m'attend.

Mitchell se rallongea avec un grognement. JT lui tint la tête sur ses genoux. Son visage était anguleux, sa barbe rugueuse. Il ferma les yeux, ce dont JT lui fut reconnaissant. Lena lui dit de penser à un bel endroit.

— Je *suis* dans un bel endroit.

— Un encore plus beau.

— À trois, Mitchell.

Dixie versa de l'eau oxygénée directement sur la plaie, lui arrachant une grimace. JT tamponna la blessure de papier absorbant, après quoi Dixie la badigeonna de pommade antibiotique et appliqua trois pansements pardessus.

— C'est bon.

Mitchell ouvrit les yeux.

— Le pire, c'est d'attendre, affirma Dixie. N'est-ce pas, Sam ? Assieds-toi, Mitchell. Regarde.

Elle dénicha un petit miroir dans la trousse de secours et Mitchell examina son travail. Il ne parut pas trop mécontent, mais il était hors de question qu'il l'admette, même à contrecœur.

— Si ça s'infecte, tu regretteras cette décision plus qu'aucune autre dans ta vie, dit-il à JT.

— Quelle décision ?

JT se leva et épousseta son short.

— Celle d'avoir gardé le chien. Qui te donne ta licence, une administration de l'État ? J'imagine qu'ils ne font pas de détail avec ce genre de décision. Cent vingt-cinq raids, hein ? C'est peut-être un bon chiffre rond pour s'arrêter.

Le ligoter à une fourmilière, proposa la Salope. *Vous voulez que je m'en occupe ? Pas de souci.*

— Oh ! ciel ! soupira JT. Je n'irais pas jusque-là.

— Ne me pousse pas à bout, lança Mitchell.

Après cet épisode, Evelyn descendit jusqu'aux rafts et attendit que les guides lèvent les yeux.

— Ce n'est pas que je veuille vous apprendre votre travail, dit-elle, mais l'eau oxygénée n'est plus le désinfectant conseillé.

— Oh. Bon, dit JT. Bon. Merci, Evelyn.

— Elle est gentille, commenta Abo, tandis qu'Evelyn remontait péniblement la pente. Même si elle est un peu maniaque.

— Oui, fit JT.

Dixie se laissa aller en arrière, ferma les yeux et soupira.

— JT ?

— Quoi ?

— T'as déjà eu envie d'arriver au bout d'un raid ?

— Tu comptes les jours, Dixie ?

— Non. Mais je suis rudement contente de ne pas être guide-chef, là.

34

Jour 9
Mile 150

Le dîner fut tendu ce soir-là. Mitchell alla manger dans un coin à l'écart ; Lena, s'étant attiré une violente rebuffade quand elle avait essayé de le suivre, resta pour une fois avec le groupe et écouta Jill et Susan lui dire sans façon qu'elle n'était vraiment pas obligée de supporter la tyrannie de Mitchell pendant les trente ans à venir.

— Je ne dirais pas que c'est un tyran, fit-elle.

— Plutôt un homme dominateur ? suggéra Evelyn.

Lena ne la corrigea pas, et Evelyn tira satisfaction d'avoir été précise. Leur campement occupait un site étroit, accroché à la falaise, et elles étaient assises les unes à côté des autres au-dessus du fleuve sombre et lisse. Evelyn se rapprocha de Jill.

— Mitchell a du mal à gérer la vie en groupe, reprit Lena.

— Tu n'as pas à lui trouver des excuses, fit Susan.

— Et il y a tellement longtemps qu'il rêve de faire cette descente, ajouta Lena. Le conseil municipal veut qu'il organise une soirée diapositives à la bibliothèque quand il aura bouclé le voyage de Powell. Et il connaît quelqu'un qui a travaillé au *National Geographic.* Il va peut-être écrire un article pour le magazine. Enfin, rien n'est sûr.

Loin au-dessous d'eux, une kayakiste solitaire glissait au milieu du fleuve. Elles lui firent signe. Elle agita la main en retour.

— Quand même, observa Jill. Les bonnes manières ne font de mal à personne.

— Je ne dirai jamais le contraire, répondit Lena. Mais vous ne connaissez pas Mitchell aussi bien que moi. Vous le connaissez depuis huit jours. Et moi depuis trente ans. Il peut se conduire comme un ours, mais au fond il a un cœur d'or.

Pour sa part, si Peter pouvait accepter l'idée qu'il n'allait sans doute pas se faire tailler une pipe pendant ce raid, il ne savait pas comment il supporterait Mitchell quatre jours de plus.

Il remplit son assiette, alla s'asseoir à côté d'Amy et ne prit même pas la peine d'introduire le sujet.

— Je pensais au milieu de la nuit, dit-il en coupant son poulet avec férocité. On lui enfonce une chaussette dans la bouche. On lui attache les mains. On le traîne jusqu'au bord de l'eau et on le balance dedans.

— Mieux vaudrait essayer de donner l'impression qu'il est tombé, commenta Amy.

— Parce que c'est lui ou moi, continua Peter. L'un de nous deux doit disparaître.

— Je parie que ma mère nous aidera, avança Amy. Elle est costaud.

— Même si je dois aller en prison, ça m'est égal, dit Peter. J'en ai trop marre que ce type fasse l'intéressant. Tu ne manges rien ?

— Pas faim, répondit Amy.

— Ce n'est pas le moment de te mettre au régime.

— Merci, docteur Atkins.

Elle se pencha et prit le morceau que Peter venait de couper.

— Content ?

— Peut-être qu'on devrait mettre de la viande dans son sac de couchage. Laisser le chien finir le boulot.

— Ou trouver un scorpion mort et le cacher dans son chapeau, suggéra Amy.

— Ou verser de la sauce pimentée dans son café demain matin.

Ils regardèrent Mitchell qui prenait une photo de Dixie penchée par-dessus une caisse de provisions, dans une pose peu flatteuse.

— Si ce type prend encore une photo de moi, commença Peter, je jure que…

Amy se redressa.

— Quoi ?

— Oh ! mon Dieu ! souffla-t-elle.

— Qu'est-ce qu'il y a ?

— C'est parfait.

— *Mais de quoi tu parles ?*

— J'ai une idée *géniale.*

Elle lui raconta ce qui venait de lui passer par la tête. Tout d'abord, Peter jugea cela trop simpliste, pas assez cruel, et estima que personne ne saisirait les nuances ; mais à mesure qu'elle lui donnait des exemples, il s'émerveilla de l'ingéniosité de l'adolescente. Dix jours plus tôt, il avait supposé qu'au mieux, il tolérerait sa présence. À présent, il était plein d'admiration.

— Tu peux être vraiment affreuse quand tu veux.

— Je suis au lycée, lui rappela-t-elle.

12 juillet, jour 9

Alors, aujourd'hui, Mitchell s'est entaillé le crâne sur un rocher et a été un connard total. Il a agressé tout le monde, y compris Ruth. Après, au dîner, Peter et moi on songeait à des manières de le tuer, et là, j'ai eu une idée. Elle m'est venue subitement, et oh ! mon Dieu ! On va TROP se venger de lui.

Voici le plan.

Mitchell prend des photos de tout et de tout le monde depuis le début. Sam avec la fourmi rouge. Mark et Jill en train de se disputer. JT en train de refaire le pansement de la jambe de Ruth. Evelyn en soutien-gorge de sport. (Bon, d'accord, elle ne devrait pas porter de soutien-gorge de sport, mais on est SUR LE FLEUVE, et MÊME MOI JE PEUX PORTER UN SOUTIEN-GORGE DE SPORT, ICI, SI ÇA ME CHANTE, MAIS FAUT PAS ME PRENDRE EN PHOTO DEDANS !!!!)

Bref, Peter et moi on va prendre des photos de Mitchell ! Ce sera des photos totalement innocentes, mais elles nous rappelleront quel connard il a été. Une photo de lui en train de faire des photos, pour commencer. J'en veux absolument une torse nu, si je ne vomis pas en la prenant. Oh ! et en train de parler à Lena, pour qu'on puisse toutes se rappeler comment il ne faut pas être traitées par son mari un jour !

Et puis on fera un album et on le mettra en ligne.

Est-ce que je ne suis pas la pire salope de l'univers ?

JOUR 10

Miles 150-168
Upset – Fern Glen

35

Jour 10
Miles 150-157

Le lendemain, Peter et Amy commencèrent donc à prendre des tas et des tas de photos – de tout le monde, mais surtout de Mitchell. C'était, comme l'affirmait Amy, complètement innocent. Mitchell remuant le marc dans le café. Mitchell la main dans son short, en train de se rajuster. Peter fit un gros plan de son guide abondamment annoté. Amy le saisit lorsqu'il glissa en montant dans le raft à pagaies et le photographia assis, le dos bien droit, à l'avant, prêt à partir alors que tous les autres étaient encore en train de s'installer.

Elle regarderait cette photo l'hiver suivant et l'entendrait clairement se demander pourquoi tout le monde mettait si longtemps.

Pour sa part, JT s'estima heureux lorsque les rafts furent chargés sans que personne soit tombé dans la pente raide d'Upset Hotel. Il leur restait en gros deux longues journées, Havasu Creek ce jour-là et Lava Falls le lendemain, et, s'il pouvait les passer sans encombre, peut-être ne verrait-il plus à l'avenir le raid comme une catastrophe absolue.

Pour Jill, Havasu demeurerait dans son souvenir *Le jour où Sam avait sauté d'une falaise et sauvé leur mariage.*

Tout ce qu'elle avait entendu dire au sujet de Havasu Creek était vrai. Des eaux turquoise et des fleurs exotiques jaillissant de rochers scintillants – c'était, comme Mitchell l'avait promis, un paradis. En se frayant un chemin dans les fourrés de vigne sauvage, en traversant le ruisseau à l'ombre des peupliers géants, elle avait l'impression de pénétrer dans les jardins botaniques séculaires d'une civilisation éteinte depuis une éternité.

— Tu veux que je t'attende ? avait demandé Mark poliment quand elle avait commencé à être distancée, et, tout aussi poliment, elle lui avait dit de continuer.

La dernière chose qu'elle voulait était que Mark s'attarde avec elle, lui tenant compagnie seulement pour ne pas avoir l'air d'un salopard qui l'avait abandonnée.

Elle était encore fâchée contre lui, elle devait l'admettre. Depuis leur dispute à Granite, c'est tout juste s'ils avaient échangé quelques mots ; et sa mauvaise humeur tenait autant au fait que tout le monde avait été témoin de son éclat qu'à la cause de la querelle. Tout était si public, ici sur le fleuve !

En tout cas, cet après-midi-là, elle finit par cheminer seule, quelques centaines de mètres derrière les autres. Elle les rejoignit à Beaver Falls, où la rivière s'ouvrait sur une série de larges cascades, qui tombaient dans une succession de bassins verts et profonds. Une vigne vierge luxuriante débordait par-dessus les rives, et l'air sentait l'orange et le clou de girofle.

— Tu te sens bien ? demanda JT. Tu bois assez ?

Elle aimait sa manière de toujours vérifier que tout allait bien. Elle avait l'impression qu'il prenait soin d'elle, qu'il veillait sur elle ; elle se sentait en sécurité.

— Tu es un vrai papa, dit-elle.

— Eh bien, répondit-il, tandis qu'un demi-sourire se dessinait au coin de ses lèvres, je fais de mon mieux.

Elle avait eu l'intention de se baigner, mais elle se sentit soudain glacée. Mark et les garçons nageaient, plongeaient la tête sous l'eau, s'éclaboussaient. Jill les observa sans ressentir d'envie ; ils faisaient exactement ce qu'un père et ses deux fils devaient faire lors d'un voyage pareil. C'était bien qu'ils s'amusent. Elle se prit à songer à toutes leurs chamailleries familiales, les bêtises du quotidien : quelle pizza acheter, combien de cassettes vidéo, qui prenait les décisions, où passait tout l'argent, et pourquoi les garçons attendaient la veille de la remise d'un devoir pour le faire. Tout cela semblait si absurde à présent, si dénué d'importance.

Quant à leur dispute au sujet de Sam cédant sa place à Evelyn : quel mal y avait-il à ce qu'un père s'efforce d'inculquer la courtoisie et la générosité à son fils ?

Pourtant, elle était encore fâchée. Quelle étrange journée, songea-t-elle, si changeante !

Lorsqu'il fut temps de repartir, JT leur fit suivre un autre sentier qui serpentait le long de l'étroit ruisseau, si bien qu'ils devaient parfois entrer dans l'eau jusqu'aux hanches et s'accrocher au-dessous des gros rochers en saillie pour se guider. Une fois sortis de là, ils grimpèrent tous sur une petite plate-forme pour sécher et se féliciter de leur performance.

— Hé ! Mitchell ! s'écria Peter.

Il le prit en photo se hissant sur le surplomb, les traits altérés par l'effort.

Jill se faufila dans une tranche de soleil pour se réchauffer. Mark s'approcha d'elle.

— Pourquoi tu ne t'es pas baignée ?

— J'avais froid.

— L'eau était chaude.

— Pas assez pour moi, répliqua-t-elle méchamment.

Mark lui frotta les bras avec vigueur, et elle se laissa faire. Mais au fond, elle voulait retourner aux rafts. Toute cette végétation luxuriante l'étouffait. Elle voulait retrouver les rochers, le fleuve, le ciel. Et, à vrai dire, boire un peu du vin de Susan.

— Où va JT ? demanda Mark.

Dixie gloussa.

— Il monte à sa plate-forme personnelle.

Jill leva les yeux et vit le guide se faufiler le long d'une crevasse raide. Puis il disparut.

— Quelle plate-forme ? demanda-t-elle, intriguée, ne voyant pas d'endroit d'où on pouvait plonger.

Dixie pointa du doigt.

Si Jill n'avait rien vu, c'était parce qu'elle n'avait cherché qu'à mi-hauteur de la falaise. Elle regarda plus haut et, plissant les yeux pour s'abriter du soleil, elle distingua soudain la silhouette de JT sur un minuscule aplomb rocheux, loin au-dessus d'eux. Jill n'était pas douée pour jauger les distances, mais elle aurait dit que l'endroit se trouvait à plus de trente mètres de hauteur.

— Il va sauter ?

— À chaque descente il le fait, qu'il pleuve ou qu'il vente. Il dit que c'est de la formation continue.

Matthew, qui avait froid à présent, vint se blottir contre Jill. Elle l'entoura de ses bras. Il y avait longtemps qu'elle ne l'avait pas serré contre elle. Ses os étaient noueux et bosselés aux articulations et elle se demanda si c'était normal pour un adolescent.

Elle déposa un baiser sur sa tête.

— Où est Sam ?

Avant que Matthew ait pu répondre, Peter émit un sifflement d'admiration.

— Waouh ! s'exclama Peter, levant les yeux. Bravo, Sam !

Jill et Mark suivirent son regard. Leur second fils était perché au bord du vide. Les jambes soudain flageolantes, Jill eut l'impression de mordre dans du métal. Elle baissa les yeux sur le bassin. Peut-être n'y avait-il pas trente mètres, mais tout de même : la surface était petite. Il n'y avait pas de marge d'erreur.

— Oups, fit Susan.

— Sam va vraiment sauter ? demanda Evelyn.

— Il a de la chance, dit Amy. Moi aussi je sauterais, si je n'étais pas si grosse.

— Oh ! mon chou !

— Tais-toi, maman, répliqua Amy.

— Waouh ! C'est vraiment haut, observa Mitchell.

Jill aurait voulu qu'ils gardent leurs commentaires pour eux. Elle devinait où ils voulaient en venir, et cela la rendait furieuse. En quoi cela les regardait-il, de toute manière, que Sam saute ?

— Qu'est-ce que tu en penses ? demanda Mark à voix basse.

Elle fut stupéfaite qu'il n'oppose pas immédiatement son veto. Monsieur Sécurité. Monsieur Prudence. Monsieur Portez-toujours-un-casque. Elle leva de nouveau les yeux. Dans la lumière mouchetée, elle apercevait JT debout juste derrière Sam. Les mains sur les épaules de l'enfant, il se penchait pour être à sa hauteur et pointait le doigt vers des repères moins élevés.

— Hé ! Sam ! appela Mark.

Quand il eut capté l'attention du garçon, il tendit les mains d'un geste interrogateur. Sam esquissa un petit mouvement indéfinissable en guise de réponse. *Oui, je vais sauter. Non, tu ne peux pas m'en empêcher.*

Jill se remémora un après-midi ensoleillé dans des gorges, bien longtemps auparavant, au nord de l'État de New York. Elle devait être en terminale au lycée. Un à un, elle avait regardé ses amis sauter. Et quand elle avait plongé à son tour, elle avait senti ses membres se détendre. Dans un flou, elle avait vu les falaises, les gens qui bronzaient sur les plates-formes en contrebas, la lumière scintillante du soleil filtrant à travers les feuilles vertes et grasses ; et puis elle avait percuté la surface froide et dure de la rivière. Ses jambes lui brûlaient et elle avait bu la tasse. Après s'être hissée sur les rochers tièdes, elle avait découvert une grosse marque prune sur une de ses cuisses. Mais l'excitation était palpable, et avait duré jusque tard dans la nuit – une excitation de fille raisonnable, sensée, vivant dangereusement un bref moment par un chaud après-midi d'été.

N'empêche : elle avait dix-huit ans. Sam en avait douze. JT aurait dû les consulter d'abord. Elle se sentit de nouveau chancelante. S'ils avaient la moindre possibilité d'intervenir, ils devaient se décider rapidement.

— Qu'est-ce que tu en penses, toi ? demanda-t-elle à Mark.

Sa question était timide, comme si c'était la première grande décision que Mark et elle prenaient ensemble. Leur maison, leurs amis, toute leur vie à Salt Lake City semblaient très, très loin.

— C'est juste qu'il n'y a pas beaucoup de marge d'erreur, observa-t-il. Dixie, ça ne craint rien ?

Dixie n'avait aucun état d'âme.

— JT n'emmènerait pas n'importe qui là-haut, leur dit-elle. Il observe Sam depuis le début. Votre fils a une très bonne coordination. Tout ira bien. Et JT a fait ça des milliers de fois. Il connaît cet endroit comme sa poche.

Dixie se tut et fit signe à Sam.

— Bien sûr, c'est à vous de décider, ajouta-t-elle. Mais je ferais confiance à JT.

Là était le nœud de la question. Il fallait faire confiance aux guides. Les croire sur parole quand ils vous disaient de ne pas faire quelque chose, mais aussi quand ils vous en donnaient la permission, pas seulement parce que ça ne risquait rien à leurs yeux, mais parce qu'ils savaient que ça vous ferait du bien.

— Je crois que ça va, alors, dit Mark.

— Moi aussi, répondit Jill.

Elle trouva la main de Mark et la pressa.

À présent, tout le monde avait les yeux rivés à la falaise. JT avait reculé, et Sam se tenait prêt au bord de la plateforme. Jill lui adressa un signe. Il serra les poings le long du corps. Elle pensa changer d'avis. Finalement, Sam fit un petit pas en arrière et sauta dans le vide.

Tout le monde étouffa un cri.

Sam battit des bras en l'air et heurta l'eau pile au centre du bassin. Le trou creusé par l'impact se referma, des bulles surgirent à la surface, l'onde de choc se propagea jusqu'aux rives et revint. Et puis, à un mètre cinquante du centre, la tête de Sam émergea de l'eau. Les yeux écarquillés par le choc, il fit du surplace, un instant désorienté, avant de remarquer le groupe tout proche. Il nagea vers eux, et Dixie se pencha en avant pour le hisser sur la plateforme.

— Monte vite, pour que JT puisse sauter !

Claquant des dents, il se blottit contre Dixie, et Jill eut le bon sens de ne pas l'entourer de ses bras à ce moment-là. Tous tendirent le cou de nouveau, et JT s'élança, tombant en position semi-assise, percutant lourdement l'eau exactement au même endroit que Sam. Quelques secondes plus tard il refit surface, secoua la tête et, en trois vigoureux mouvements de brasse, il gagna la rive, où Dixie et Sam lui tendirent les bras.

— Alors, qu'est-ce que tu en dis, bonhomme ? demanda JT, l'eau dégoulinant de son short.

Il était clair qu'à ses yeux Sam faisait désormais partie d'un club d'élite.

— Plutôt cool, répondit le gamin d'un ton nonchalant. Tu n'avais pas envie d'essayer, Matthew ?

— Non. J'ai le vertige.

Jill fut sidérée par la maturité de son fils, sa décision de ne pas sauter juste parce que son frère cadet l'avait fait.

— Prenez vos gourdes, tout le monde, lança JT. Fini la rigolade. Tenez le rythme. On a encore du chemin à couvrir sur le fleuve en rentrant.

— Tu as eu peur ? demanda Mark à Sam comme ils reprenaient le sentier.

— Non.

— Qu'est-ce que JT te disait, là-haut ?

— De tenir mes bijoux de famille, répliqua Sam, avec une dignité mêlée de fierté.

Jill mit une seconde à comprendre.

— Et tu l'as fait ? demanda Mark à Sam, d'homme à homme.

— Ouais.

— Bien, fit Mark en lui ébouriffant les cheveux.

Devant eux, Susan, Evelyn et Mitchell marchaient côte à côte. Jill savait qu'ils parlaient de Mark et d'elle, de leur décision de laisser Sam sauter. Elle comprenait qu'Evelyn et Mitchell soient prompts à les condamner, mais elle était un peu mystifiée que Susan se soit jointe à eux. Après tout le vin qu'elles avaient bu ensemble, elle avait cru qu'elles étaient sur la même longueur d'onde pour la plupart des choses. Elle se sentait un peu trahie, comme chaque fois que Mark votait républicain.

Qu'ils aillent au diable ! songea-t-elle. Ils ne connaissent pas Sam comme nous.

— Tu crois que c'était de la folie de notre part ? demanda-t-elle à Mark alors qu'ils se penchaient pour passer sous une arche de vigne vierge.

— Mais non, répondit Mark. Sam a été génial.

Jill sourit.

— Oui, c'est vrai, hein ?

— C'était très important pour lui. Imagine à quel point il aurait été humilié si nous l'avions obligé à redescendre. On ne peut pas faire ça à son gamin. Pas sur le fleuve. Pas à douze ans.

— On le peut, s'il faut sauter de mille mètres de haut.

— Mais ça n'était pas le cas.

— Non. Je me suis vraiment fiée à Dixie, continua Jill, sentant ses épaules se libérer d'un poids. Je me suis dit : Si JT pense que ça ne risque rien, alors ça ne risque rien. Mais je ne crois pas que certains des autres soient de cet avis.

— C'est leur problème, alors, déclara Mark.

Sa réponse ravit Jill. S'ils n'avaient pas été si pressés de regagner le fleuve, s'ils ne s'étaient pas trouvés dans un lieu si fréquenté, elle aurait pris son mari par la main et l'aurait entraîné derrière un arbre pour la baise la plus rapide de l'histoire de leur mariage.

Les choses étant ce qu'elles étaient, elle dut attendre jusqu'après le dîner, quand JT sortit son recueil de poèmes et fit la lecture à tout le monde, pour s'esquiver avec Mark sans se faire remarquer. Des années plus tard, Jill garderait le souvenir de leurs corps étendus sur le sable, des caresses de Mark, de la chaleur moite de son cou, du fleuve noir coulant, silencieux, dans la nuit.

36

Jour 10
Mile 157

Aux yeux de Susan, c'était leur isolement qui rendait si imprudente la décision prise par Jill et Mark. Et si l'enfant s'était fracturé le crâne ? Ce n'était pas comme s'ils se trouvaient dans un jardin public, avec un hôpital au coin de la rue.

— Je pense que même JT n'aurait pas dû sauter, confia Evelyn alors qu'ils descendaient le sentier. C'est notre guide-chef. Et s'il avait été blessé, où est-ce que nous serions à présent ?

— Dans la merde, déclara Mitchell. Il aurait pu mettre toute l'expédition en danger. N'oubliez pas qu'on paie deux cent cinquante dollars par jour. Ça fait cher pour attendre un hélicoptère.

— Peut-être que Jill et Mark n'ont pas réfléchi lucidement, suggéra Susan. Ils ne se sont pas beaucoup parlé ces temps-ci. Peut-être que ni l'un ni l'autre ne voulait prendre de décision.

— Mais c'est le b.a.-ba de ce genre d'activités ! protesta Evelyn. Ne pas courir de risque inutile. Et comment JT pouvait-il être si sûr que les choses n'avaient pas changé depuis la dernière fois qu'il a sauté ? Et s'il y avait eu un rocher dont il ignorait l'existence ? Et si Sam avait raté sa trajectoire de quelques centimètres ?

Mitchell émit un grognement, et Evelyn et lui continuèrent à imaginer des scénarios catastrophe en descendant la colline.

Susan se demanda ce qu'elle dirait ce soir-là, à l'heure de l'apéritif. Elle n'avait guère envie d'aller boire un verre avec Jill, de peur de ne pouvoir tenir sa langue. *Quel genre de mère es-tu donc, pour laisser ton fils sauter du haut d'une falaise au milieu de nulle part ?*

Pour une fois, Susan avait l'impression d'être du même côté que la Salope.

Peter et Amy marchaient d'un pas lourd sur le sentier, Amy devant, Peter derrière.

— J'aurais dû sauter, répétait Peter. Pourquoi je n'ai pas sauté ?

— Tu vas la boucler, oui ?

— Ça se serait bien passé. Sam l'a fait. Sam s'en est bien tiré. C'était ma seule occasion. Je ne reviendrai jamais ici. Hé ! protesta-t-il en recevant une branche dans la figure.

— Pardon.

— C'est pour ça que je déteste les randonnées, grogna-t-il. Je passe mon temps à prendre des branches dans la tête. Ça et le sumac vénéneux. Tu crois qu'il y en a par ici ?

— Je ne sais pas.

Ils firent vingt ou trente pas en silence.

— Je me demande ce qu'on mange, ce soir, fit Peter. Tu le sais ?

Amy frissonna.

— Je n'ai pas du tout d'appétit, je vais te dire.

— Tu es vraiment une grincheuse de compétition, hein ? Tu as toujours été comme ça ?

— C'est la chaleur. Je préfère boire de la bière. Il t'en reste combien ?

— Cinq.

— Cinq chacun ou cinq au total ?

— Cinq chacun.

— Bon.

— J'espère que tu as l'intention de me rembourser quand on sera de retour à la civilisation.

— Ma mère le fera, assura Amy. Elle est tellement contente que je boive de la bière avec toi qu'elle te paiera le double de ce que je te dois.

— Elle n'avait pas l'air trop contente la dernière fois que je l'ai regardée.

— Quand ça ?

— Au moment où Sam a sauté.

— Oh ! tu veux dire, quand elle a fait cette tête ?

Amy se tourna, pinçant les lèvres d'un air farouche.

— Elle pensait sans doute que Sam n'aurait pas dû sauter. Ma mère peut être très désapprobatrice envers les décisions des autres mères.

Peter avait tellement faim qu'il commençait à se sentir légèrement étourdi. Il chercha des yeux de vraies grappes de raisin parmi les énormes feuilles.

— Ma mère aurait adoré que je saute, dit-il.

Les feuilles étaient plus larges que des assiettes, et d'un vert fluorescent, mais il n'y avait pas de fruits.

— Elle m'aurait sans doute poussé.

— Tais-toi !

— Si, je t'assure. Ma mère est cruelle.

— Elle se sent seule. D'après ce que tu dis.

— Et c'est ma faute ?

— Arrose ses fleurs, soupira Amy. Assieds-toi avec elle, bois un verre de limonade. C'est tout ce qu'elle te demande.

— Parce que toi, tu seras super-gentille avec ta mère quand elle sera vieille ? Je viendrai te casser les pieds à ce moment-là et te rappeler comment tu me jugeais autrefois.

— Tu ne te souviendras même pas de moi dans deux semaines, je parie.

— Je me souviendrai de toi. Tu me prends pour Lloyd ?

— Lloyd est vraiment adorable, commenta Amy. On devrait économiser et refaire ce raid l'année prochaine, avec Ruth et Lloyd. Sans ma mère, évidemment.

— Ni Mitchell.

— Surtout sans Mitchell.

Ils grimpèrent sur une plate-forme qui dominait l'embouchure de Havasu. En bas, dans la crique en forme de fjord, des rafts dodus en caoutchouc se bousculaient. Juste au-delà de l'embouchure, les eaux aux couleurs fraîches de Havasu se confondaient à celles, boueuses, du Colorado.

— À force d'en parler…, fit Amy.

En bas, dans le raft de JT, Mitchell tripotait son short. Amy sortit son appareil et prit une photo au moment précis où Mitchell se penchait légèrement en arrière.

— Il ne voudra plus aller nulle part quand il aura vu nos photos sur Internet, observa Peter.

— Il pourrait nous faire un procès ?

— Pour quoi ?

— Atteinte à sa vie privée ?

— À toi, peut-être, dit Peter. Pas à moi.

Ce soir-là, JT ne put que constater l'apparition d'alliances nouvelles. Mitchell et Lena dînèrent avec Susan et Evelyn. Mark et Jill étaient confortablement assis dos à dos, se soutenant mutuellement ; et il n'échappa guère à son attention que la plupart du temps leurs doigts étaient entrelacés. Il fut amusé, plus tard, de les voir s'éclipser durant l'heure de poésie. Il espéra seulement qu'ils ouvriraient l'œil, car un gros serpent vivait dans les environs, s'engraissant de souris.

Il s'assura qu'ils étaient de retour avant que tout le monde se sépare pour aller se coucher.

Encore deux nuits, se dit-il en se préparant à dormir. Allongé sur son matelas, il sentait un soupçon de brise fraîche caresser la peau nue de son ventre et le dessous de ses bras. Il baissa la main sur le chien, tripotant la chair caoutchouteuse de son oreille, et ferma les yeux.

— Je suppose que tu as été trop gâté pour dormir dans une panière. Tu exigeras sûrement un lit, hein ? Que ton maître ait une copine ou pas. Ouais ? dit-il. Bon, eh bien, on verra ça.

13 juillet, jour 10

J'aurais adoré, ADORÉ qu'elles me voient à Havasu aujourd'hui. Si elles pouvaient s'arracher à leur shopping et lever les yeux de Facebook et des trois cents photos de la fête d'hier soir, et me voir entrer dans le bassin avec tous les autres, et entendre JT nous dire qu'il fallait juste lui faire confiance, retenir notre respiration et plonger. Qu'il fallait avancer les yeux fermés, en suivant les aspérités du rocher, et garder la main sur la tête parce que si on déviait un peu, on risquait de se cogner en remontant. Et puis tout d'un coup, on fait surface dans une grotte sous l'eau, comme dans une agate, on entend de l'eau qui ruisselle, pas d'autre son avant que JT nous dise qu'il est temps de repartir, et on replonge, et on suit le rocher, et puis on remonte, et l'air est chaud et lumineux…

Ce que je donnerais pour ne pas avoir à passer cent quatre-vingts jours au lycée avec ces gens-là…

Qu'on m'emmène
Loin. Très, très loin.

JOUR 11

Miles 168-179
Fern Glen – Au-dessous de Lava

37

Jour 11
Miles 168-179

Le matin où ils devaient affronter Lava, JT prépara du café deux fois plus fort que d'habitude. Pendant que les grains infusaient, il sortit son nécessaire à couture et répara une des sangles de son gilet de sauvetage. Il se tailla les ongles et se lava le visage avec soin. Enfin, il fouilla dans son sac et en tira son short porte-bonheur de Lava, qui jusque-là lui avait permis de franchir cent vingt-quatre fois les chutes sans encombre.

Le café prêt, il porta trois tasses fumantes aux rafts. Dixie enroula son drap autour de ses épaules et souffla sur le liquide bouillant. Abo était assis en grenouille, cillant, l'air perdu.

— Debout, fit JT. C'est l'heure du Jugement dernier.

Il n'avait pas besoin de leur dire, ils en avaient rêvé cette nuit-là en se tournant et se retournant sur leur raft. Les chutes de Lava, au mile 179, étaient classées au niveau 10 sur une échelle de 10. Lava, avec son dénivelé brutal en haut suivi du Ledge Hole, qui pouvait vous aspirer droit jusqu'au centre de la Terre.

Dixie goûta le café et arqua les sourcils.

— Prends ça aussi, dit JT en lui tendant des pilules de vitamines.

— C'est Lava, c'est tout, se plaignit Abo. Pourquoi tout le monde en fait un tel plat ?

JT savait qu'il plaisantait : il y avait néanmoins un élément de vérité dans ce qu'il disait. Même si Lava était indéniablement le plus impressionnant des rapides, on lui associait plus que sa part d'histoires horribles. Des histoires que, naturellement, Mitchell avait racontées la veille au soir – noyades évitées de justesse, membres fracturés, bateaux en bois réduits en miettes. Franchir Lava à la nage, d'après Mitchell, suffisait à faire blanchir les cheveux.

— Mitchell a fichu la frousse à Susan, observa Dixie. Elle m'a demandé hier soir si Amy et elle ne pouvaient pas les contourner à pied.

— Personne ne va rien contourner à pied, affirma JT. On passera bien proprement. On partira du côté droit, on attaquera la veine en V, on se fera tremper, on écopera comme des dingues et on ressortira au bout de vingt secondes.

— Mitchell essaie juste de faire peur aux autres pour avoir une place dans le raft à pagaies.

— Je vote non à Mitchell, dit Abo aussitôt.

— Non à Mitchell, répéta Dixie.

Tous les deux regardèrent JT.

— Il ne reste que toi, chef, fit Abo.

— Je prendrai Mitchell, dit-il en haussant les épaules. Abo, tu voudras bien laisser Sam pagayer ?

— Ben, BIEN SÛR.

Dixie ferma les yeux.

— Abo ? Tu me fatigues. Parle moins fort.

— Et Evelyn ? ajouta JT. Je pense que c'est vraiment important pour elle.

— Evelyn peut pagayer, répondit Abo. Du moment que j'ai Peter devant. Ça va, c'est assez bas pour toi ? demanda-t-il à Dixie.

— Maintenant, cache tes fesses.

Abo jeta un coup d'œil par-dessus son épaule et remonta le drap autour de ses hanches.

— Qui emmène Ruth et Lloyd ?

— Moi, rétorqua JT.

Il n'y avait pas de discussion possible. Le fait qu'il possédait plus d'expérience que Dixie ou Abo ne garantissait rien. En revanche, cela lui donnait l'impression d'être prudent.

— Comment va la jambe de Ruth, au fait ? s'enquit Dixie.

« Pas trop mal », c'est ainsi que JT l'aurait dit. Ça tenait. On n'avait pas trouvé d'autres comprimés de Cipro, si bien que Ruth n'avait pris qu'une moitié de traitement, ce qui signifiait qu'ils avaient sans doute accru la résistance des bactéries aux antibiotiques.

Cependant il n'allait pas la faire évacuer, pas le onzième jour. Dans deux jours, les urgences de Flagstaff pourraient prendre le relais.

— J'ai vu pire, dit-il. Mais c'est le dernier voyage de Ruth et Lloyd, c'est sûr.

— Quelle tristesse ! soupira Dixie en soufflant sur son café.

Au petit déjeuner, JT dut dire à Mitchell d'arrêter de raconter ses histoires. En dépit de leur appréhension, les descendeurs mangèrent avec appétit. Les divisions de la veille au sujet du jugement parental de Mark et de Jill étaient oubliées pour l'instant, face à l'excitation qu'éveillait Lava. Tous se mirent une bonne couche de lotion solaire, comme si cela allait les protéger des rapides eux-mêmes.

— J'en ai tellement marre des toilettes portatives, dit Peter en tendant le rouleau de papier à Jill.

— Personne n'a vu ma gourde ? s'enquit Mitchell.

— Mitchell, lança Peter. Un sourire.

La bouche de Mitchell s'étira jusqu'aux oreilles.

Il n'y avait pas vraiment de rapides notables sur la section de fleuve au-dessus des chutes de Lava et, en leur absence, guides et pagayeurs durent travailler d'autant plus dur pour maintenir leur vitesse. Ils passèrent devant un éboulement, des rochers perchés en équilibre précaire sur des montagnes de caillasse. Puis ils pénétrèrent dans une vaste zone volcanique, avec des digues de basalte noir et brillant et des étendues jonchées de fragments de lave. Bientôt ils amorcèrent un virage, et un énorme rocher noir se dressa au milieu du fleuve, tel un vaisseau maléfique dans des eaux placides – l'Enclume de Vulcain.

Dès qu'il apparut, les guides tendirent l'oreille, guettant le son des chutes.

JT lança un coup d'œil à Dixie et ils échangèrent un sourire. Il était là. Il était toujours là : un bruit sourd, puissant, vorace.

Vingt minutes plus tard, ils accostaient sur la droite, où se trouvaient déjà des kayaks et plusieurs autres rafts.

— Tout le monde descend, ordonna JT. On va reconnaître les lieux.

— C'est ça, Lava ? demanda Sam.

— C'est ça, Lava, répondit JT. Allons voir si ça nous réserve des surprises aujourd'hui. Mouillez vos T-shirts, il va faire chaud, là-haut, sur le lit de lave.

— Ton appareil est prêt ? demanda Peter à Amy tandis qu'elle trempait sa casquette de base-ball. Tu as assez de mémoire ? Tu veux prendre le mien, au cas où ?

Amy remit sa casquette, laissant l'eau lui goutter dans le cou.

— Je vais me servir de mon appareil étanche.

— Excellente idée.

Ruth et Lloyd gravissaient à pas lents le sentier derrière JT.

— Ruthie, observa Lloyd. C'est vraiment un endroit magnifique. Je crois qu'on devrait revenir ici un jour.

*

— Tu penses que JT me tuerait si je rapportais juste un tout petit bout de lave à la maison ? chuchota Susan à Amy en montant.

Lena baissa les yeux vers le dénivelé raide.
— Ça n'a pas l'air si terrible, dit-elle.
— Amy ne devrait pas attacher le bas de son gilet de sauvetage ? demanda Evelyn à Abo.

Debout au bord d'un rocher en saillie, JT avait la poitrine comprimée par la chaleur intense qui irradiait des rochers noirs. Dans les cinq minutes qu'il avait fallu pour monter, son T-shirt avait déjà séché. En bas, sur le fleuve, un des kayakistes filait vers le dénivelé.
— Trop à gauche, jugea JT.
Mais il se trompait ; le kayakiste fonça à travers le rapide, décrivant un cercle triomphal en arrivant en bas.

— Il y a d'autres gens qui ont du mal à digérer les œufs de ce matin ? demanda Abo.

— Parce que, je ne sais pas, je me sentirais plus tranquille dans le même raft que les garçons, disait Jill à Mark.
— Je comprends tout à fait, dit son mari.

— Oh ! nom d'une pipe ! souffla Mitchell en baissant les yeux sur le raft minuscule plongé dans le maelström de vagues. Bon sang !
— Pas étonnant que ce soit un classe dix, commenta Evelyn.
— Bordel, renchérit Mitchell.

38

Jour 11
Lava
Mile 179

Amy s'efforça de suivre le groupe le long du sentier qui menait au point de reconnaissance, mais elle avait les pieds enflés, et chaque pas lui arrachait une grimace. Elle avait l'impression de marcher sur des cactus. Les rochers étaient noirs et chauds, et le chemin était envahi de buissons piquants qui lui griffaient les jambes. En arrivant à un petit point de vue, elle s'arrêta. Lena avait raison ; Lava n'avait pas l'air si terrible. À entendre parler Mitchell, la veille au soir, Amy s'attendait à voir quelque chose de comparable aux chutes du Niagara. Ce rapide-là ressemblait à tous les autres, sauf qu'il était peut-être un peu plus large.

Puis elle regarda un gros radeau blanc glisser dans le chaos et forcer son chemin à travers un mur d'eau et elle calcula que le mur était aussi haut que le bateau était long.

Oh !

Peter, qui était monté avec le reste du groupe, redescendit la piste en trottant pour la rejoindre.

— Monte et va regarder de là-haut, pressa-t-il. On a une bien meilleure vue. Hé ! Ça va ?

Amy n'avait pas envie de lui parler de ses pieds. Elle ne voulait pas attirer l'attention sur eux. Elle croisa les bras. Ses seins étaient douloureux et elle avait un peu le vertige.

— Où il est, ce trou à la con ?

Peter désigna une longue interface irrégulière près du sommet du rapide, où le fleuve sombre et lisse explosait en un chaos blanc.

— Le côté sombre, c'est le seuil, expliqua-t-il. Et tout ce truc blanc en dessous, c'est le trou.

— C'est l'endroit à éviter ?

— À éviter à tout prix, affirma-t-il. Même si on sait nager. Comme moi. Si tu t'en souviens, j'ai appris à nager pendant ce raid. Mais je ne veux pas nager là-dedans.

— J'aimerais seulement en avoir fini, soupira Amy. Il fait si chaud ici.

— Combien de photos il te reste ?

Amy sortit l'appareil de sa banane. Il était jaune vif, comme un bus scolaire, en plastique solide, avec un cordon élastique bleu. Elle plissa les yeux vers le cadran.

— Sept.

— Bon, écoute. Ce truc est plus impressionnant que je ne le croyais. Il n'y aura pas beaucoup de temps. Vingt secondes, d'après JT. Si tu réussis à avoir Mitchell, parfait. Sinon, ce n'est pas grave. On a des tas d'autres bonnes photos de lui.

— Je tiens absolument à le prendre à Lava, protesta Amy. Il nous bassine avec ça depuis le début. S'il doit y avoir une photo qui le résume, ce sera Mitchell dans les chutes de Lava.

— Tu es vraiment salope, dit Peter avec fierté.

— Merci, dit Amy.

De retour aux rafts, JT réunit tous les membres du groupe et attendit d'avoir obtenu leur entière attention. Le silence se fit.

— Bien, écoutez-moi, dit-il en les regardant tour à tour. Apparemment, tout est plutôt normal. Il y a beaucoup de battage concernant Lava. Et à juste titre. C'est du sérieux. Mais je veux que tout le monde reste calme. Ne vous affolez pas. Écoutez votre barreur. Écoutez Dixie. Écoutez-moi.

— Dans quel bateau est-ce que Mixeur va monter ? s'enquit Sam.

Il se balançait d'un pied sur l'autre. Pour son plus grand plaisir, le chien avait voyagé à bord du raft à pagaies ce matin-là.

— Avec moi, dit JT.

— Qui est-ce qu'il y a avec vous ? demanda Sam.

— Ruth, Lloyd, Amy et Mitchell.

Sam cessa de danser.

— Alors, qui va tenir le chien ?

— Eh bien, fit JT, je suppose que ce sera Mitchell.

— *Moi ?* s'exclama Mitchell.

— Exact, confirma JT. Tu vas être à l'avant, donc tu seras responsable du chien.

Mitchell hocha la tête d'un air grave.

— Eh bien, je serai à la hauteur de ma mission.

Une fois de plus, JT leur rappela de vérifier leur gilet. La mine solennelle, ils grimpèrent à bord de leurs rafts respectifs pendant que les guides enroulaient leurs amarres. Les bateaux rassemblés formaient une sorte de queue informelle, et leur groupe était le suivant.

Lorsque Amy, Mitchell, Ruth et Lloyd eurent rejoint leurs places, JT poussa le raft dans le courant.

— Voici le plan, annonça-t-il, faisant tanguer le bateau en montant à bord et s'installant sur son siège. L'important est de rester baissé et de se cramponner.

Il tendit le bras et resserra le cordon de ses lunettes de soleil.

— Et écoutez bien. On part vers la droite, et dans deux secondes je vais crier : « V ! »

— C'est quoi, un V ? s'enquit Amy.

— C'est juste une énorme vague à contre-courant. Bref, quand je crierai ça, vous allez vous baisser et commencer TOUT DE SUITE à écoper ! Avec les seaux – pas la peine de se servir de la pompe, on n'a pas le temps. Écopez comme des fous. Ensuite, il y aura une autre énorme vague, et puis on sera passés. Le tout va durer vingt secondes. C'est plutôt simple. Il n'y a pas beaucoup de choses à se rappeler.

Il fixa le couvercle de la caisse à ses pieds.

— Alors, Amy – dis-moi ce que tu vas faire ?

— M'accrocher ? Me baisser quand tu diras V et écoper ?

— Voilà ce que j'aime entendre, observa JT. Un passager qui écoute.

— Qu'est-ce que je fais du chien ? demanda Mitchell. Il faut que je le tienne par le bandana ? Que je lui mette une laisse ? Je fais quoi ?

Pendant tout ce temps, Mixeur attendait, assis patiemment aux pieds de JT.

— Tu le cales entre tes jambes, aussi près de l'aine que possible.

Il donna une petite poussée au chien.

— Va voir Mitchell.

— Viens là, toutou. Ne me mords pas, cette fois. Je suis gentil.

Il tendit timidement le bras par-dessus la pile de sacs à dos. JT savait qu'il poussait le bouchon un peu loin, mais il n'avait pas d'autre solution. Ruth et Lloyd, c'était hors de question, et Amy… eh bien, il se souvenait qu'Amy avait glissé durant Crystal. Amy devait se tenir, des deux mains et de toutes ses forces.

— Ce n'est pas le moment de se montrer rancunier, dit JT au chien. Vas-y.

Mixeur s'avança furtivement vers Mitchell. Il renifla les doigts de ce dernier, battit de la queue, puis s'installa à ses pieds à l'avant du raft.

— Enroule les jambes autour de lui, Mitchell, conseilla JT. Serre-le comme si c'était une femme.

Mitchell eut un rire nerveux, mais coinça le chien entre ses cuisses.

— Bon – alors, où est cette fameuse vague ? demanda-t-il, tendant le cou.

— On ne la voit pas d'ici.

JT saisit les avirons, et mit les attaches de sécurité pour faire bonne mesure.

— On ne la voit qu'une fois dans le feu de l'action.

— Tu veux que je regarde ? Que je sois comme une paire d'yeux supplémentaire ?

— Non, Mitchell, répondit JT. Je veux que tu restes baissé et que tu t'accroches très fort, comme tout le monde. Garde le chien entre tes jambes. Ruth ? Lloyd ? Vous avez compris les instructions ?

Il pivota sur son siège.

— Je suis heureux de dire que je suis allé aux toilettes aujourd'hui, dit Lloyd en resserrant le cordon de son chapeau.

Ruth regarda JT et haussa les épaules.

— Bien. On est prêts ? cria JT, s'adressant aux autres guides.

— Prêts, lança Dixie.

— Je suis prêt, confirma Abo.

— Alors, à l'attaque !

À l'avant du raft, Amy s'accroupit, prenant appui sur ses talons. Elle était contente de quitter ces rochers noirs et brûlants, d'être de nouveau sur l'eau ; la flaque perpétuelle du fond semblait fraîche contre ses chevilles chaudes et gonflées.

Elle n'avait pas peur. JT savait ce qu'il faisait. Il avait, après tout, franchi ce rapide cent vingt-quatre fois.

— Tout le monde a une sangle à laquelle se tenir ? demanda JT. Les seaux à écoper à sa portée ?

Amy glissa la main droite dans le cordon de l'appareil photo puis saisit la ligne de vie, dissimulant l'appareil à la vue de JT par la masse de son bras et de son épaule. Elle passa la main gauche sous l'enchevêtrement de sangles. JT les avait serrées si étroitement qu'elle avait l'impression que son sang allait s'arrêter de circuler.

Mitchell l'observait avec attention.

— Ces sangles sont aussi tendues que les cordes d'une guitare, hein ! s'exclama-t-il. Waouh ! On est partis ! Gare à toi, Lava !

Amy se rendait compte que Mitchell était mal à l'aise avec elle. Elle supposait que cela avait quelque chose à voir avec son obésité, et qu'il essayait de masquer sa désapprobation sous un bavardage jovial.

— Regarde-moi ce gamin, lança-t-il.

— Qui ?

— Sam !

Amy jeta un coup d'œil vers le raft à pagaies, où Sam avait pris la place du milieu, juste derrière Peter. Il était assis bien droit, comme un petit soldat. Il avait boutonné les manches de sa chemise, et le cordon de son chapeau semblait assez serré pour étrangler son cou maigre d'adolescent.

— On est loin du garçon qui a perdu sa sandale le premier jour, tu ne trouves pas ? demanda Mitchell. Je suis content qu'il pagaie aujourd'hui, en fait. Il se souviendra de cette descente toute sa vie. Et, bon sang, il aura bien gagné le droit de se vanter devant ses copains, une fois rentré à la maison.

L'espace d'un instant, Amy fut tentée de prendre une photo de Sam et de Peter. Mais JT ne devait pas s'apercevoir qu'elle avait sorti son appareil. Et elle ne voulait pas que Mitchell le sache non plus, au cas où il lui aurait demandé de le photographier. Elle n'aurait su dire pourquoi, mais elle avait le sentiment qu'une photo autorisée serait dépourvue de sens et de valeur. Il fallait qu'elle soit prise en catimini.

Mentalement, elle en planifia la composition. Elle voulait capturer Mitchell en pleine action, peut-être un cliché de sa tête en contre-jour, avec tous ces remous à l'arrière-plan. Il lui semblait que l'angle du contre-jour permettrait de faire ressortir sa suffisance. Homme à la proue. Capitaine Mitchell. Peut-être pourraient-ils lui mettre un chapeau différent sur la tête avec Photoshop. Qu'est-ce que John Wesley Powell aurait porté ?

JT s'éloigna de la rive, les rames grinçant dans les tolets. Le raft d'Abo les précédait, et celui de Dixie était derrière eux. Loin au-dessus, sur les rochers brûlants, un autre groupe de reconnaissance les observait. À présent, le bateau d'Abo prenait de la vitesse, et soudain ce dernier cria quelque chose. Les six torses se penchèrent brusquement en avant. Les pagaies surgirent. Le raft piqua du nez, remonta, puis pencha dangereusement d'un côté, avant de disparaître dans l'océan en furie en contrebas. Amy n'aurait su dire s'ils étaient sains et saufs. Et elle n'entendait rien car le rugissement de l'eau augmentait de manière exponentielle. Elle se demanda comment JT saurait si Abo avait franchi le rapide sans problème avant que ce soit leur tour.

Ça l'était, maintenant. Amy s'accroupit davantage. Elle ne voyait rien que de l'eau sombre et soyeuse, mais le rugissement était juste au-dessous d'elle et devenait plus assourdissant de seconde en seconde. Le fait qu'ils ne pouvaient revenir en arrière, qu'ils ne pouvaient qu'aller de l'avant – qu'ils étaient maintenant engagés dans le franchissement, que cela leur plût ou non – sembla soudain avoir un sens profond pour Amy, et elle eut l'impression que le fleuve partageait avec elle quelque secret simple et séculaire, que seuls ceux qui avaient dévalé ce rapide avaient appris.

À côté d'elle, le chien haletait, arborant un sourire content entre les genoux raidis de Mitchell. Amy leva les yeux vers ce dernier. Elle devrait faire la photo tout de suite, comprit-elle, avant le dénivelé. Et c'était un cliché parfait : la petite tête de Mitchell au-dessus d'un gilet de sauvetage orange d'une grosseur disproportionnée.

Ils prenaient de la vitesse et, Amy le savait, elle n'avait que quelques secondes devant elle. D'un geste du poignet, elle saisit l'appareil et se baissa davantage. Elle regarda dans le viseur.

Ce serait, en effet, un cliché parfait.

Par la suite, JT se demanderait s'il n'avait pas oublié quelque chose dans ses instructions. Je ne leur ai pas dit à tous de se tenir ? Des deux mains ? Solidement ?

Et une personne normale, raisonnable, ne pouvait-elle pas comprendre qu'à moins d'avoir trois mains, on ne pouvait pas à la fois se tenir et prendre une photo ?

Aurait-il fallu qu'il leur fasse un dessin ?

Cela arrivait chaque fois à Ruth, dans Lava : ce hurlement étranglé, primitif, venant du plus profond de son ventre quand la vague déferlait sur eux. Elle était froide, puissante, et les heurta de plein fouet, une chute d'eau à elle toute seule au beau milieu du fleuve. Elle hurla, hurla, hurla, et puis se souvint de ramasser le seau et d'écoper.

Mitchell serrait le malheureux chien entre ses genoux, si fort qu'il avait peur de l'écraser. Pourtant, alors qu'ils basculaient brutalement en avant, il ne put empêcher l'animal de déraper et de glisser entre ses pieds, échappant à sa prise.

Il ne le vit même pas passer par-dessus bord.

39

Jour 11
Lava

Susan était si contente de faire partie de l'équipage de pagayeurs pour Lava qu'elle avait oublié d'étreindre Amy comme d'habitude avant qu'elles montent dans leurs rafts respectifs. Quand elle s'en souvint, le rapide approchait à toute allure et elle se reprocha d'être aussi superstitieuse. L'étreinte de sa mère ne suffirait pas à protéger Amy du danger. À ce stade, c'était à Amy elle-même de s'en charger.

Au-delà du seuil, on basculait dans une mer déchaînée, bouillonnante. Assise à l'avant, du côté gauche, Susan cala solidement son pied dans la sangle de protection et observa Peter en face d'elle, à l'affût du moindre mouvement – car bien qu'en théorie elle dût entendre l'ordre d'Abo, elle se fiait à ses yeux plus qu'à ses oreilles.

Néanmoins, elle saisit clairement sa première instruction.

— En avant ! cria-t-il, et, d'un mouvement fluide, Susan plongea sa pagaie dans la dernière section d'eau lisse et sinueuse.

Ils heurtèrent la première vague du contre-courant et donnèrent des coups de pagaie à l'aveuglette. Bon, songea Susan, c'est faisable.

Puis le raft dégringola dans le déluge du V.

Dans tous les autres rapides, ils avaient pu foncer droit à travers les vagues. Mais la déferlante de Lava s'enroula autour d'eux. Des océans se déversèrent sur le raft. Susan hurla, la chair meurtrie par la violence de l'eau. Ils n'avançaient ni ne reculaient ; rien ne bougeait et tout bougeait. Elle se sentait totalement impuissante ; la seule fois où elle tenta de pagayer, le courant la repoussa avec fureur, et plutôt que de risquer de perdre la pagaie ou d'avoir le bras arraché, elle se cramponna au manche, se baissa et renonça à lutter.

— Ne lâchez pas ! Continuez ! En avant, toute ! cria Abo.

Sa voix venait de plus haut, comme s'il était debout au-dessus d'elle – et peut-être était-ce le cas, peut-être que non, Susan n'avait aucun moyen de savoir si le raft pointait vers le ciel, vers la terre, ou s'il était de niveau. Soudain, ils percutèrent quelque chose et le fleuve sembla s'apaiser un peu. Maintenant, l'eau se contentait de couler sur ses épaules. Le raft piqua du nez et Susan sentit que son pied s'arrachait du cale-pied. Affolée, elle le remit en place.

— On continue ! cria Abo. En avant toute !

Alors, puisant dans des réserves qu'elle ne se connaissait pas, Susan se redressa et replongea sa pagaie dans l'eau. Elle prit le choc suivant de plein fouet, et s'aperçut qu'ainsi elle avait retrouvé à la fois son équilibre et son sang-froid. Encore et encore, elle enfonça sa pagaie profondément dans les vagues qui arrivaient, et à un certain point elle sentit la résistance lui signifiant que son geste servait à quelque chose, qu'elle aidait à diriger le raft, à les propulser hors du chaos, vers le courant noir, lisse et calme.

Immédiatement, un cri de joie collectif s'éleva.

— On aurait cru le *Maid of the Mist*[1] ! cria Abo, faisant tanguer le raft comme un enfant. Vous avez été géniaux, tous !

---

1. *Maid of the Mist* : nom du bateau-promenade des chutes du Niagara. *(N.d.T.)*

— J'ai cru que j'allais me noyer, cria Sam.

— Il y avait des paquets d'eau, observa Mark.

— Des tonnes ! cria Evelyn. Des tonnes et des tonnes !

Hors d'haleine, Susan fouilla l'amont des yeux. De là où ils se trouvaient à présent, Lava ressemblait au déversoir d'un immense barrage. Avaient-ils vraiment traversé tout ça à la pagaie ?

Sam demandait s'ils pouvaient remonter le raft à pied et franchir le rapide de nouveau.

— Pas de problème, répondit Abo. Tant que c'est toi qui charges et qui décharges.

— Tu parles sérieusement ? demanda Sam.

— Je ne parle jamais sérieusement, Sam. Tu ne t'en es pas encore rendu compte ? Regardons JT, tout le monde.

Les rires excités se turent quand le grand raft bleu et blanc fut happé par le rouleau de la veine principale. Il se cabra puis disparut de nouveau. Ils n'apercevaient que l'éclair orange d'un gilet de temps en temps. Tiens bon, Amy, songea Susan.

Soudain, tel un monstre, le raft surgit de l'écume, fendant les flots, et ils virent JT, mi-debout, mi-assis, bataillant avec les avirons.

— Qu'est-ce qu'il crie ? demanda Evelyn.

Susan n'entendait rien. En amont, des descendeurs dévalaient le sentier en direction de la rive. Soudain, un bruit sourd retentit à l'arrière du bateau. Abo s'était laissé retomber sur son siège.

— Quelqu'un à l'eau ! cria-t-il. À vos pagaies ! Bougez-vous !

— Qui est-ce ? hurla Sam.

Susan chercha des yeux la casquette rose d'Amy. Le raft tanguait tellement qu'elle ne voyait rien.

— En avant ! Gauche ! Stop ! Bordel ! Gauche encore ! Suivez Peter, vous autres, allons ! En avant ! Stop !

Les ordres contradictoires se succédaient si vite que malgré ses efforts, Susan ne parvenait pas à les suivre. À vrai dire, personne ne semblait en mesure de coordonner ses efforts à ceux des autres. Ils devaient sortir de la barrière de remous, cette frontière entre l'aval et l'amont qui, dans le cas présent, était nette et distincte, deux rivières qui se frottaient l'une à l'autre, allant dans des directions opposées. Mais leurs mouvements étaient maladroits, et chaque fois qu'ils s'approchaient de la limite, ils se faisaient attraper par le contre-courant et entraîner de nouveau vers l'amont.

— Ne regardez pas JT ! cria Abo. Pagayez, c'est tout ! Allez ! Mettez-y du jus !

Dieu sait comment, ils trouvèrent une bouffée d'énergie et, en trois coups de pagaie synchronisés, ils émergèrent enfin. Le raft s'élança en avant, pivota, et ils filèrent vers l'aval. Leur joie s'était évanouie. Ils étaient sur l'un des plus grands fleuves du monde, et quelqu'un était passé par-dessus bord.

Susan avait presque réussi à se convaincre que ce n'était pas Amy. Sans doute Ruth ou Lloyd, qui étaient âgés et infirmes et qui avaient présumé de leurs forces.

Jusqu'au moment où elle vit un éclair rose flottant au gré des vagues, à quelques mètres d'elle.

Peter le vit aussi. Il se pencha, tendit sa pagaie aussi loin qu'il put et, au prix de quelques manœuvres, attrapa la casquette de base-ball sur l'épaisse pale en bois et la déposa sur la pile de matériel au milieu du raft.

40

Jour 11
Lava

En glissant par-dessus bord, Amy eut surtout conscience de l'absence soudaine de bruit. Il y avait des bulles partout : grises et blanches, petites et grosses, tournoyant autour d'elle comme une autre galaxie. Elle sentit quelqu'un lui saisir la cheville, sa peau contre la sienne ; on la lâcha, elle se débattit encore et parvint à remonter à la surface. Le raft avait disparu. Elle regarda ici et là, s'efforçant de ne pas céder à la panique.

Puis, pile devant elle, haut de deux étages et aussi large qu'un immeuble, se dressa un gigantesque mur d'eau.

Elle coula, basculant, tournoyant, tourbillonnant dans un chaudron d'obscurité. Elle avait l'impression d'être Alice dégringolant dans le terrier du lapin. Elle ne parvenait pas le moins du monde à distinguer le haut et le bas ; son tibia cogna contre un obstacle pointu, et elle vit un éclair jaune. Quelque chose lui donna un coup de poing dans l'estomac, puis la fit tourner sur elle-même et la frappa dans le dos. Elle avait besoin d'air, mais elle ne refit surface qu'une seule fois dans cette mer de vagues agitées, suffocante, et but la tasse avant d'être aspirée de nouveau vers le fond. Privés d'oxygène, ses poumons semblaient se déchirer, le vide était si douloureux qu'elle aurait inspiré n'importe quoi – de l'eau, de l'air, de la lumière, des vapeurs de mercure – rien que pour les remplir et atténuer la douleur.

C'était la fin.

Je ne peux plus retenir ma respiration.

Elle était prête à céder à la tentation d'avaler des litres et des litres d'eau froide et sombre, lorsqu'une force inconnue lui saisit les deux pieds, la fit tournoyer sur elle-même et, ce faisant, l'entraîna dans un endroit où nul être humain n'avait jamais pénétré auparavant. Ce n'était pas un terrier de lapin ; c'était l'intérieur de l'intérieur, un abîme sombre et sans fond. À cet instant, la panique qu'elle avait éprouvée au début céda la place à la terreur, et une pieuvre noire enroula ses longs tentacules autour de son corps minuscule.

C'était comme ça, mourir, s'émerveilla-t-elle avant de perdre conscience.

Elle ne saurait jamais ce qui s'était passé ensuite. Peut-être un jeu de lumière. Peut-être une bulle solitaire qui éclata sous son menton en remontant à la surface. Quoi qu'il en fût, l'eau devint grise au lieu de noire, et puis blanche au lieu de grise. Oubliant la douleur qui lui lacérait les poumons, le ventre, la jambe, et maintenant le crâne, Amy battit des jambes et des bras, luttant contre l'eau, et émergea enfin à la surface. Le braiment heurté, rauque, qui résonna aussitôt à ses oreilles lui sembla celui d'un troupeau de bêtes sauvages, et non son propre cri, alors qu'elle emplissait pour la première fois ses poumons d'air vif et argenté.

Rien ne serait jamais, jamais aussi délicieux.

Ce fut seulement après avoir rempli plusieurs fois ses poumons qu'elle se remémora les instructions de JT le premier jour. *Cherchez le raft*, avait-il dit, *levez les jambes et allongez-vous sur le dos*, et elle chercha donc le raft. Ou n'importe quelle embarcation. Mais elle ne vit qu'une berge floue qui penchait tantôt d'un côté, tantôt de l'autre. Une nouvelle vague déferla sur elle, et elle s'affola à l'idée de couler de nouveau. Mais ce n'était qu'une petite vague en comparaison de la première, et elle resta à la surface, surfant sur les rouleaux géants, se laissant porter par le courant. À un moment pareil, c'était un avantage d'être gros. Elle se souvint d'avoir suivi des cours de natation avec l'école, quand elle était petite, et tout le monde disait : « Regarde Amy flotter, c'est vraiment facile pour elle. » Amy était toute fière, elle n'avait que sept ans, et pas la moindre idée de ce qui lui rendait la chose si facile, mais sa mère si, bien sûr, et elle avait paru gênée, et plus tard, quand Amy lui demanda pourquoi, Susan avait nié.

Un éclair rouge.

Il s'évanouit, puis ressurgit juste à côté d'elle. Une pagaie argentée, une main gantée de noir, une barbe blanche sous un casque jaune. Ballotté, malmené par les vagues, l'homme criait quelque chose, mais elle ne comprenait rien. Sa main saisit la sienne, la replia sur un amas de nœuds. Elle trouva la force de s'accrocher, et ils fendirent les flots, et la rive cessa de pencher, et les gros boudins blancs d'un raft apparurent, tandis qu'une foule de mains se tendaient vers son gilet de sauvetage et tiraient, tiraient plus fort, et finalement la hissaient par-dessus les boudins. Elle s'écroula dans la flaque trouble au fond du bateau. Et là, parmi les seaux, les sangles, les bouteilles en plastique, un tube flottant de lotion solaire et une forêt de chevilles poilues, elle leva la tête et se mit à tousser.

Et il lui sembla que cette toux continuait, encore et encore.

41

Jour 11
Au-dessous de Lava

Au-dessous de Lava, sur la rive droite, se trouve une longue plage de sable. Souvent, les descendeurs y font halte, surexcités après avoir franchi le rapide ; ils parviennent parfois à engloutir le déjeuner qu'ils n'avaient pu avaler avant, ou sirotent une bière en relatant leur passage de vingt secondes chargé d'adrénaline.

Mais il n'y eut pas de bière à la mi-journée pour le groupe de JT cette fois-là. Les guides échouèrent leurs rafts et plantèrent leur piquet d'amarrage, et tous les autres ouvrirent leur gilet de sauvetage et essayèrent, quoi que ce ne fût pas vraiment possible, d'arrêter le bourdonnement qui leur vrillait les oreilles.

La dernière fois que JT avait perdu un passager dans Lava remontait à trois ans, et ça comptait à peine parce que après avoir été projeté par-dessus bord, l'homme avait réapparu près du raft et pu s'y accrocher pendant le reste du rapide. L'expérience d'Amy, en revanche, comptait indéniablement ; elle avait été aspirée par le fond, et quand il avait vu sa tête disparaître, il avait compris qu'elle ne remonterait pas tout de suite. Néanmoins, il avait un raft à barrer, et il fit de son mieux pour alerter les autres embarcations présentes sur le fleuve tout en menant son bateau sans encombre en bas du rapide, malgré la passagère manquante.

Les kayakistes s'arrêtaient plus bas sur la plage à présent, et JT voulait remercier Bud d'avoir secouru Amy. Mais d'abord il devait s'occuper de l'adolescente. Quelque chose n'allait pas. Il le comprit dès qu'elle essaya de sortir du raft : elle pouvait à peine tenir debout tant elle souffrait. Sa première pensée fut qu'elle s'était cassé quelque chose. Ils l'aidèrent à gagner la plage où elle tomba à quatre pattes, tête baissée, dans une sorte de posture de yoga. Elle avait défait son gilet et les attaches traînaient sur le sable tandis qu'elle se balançait d'avant en arrière, gémissant doucement, comme sourde aux paroles des guides, de sa mère et de Peter, autour d'elle, qui lui demandaient si ça allait. Puis elle s'effondra sur le côté, replia les genoux et fit une grimace affreuse, retroussant les lèvres pour aspirer une grande goulée d'air.

Peter et JT échangèrent un coup d'œil.

Enfin, lentement, Amy parut émerger de sa transe. Elle ouvrit les yeux et regarda les visages qui la fixaient.

— Quoi ? demanda-t-elle d'un ton irrité.

Peter s'accroupit et lui effleura l'épaule du bout des doigts. Susan, restée tout près, s'assit sur ses talons. Amy roula sur le dos et prit appui sur ses coudes. Des perles de sueur brillaient au-dessus de sa lèvre. Elle les lécha et souleva le T-shirt mouillé qui lui collait au corps.

— Vous n'avez rien de mieux à regarder, non ?

Le premier objectif de JT était de lui faire retirer ses vêtements mouillés. Trente secondes dans le Colorado pouvaient suffire à provoquer un état de choc. Certes, Amy avait du rembourrage, mais il était quand même inquiet, surtout à voir la manière dont elle se conduisait.

— Il faut que tu enlèves ton gilet, dit-il en le tenant ouvert, tandis que Peter guidait les bras d'Amy à travers les emmanchures.

Puis Susan l'aida à ôter son T-shirt, si bien qu'elle se retrouva en maillot de bain.

C'était la première fois que JT la voyait ainsi, et il dut faire appel à toute sa volonté pour ne pas la fixer. Ses seins, aussi gros que des melons, tendaient le tissu de son dos-nu. Son gros ventre pâteux retombait sur lui-même en plusieurs endroits. Pour le bas, Amy ne portait qu'un grand short noir large, à la taille roulée sous les replis de chair. Susan se hâta de le remonter de quelques centimètres ; à en juger par son expression, JT supposa qu'elle n'avait pas vu sa fille dévêtue depuis très longtemps.

Entre-temps, Abo avait sorti un matelas et tous aidèrent Amy à s'allonger. Puis Abo la recouvrit d'un drap, car bien que sa peau fût sèche et que la température dépassât les quarante degrés, elle frissonnait.

— Tu es bien, là ? demanda JT.

Amy haussa les épaules. Quoique soucieux, JT s'efforça de détendre l'atmosphère.

— Tu fais partie de l'équipe des nageurs de Lava, maintenant, tu sais. Un groupe d'élite.

— Il y a des T-shirts ?

— Tu rigoles ? Des T-shirts, des chapeaux, des sacs de marin, tout le bazar.

— Tant mieux, dit Amy en fermant les yeux. Je n'ai jamais fait partie d'une équipe.

Susan glissa une petite serviette sous sa tête. JT allait lui suggérer d'essayer de boire un peu d'eau quand il vit son regard se voiler de nouveau. Elle se couvrit le visage de ses mains et replia les genoux, raidissant ses orteils.

— Je crois que quelque chose ne va pas, risqua Evelyn, derrière l'épaule de JT.

— Amy, fit Susan d'une voix insistante. Amy, regarde-moi.

Amy agita la tête de droite à gauche et enfonça les talons dans le sable.

— Amy ? insista Susan. Ma chérie ?

Elle ne répondit pas, ce qui inquiéta JT.

— Ça lui est déjà arrivé de faire des crises d'épilepsie ? demanda-t-il à Susan.

— Je ne crois pas qu'il s'agisse de ça, intervint Evelyn.

Puis Amy redevint toute molle. Cette fois, cependant, elle n'ouvrit pas les yeux. Elle garda le coude replié sur son visage. JT baissa les yeux et vit un grand cercle humide sous ses hanches. Il se demanda si elle le sentait ou pas.

— Je ne suis pas épileptique, bordel, grogna Amy d'une voix étouffée.

Susan se leva et s'enveloppa la taille de ses bras. Evelyn s'écarta pour lui faire de la place. Les autres – JT, Jill et Peter – restèrent assis à côté d'Amy, ne sachant que faire. JT espérait que le problème allait se résoudre de lui-même quand Bud apparut.

— Merci pour votre aide, dit JT.

— Hé ! c'était le moins que je puisse faire ! Comment va-t-elle ?

— Pas très bien, à vrai dire.

— Qu'est-ce qu'elle a ?

— Je n'en suis pas sûr.

Bud s'accroupit.

— Hé ! tu te souviens de moi ?

Amy ouvrit les yeux. Elle regarda Bud et sa grande barbe blanche, puis les autres visages. Enfin, elle referma les yeux.

— Qu'est-ce qu'il y a ? Vous n'avez jamais vu de gros ou quoi ?

Ce n'était pas une crise d'épilepsie, Evelyn en était certaine. Julian avait des crises. Ceci n'en était pas une. Si seulement les gens l'écoutaient ! Comment se faisait-il qu'à l'âge de cinquante ans, et alors qu'elle était professeur titulaire de biologie à l'université Harvard, personne ne l'écoutait, à moins qu'elle ne soit en chaire ? Et même…

Peter craignait une appendicite. Elle avait mal depuis des jours, il aurait donc dû s'en douter, et maintenant ce petit organe qui ne servait à rien avait éclaté. Il pensa à toutes les fois où sa mère avait cru faire une crise d'appendicite – toutes ces douleurs d'estomac, en haut, en bas, au creux du ventre, sourdes, aiguës, lancinantes, incessantes. Chaque fois, il l'avait emmenée à l'hôpital ; chaque fois, il s'était avéré qu'elle avait des gaz. Peter avait fini par penser que l'appendicite était un truc des années quarante, passé de mode et définitivement éteint, comme la polio. Et voilà que c'était arrivé sous son nez, et qu'il n'avait rien fait.

Le souvenir des excursions médicales de sa mère lui fit penser à des lits d'hôpital et à des draps propres. Comme ce serait agréable de se glisser dans un lit fait de frais. Et puis il songea à Miss Ohio en train de plier du linge dans sa buanderie inondée de soleil, racontant à son mari-maquereau que Peter était encore dans les jupes de sa mère.

Curieuse pensée, mais bon, elle était bien là.

Mitchell arpentait la rive, sifflant le chien.

Ce fut Jill qui comprit. Elle regarda Amy se raidir, enfoncer ses talons dans le sable et pousser de petits cris étouffés. Elle vit la longue tache humide sous ses hanches. Elle repensa au soir où Sam et Matthew avaient bu toutes les margaritas, le soir où Peter avait dit quelque chose et qu'Amy s'était fâchée et était partie. Cette démarche. Ce dandinement.

Ce n'était pas possible, se dit-elle. Une fille saurait cela. Sa mère le saurait.

Puis elle se souvint de reportages qu'elle avait lus dans des magazines, au fil des années. Manque d'éducation. Déni. Surpoids initial.

Susan était allée chercher de l'eau pour Amy. Celle-ci partie, Jill s'autorisa à regarder l'estomac de l'adolescente. Et elle en fut certaine. Elle posa la main sur le front d'Amy.

— Pourriez-vous nous laisser seules un moment ? demanda-t-elle à JT et à Peter.

JT parut soulagé. Il se leva, alla rejoindre Dixie et Abo et échangea quelques mots avec eux. Peter resta, et Jill ne protesta pas.

— Amy, commença-t-elle, c'est le ventre qui te fait mal ?

Amy hocha la tête.

— Très mal ?

— Très.

— Ça t'ennuierait si je te palpais l'estomac ?

Amy ouvrit les yeux et regarda Peter. Puis elle les referma.

— D'accord.

Jill posa la main sur le ventre d'Amy. La peau était chaude et moite, et il y avait un grain de beauté juste au-dessous du nombril. Elle tâtonna. Elle aurait voulu ne rien sentir et s'être fourvoyée. Mais juste sous le diaphragme, un peu à gauche, elle trouva une bosse. Elle était ronde, peut-être de la taille d'une prune. Jill appuya, et elle roula sous ses doigts. Un coude, ou un pied, peut-être ; Jill ne pouvait en être sûre.

Elle prit une profonde inspiration, et, ne sachant que faire d'autre, se mit à masser doucement Amy. Jamais elle n'avait massé le ventre d'une autre femme avant, réalisa-t-elle ; c'était sûrement le geste le plus intime qu'elle ait eu envers quelqu'un récemment, hormis Mark.

— Ça te fait du bien ?

— Ça va. De toute façon, je n'ai plus mal. Je ne suis pas épileptique, et que personne n'aille appeler un hélicoptère.

— La douleur va et vient ? s'enquit Jill.

Amy acquiesça.

— Ça dure depuis combien de temps ?

Amy haussa les épaules.

Jill s'efforçait de garder un visage calme, mais à l'intérieur, elle était en mode Urgences. Comme la fois où Matthew s'était cassé la jambe à Alta, et que les médecins avaient regardé la radio et dit : « En fait, c'est bien pire qu'on ne le croyait, vous voyez ce petit point sur l'os ? » Ou quand Sam avait eu une poussée de fièvre, la nuque raide, et qu'il était devenu tout mou entre ses bras ; quand Mark avait eu des douleurs à la poitrine et qu'on l'avait relié à une machine et à des fils, et qu'un conseiller psychologique était venu lui demander s'il avait un testament médical. Elle avait toujours pensé que le mode Urgences ne se déclenchait que lorsque sa famille proche était concernée, mais à présent elle se rendait compte qu'elle avait eu tort.

Elle pensait pouvoir expliquer à JT ce qui se passait, et même à Amy. Mais elle ne se croyait pas capable de révéler à Susan – avec qui elle avait échangé tant de confidences durant ce voyage – que sa fille vierge de dix-sept ans était sur le point d'accoucher au bord du Colorado, à des miles et des miles du premier service hospitalier.

42

Jour 11
Au-dessous de Lava

Jill se releva sous le soleil brûlant. Elle avait les genoux raides de s'être accroupie, et sa bouche était sèche. Elle toucha l'épaule de Peter et lui fit signe de la suivre hors de portée de voix d'Amy.

Elle avait remarqué qu'une alliance inattendue s'était formée entre ces deux-là au cours du raid. Elle se souvint de Peter à Flagstaff la veille du départ – il avait traité tout le monde de haut, surtout Amy. Elle avait quitté la salle de conférences en se demandant comment elle aurait la patience de supporter deux semaines durant cet étudiant attardé, visiblement plus intéressé par la perspective de quelques coucheries que par la descente du fleuve – elle avait lu la déception sur son visage lorsqu'il avait promené un regard autour de lui et vu des femmes comme Amy et Evelyn, Susan et Jill, et la minuscule Lena et la vieille dame qu'était Ruth.

Elle n'aurait donc pas deviné qu'il aurait choisi de fréquenter Amy aussi assidûment. Elle ne l'aurait pas cru capable d'éprouver de l'amitié pour une femme avec qui la possibilité d'une relation sexuelle n'était pas, à franchement parler, la première chose qui venait à l'esprit.

À présent, Peter inclinait la tête vers elle, les yeux baissés sur le sol, lui accordant toute son attention.

— Amy t'a dit quelque chose ? demanda-t-elle.

— Elle a eu des maux d'estomac, répondit-il. J'aurais dû le signaler, je suppose, mais elle ne voulait pas que j'en parle.

Jill jeta un coup d'œil de l'autre côté du corps massif de Peter, et vit qu'Amy avait roulé sur le côté de nouveau. Et elle se prit soudain à regretter que sa montre soit enfouie au fond de son sac bleu. Il aurait été utile de noter les intervalles entre les contractions, et elle aurait besoin d'une montre, parce que après dix jours sur le fleuve, elle ne se fiait plus du tout à sa notion du temps.

— Ce ne sont pas des crampes d'estomac, affirma-t-elle.

— C'est quoi ?

— Elle va accoucher.

Elle marqua une pause, lui laissant le temps d'absorber l'information. Elle s'attendait qu'il détourne les yeux avec nervosité, mais l'étudiant attardé croisa les bras sur sa poitrine et hocha gravement la tête, comme s'il n'était pas surpris outre mesure par cette nouvelle étrange.

Elle ne put s'empêcher d'être impressionnée.

— Tu en es sûre ?

— Je suis passée par là deux fois. J'en suis sûre.

— Je savais que ce n'étaient pas de simples maux d'estomac, dit-il. Mais je ne croyais pas qu'elle était enceinte. Tu l'as dit à JT ?

Tous les deux regardèrent l'endroit où JT écoutait Mitchell, qui semblait très agité.

— Non, répondit Jill. Je vais le faire dans une minute. Je me suis dit que tu accepterais peut-être d'expliquer à Amy ce qui se passe.

— Parce qu'elle ne le sait pas ?

— Si elle le savait, elle ne serait pas si terrifiée, observa Jill, avant de se raviser. Enfin, si, elle serait terrifiée, mais elle ne… elle n'a pas la moindre idée de ce qui se passe, Peter. Crois-moi. Pas la moindre.

Le jeune homme parut abasourdi.

— Comment est-ce possible ? protesta-t-il. Les filles ne se rendent pas compte qu'elles n'ont plus leurs règles ? Elles ne remarquent pas qu'elles ont grossi ?

— C'est bizarre, c'est vrai. Mais ça arrive, affirma Jill. Une fille de dix-sept ans peut avoir un cycle irrégulier. Et quand on a la corpulence d'Amy, parfois on ne remarque pas les choses. J'ai connu une fille dans mon lycée, il y a vingt ans. Elle était comme Amy, vraiment, vraiment grosse. Et elle ne savait pas. Elle ne savait vraiment pas. Un beau jour, elle est allée aux toilettes entre le cours de maths et celui de sciences et...

— D'accord, coupa Peter. Je vois.

— Donc, ça peut arriver, conclut Jill.

— Elle est sur le point de... ? Tu sais, d'avoir le bébé ?

— Je ne sais pas, avoua Jill. Je ne crois pas que ce soit pour tout de suite, mais c'est possible. Je ne sais pas.

— Alors qu'est-ce qu'on fait ?

— JT va devoir appeler des secours par radio. Parce qu'elle doit être transportée à l'hôpital. Entre-temps, il faut qu'elle reste immobile et on doit essayer de ralentir les contractions. Mais je veux que ce soit toi qui lui dises ce qui se passe. Elle t'aime bien.

Peter se gratta la nuque de nouveau.

— Nom d'une pipe en bois, marmonna-t-il. C'est bien ma veine. Bon. D'accord.

— Imagine comment ça va être pour Susan, lança Jill.

Peter retourna près d'Amy, qui avait pris appui sur ses coudes. Il essaya de la regarder comme si de rien n'était, mais en vain. Il regrettait de ne pas avoir parlé directement à JT de ses maux d'estomac, mais se rendait compte aussi qu'il ne servirait à rien de s'accabler de reproches et donc, chaque fois que cette pensée lui traversait l'esprit, il pinçait un petit repli de peau sur le dos de sa main. Fort. C'était une technique que le psy lui avait apprise lorsqu'il essayait de se remettre de sa rupture avec Miss Ohio. Le psy lui avait dit de se pincer chaque fois qu'il pensait à elle, et que ça le déconditionnerait.

— La baleine refait surface, ironisa Amy en essayant de s'asseoir.

— Comment ça va ?

— Moyen, moyen.

Peter regarda vers l'amont, vers les chutes de Lava. Elles semblaient petites, lointaines et insignifiantes. Ça allait être dur, et il ne pouvait trouver un meilleur moyen de dire la vérité que de le faire sans détour :

— Jill pense que tu vas avoir un bébé, annonça-t-il.

Amy eut l'air déroutée, comme si elle venait de se souvenir de quelque chose qui l'amusait.

— Je suis désolée, dit-elle enfin – et sa voix était gaie –, mais j'ai cru entendre... Jill pense que je vais euh... avoir un bébé ? C'est ce que tu as dit ?

— Tu as bien entendu.

Il attendit.

— C'est le cas ?

— Hhhmm, à ton avis ?

— Elle pense que tu as des contractions, continua Peter.

— Comment je pourrais avoir des contractions puisque je ne suis pas enceinte ?

— Tu n'es pas enceinte ?

— Non ! Si. Je ne suis pas enceinte. Regarde-moi. Est-ce que j'ai l'air enceinte ? Oh ! mon Dieu ! Ne réponds pas. Bien sûr que j'ai l'air enceinte. J'ai toujours l'air enceinte. Mais je ne le suis pas, affirma-t-elle, soulignant la dernière syllabe comme si elle pouvait faire couler le mot, et la vérité avec elle, tout au fond de l'eau.

Peter aurait préféré que Jill ne l'ait pas choisi pour annoncer la nouvelle à Amy. Ç'aurait dû être le boulot de JT. C'était lui le chef de l'expédition, et il avait toute l'autorité nécessaire. À ce stade du voyage, JT aurait pu leur ordonner de redescendre Lava en skateboard, ils l'auraient fait, tellement ils avaient confiance en lui.

Il regarda vers les rafts. Jill avait une main sur la hanche, et elle s'abritait les yeux de l'autre tout en discutant avec les guides. JT jeta un coup d'œil en direction d'Amy, et

Peter eut envie de dresser un paravent autour d'elle. Elle méritait un peu d'intimité, dans cette contrée de grands espaces. Il se déplaça, de façon à leur bloquer la vue.

— Je suppose que c'est pour ça que tu as ces crampes qui vont et viennent. Elle a dit qu'elle avait palpé ton ventre, et qu'il était comme le sien quand elle a eu Sam et Matthew. Elle a eu deux enfants, ajouta-t-il, comme si c'était un argument imparable.

Mais Amy avait pénétré dans un autre monde à présent – ou plutôt, comme Peter se le rappela, elle avait une nouvelle contraction.

— Je crois que c'est une autre contraction, dit-il.

Amy laissa échapper un gémissement.

Peter avait vu des femmes en train d'accoucher dans les films et les feuilletons télé, mais jamais dans la vraie vie.

— Respire, suggéra-t-il.

Amy retenait son souffle, au contraire. Ne sachant que faire d'autre, Peter lui tint la main, et elle la pressa si fort qu'il pensa en avoir les doigts brisés. Il s'attendait que cette contraction achève de convaincre Amy qu'elle était bel et bien en plein travail, mais quand ce fut terminé, elle se rassit et cracha dans le sable. Puis elle se lança en avant avec les bras, essayant de se relever. En vain.

— Tout ça, c'est des conneries, dit-elle. Je regrette de t'avoir parlé.

— C'est Jill qui a deviné, lui fit remarquer Peter. Pas moi.

— Va me chercher des pastilles pour la digestion, grogna-t-elle.

Peter s'enfonça un doigt dans l'oreille et l'agita. Une partie de lui se demandait pourquoi il tolérait ça. Quel lien avait-il au fond avec cette grosse adolescente ? Il aurait pu aller rigoler avec Abo et Dixie et laisser Susan (qui était la mère de la fille, après tout) gérer la situation, quelle qu'elle soit. D'ailleurs, peut-être Jill se trompait-elle. Qui pouvait affirmer qu'elle avait vu juste ?

Mais il reconnaissait bien là aussi l'homme qui rendait chaque samedi visite à sa mère, arrosait ses pivoines, récurait la grille du barbecue et jetait les légumes à moitié pourris au fond du réfrigérateur. Celui qui allait chercher ses médicaments à la pharmacie et s'assurait qu'elle en avait un stock suffisant pour le mois à venir. Il était comme ça. Il pouvait s'en agacer, mais il le faisait quand même, parce que c'était normal de faire ces choses-là pour sa propre mère.

Miss Ohio ne comprenait-elle donc pas ça ?

— Sois gentille avec moi, dit-il à Amy.

Celle-ci lui décocha un regard noir. Il le lui rendit. Un chapelet de rafts jaunes descendait le fleuve, tout le monde criant et faisant des signes. Et pourquoi pas ? Ils venaient de franchir Lava sans qu'un membre de leur groupe soit pris de contractions.

À six mètres de là, Jill parlait toujours avec JT. Peter doutait que JT se montre aussi incrédule qu'Amy, mais quand même, ça ne pouvait pas être une situation qu'il avait rencontrée souvent lors de ses raids précédents.

— Tout ce que je veux, c'est deux comprimés pour la digestion, protesta Amy. C'est trop demander ?

— Tu veux que je te dise ? Oui, rétorqua-t-il. C'est trop demander. Tout ce que je veux, *moi*, c'est te faire admettre que tu es enceinte, que le travail a commencé, que tu vas avoir un bébé, et que ça va être un gros truc pour nous tous, parce qu'on est sur le fleuve et qu'il n'y a pas d'hôpital à des kilomètres. À cause de toi, les projets de beaucoup de gens devront être modifiés. Ce n'est pas que je me plaigne, mais tu devrais arrêter de parler de tes comprimés pour la digestion et te laisser aider. Parce que, à ce que je comprends d'après Jill, la dernière chose qu'on veut, c'est que ce bébé naisse ici, au fond du canyon. Je ne sais pas ce qui peut mal tourner, et je ne veux pas le savoir. Mais j'imagine que ça peut être plutôt sérieux. Alors, fiche-moi la paix avec tes pastilles.

Amy ne répondit pas. Elle regardait JT et Jill parler à Susan maintenant.

— Est-ce que Jill, là-bas, est en train de raconter à ma mère que je suis enceinte ?

— Oui.

De fait, à ce moment précis, Jill mit le bras autour des épaules de Susan et tous trois se tournèrent dans leur direction. Peter essaya de s'imaginer ce qu'Amy devait ressentir. Il essaya vraiment, mais il ne put rien trouver de tout à fait aussi humiliant. Et il éprouva un élan de compassion pour l'adolescente, dont l'histoire sexuelle était soudain sur le point de devenir le sujet de conversation de treize personnes qui, onze jours plus tôt, ne la connaissaient ni d'Ève ni d'Adam. Lena, l'institutrice de maternelle, se demandant si c'était une relation sérieuse, à long terme. Evelyn, la biologiste, comprenant mal comment une chose pareille avait pu échapper à l'attention d'une fille pendant six, sept, huit mois. Mitchell songeant que cela rendrait son livre plus intéressant ; et Mark voulant savoir l'âge du père, et si les lois concernant le détournement de mineur n'allaient pas pouvoir s'appliquer.

Et au cours des vingt-quatre heures suivantes, tous, bien malgré eux, seraient à un moment donné, et à leur grande honte, indéniablement déstabilisés par l'idée que quelqu'un comme Amy ait pu avoir une relation sérieuse.

L'adolescente tendit la main vers son T-shirt qui traînait sur le sable à côté et l'étala sur son estomac.

— Ne laisse pas ma mère venir ici.

Mais Susan, Jill et JT marchaient déjà vers eux. JT portait un parasol de plage sur l'épaule. En arrivant à la hauteur d'Amy, il l'ouvrit, révélant d'éclatants triangles turquoise, roses et violets. Il tortilla le pied dans le sable, de manière à la protéger de l'ardent soleil de midi, et là, dans ce petit cercle d'ombre, sous les yeux de sa mère, de trois inconnus tout proches, et de dix autres qui se demandaient ce qui se passait, Amy se couvrit le visage de ses mains et se mit à pleurer.

43

Jour 11
Au-dessous de Lava

Une fois que JT eut pleinement saisi les implications de ce que lui disait Jill, il agit avec une étonnante célérité. Il chargea Abo de demander par radio un hélicoptère d'urgence. Il demanda à Dixie et Evelyn d'installer une bâche pour avoir de l'ombre, car un minuscule parasol de plage ne suffirait pas. Il ordonna à Mitchell de pomper de l'eau et à Mark de sortir une table de cuisine, d'installer le fourneau et de commencer à faire bouillir l'eau qu'ils avaient déjà dans les bidons. Il envoya Sam et Matthew dire à tous ceux qui accostaient qu'ils avaient une urgence médicale sérieuse et demander s'il y avait un médecin parmi eux. Il dit à Lena où trouver les ingrédients du déjeuner, dans quel raft et dans quelle glacière, et lui demanda de s'occuper du buffet. Il pria Mitchell de ranger son appareil photo. Et il conseilla à Ruth et Lloyd de s'installer dans un coin à l'ombre à côté des tamaris, car l'après-midi risquait d'être long.

Lloyd reboucha sa gourde et essuya son menton grisonnant.

— Je suis médecin, dit-il. Quel est le problème ?

— Lloyd, viens t'asseoir, pressa Ruth en lui prenant le bras.

Mais Lloyd repoussa la main de sa femme et se planta devant JT. Il portait une chemise déchirée qui pendait mollement autour de ses hanches. Sa barbe était clairsemée et ses yeux, lorsqu'il retira ses lunettes de soleil pour regarder JT en face, étaient jaunes et chassieux.

— Si je peux vous apporter mon aide…, dit-il.

JT, qui était prêt à se raccrocher à n'importe quelle branche, mit Lloyd au courant de la situation.

Le vieil homme acquiesça.

— Eh bien, dit-il prudemment, ce n'est pas mon domaine de spécialisation, mais je saurai peut-être me rendre utile.

— Dans ce cas, venez avec moi, répondit JT.

— J'ai quelques souvenirs de ma formation médicale, ajouta Lloyd en lui emboîtant lourdement le pas. Et de mon travail dans la réserve. Elle en est à combien de semaines ?

— Je ne crois pas que quiconque le sache.

— Même son mari ?

Il vint à l'esprit de JT que mêler Lloyd à l'affaire n'était peut-être pas une très bonne idée. Cela dit, quel mal pouvait-il faire ? Même un esprit embrouillé pouvait apporter du réconfort, à tout le moins.

— Il n'y a pas de mari, dit-il.

Lloyd hocha gravement la tête, tel un médecin qui échange des informations confidentielles avec un autre.

— Je suppose qu'il s'agit de sa première grossesse, dit-il. Mais on ne sait jamais, les bébés peuvent arriver vite. Ruth, par exemple, a mis au monde notre premier enfant en cinq heures.

JT ne fut guère ravi de l'apprendre. Il ne put s'empêcher de penser à l'accouchement de Mac à l'hôpital de Flagstaff vingt-cinq ans plus tôt, qui avait duré trente-six heures avant que les médecins se décident enfin à recourir à une césarienne. Ce souvenir lui donna des picotements à l'arrière des jambes. Mac avait perdu beaucoup de sang, sa vie était en danger et ils étaient l'un et l'autre terrifiés. Mais le médecin n'avait eu qu'à demander quelques unités de sang qui étaient apparues comme par magie, l'intraveineuse était déjà en place et, en l'espace de quelques minutes, Mac avait retrouvé des couleurs – tout cela pendant qu'on emportait son fils nouveau-né se faire peser, laver et envelopper d'une couverture douillette fournie par l'hôpital. JT se souvint qu'il avait eu envie de baiser le sol de la salle d'accouchement car il s'en était fallu de peu que les choses tournent mal, et pourtant, en fin de compte, il avait eu une épouse heureuse et un gros bébé hurlant à ramener à la maison.

Il regarda les environs – la plage encombrée, le fleuve couleur café, la bande des falaises, le chaud soleil blanc au-dessus d'eux – et se demanda ce qu'ils pourraient bien faire si le bébé d'Amy décidait de venir au monde avant l'arrivée d'un hélicoptère.

— Elle a perdu les eaux ? s'enquit Lloyd.

— Je l'ignore. Vous avez déjà pratiqué un accouchement, Lloyd ?

— Dans la réserve. Des jumeaux. Mais je suis peut-être un peu rouillé.

— Dérouillez-vous, Lloyd, avertit JT.

— Ne venez pas me faire un procès, riposta Lloyd.

Et JT s'émerveilla du cerveau humain. On pouvait à la fois être envahi par les tentacules d'alzheimer et répondre du tac au tac.

Maintenant, un dispensaire de fortune prenait forme sur la plage. À l'aide de piquets, de corde et d'une bâche triangulaire en nylon, Dixie, Evelyn et les garçons avaient dressé une tente ouverte qui offrait un peu d'ombre supplémentaire tout en laissant circuler la brise. Mitchell avait apporté un des bidons de vingt litres, et Evelyn, en plus d'aider Dixie, avait réussi à trouver le paquet de douze bandanas en coton qu'elle avait mis au fond de son sac, à Flagstaff, la veille du départ.

Entre-temps, un autre groupe avait accosté, et une faune hétéroclite s'était rassemblée devant la tente – de jeunes guides musclés, des vétérans à la peau de lézard, des groupes de descendeurs arborant leurs sandales de clown à orteils en caoutchouc. Plus les six kayakistes. JT, qui ne voulait pas vraiment d'un public, chargea Mitchell de chasser tout ce monde :

— Explique-leur que si on a besoin d'aide, on la leur demandera.

Il était irrité, bien qu'il n'ait aucune raison de l'être. N'importe qui aurait été curieux ; n'importe qui aurait voulu aider.

— Qu'est-ce que je dois dire d'autre ? s'enquit Mitchell.

Fallait-il informer une foule d'inconnus qu'une adolescente de dix-sept ans qui ne savait même pas qu'elle était enceinte allait accoucher ? La question ne s'était jamais posée auparavant.

— Demande s'il y a un médecin.

Mitchell s'avança sous le soleil et mit les mains en porte-voix.

— Y a-t-il un obstétricien ici ?

JT grogna intérieurement.

— Bon, ben maintenant, ils savent, observa Peter.

À plusieurs moments au cours de ce raid, JT aurait dit qu'il était pratiquement à bout. À Phantom, par exemple, quand il avait vu Mixeur flotter sous la passerelle. Ou à Upset, lorsque Mitchell et le chien avaient dégringolé la pente.

À présent, il semblait qu'il n'y avait pas de bout, rien qu'une longue série de complications, une sorte d'échelle de Jacob qui descendait vers un gouffre sans fond. Dire qu'on était à bout n'avait pas de sens. Soit on décrochait, soit on continuait ; rien n'avait guère d'importance, hormis garder les gens en vie. JT repensa brusquement à Mac ; c'était l'une de ces personnes qui trouvaient toujours le moyen de s'accrocher, quand tout avait échoué.

Ils avaient formé une si bonne équipe, autrefois, songea JT. Et il éprouva un soudain élancement de chagrin à la pensée que son mariage n'avait pas marché et qu'il avait passé toutes ces années sur le fleuve sans les partager avec la seule femme qu'il avait aimée.

Mais ce n'était guère le moment de s'attarder sur Mac. Il se rassit sur ses talons et but une longue gorgée d'eau. Au même moment, Susan revint avec la gourde d'Amy. Elle hésita, n'osant pas entrer dans le cercle. JT s'écarta pour lui faire de la place.

Lloyd était en train de prendre le pouls de l'adolescente.

— Cent dix ! cria-t-il par-dessus son épaule.

— Quelqu'un peut écrire ça ? fit JT.

Evelyn nota promptement le chiffre dans son journal, tandis qu'Amy commençait à avoir de petits mouvements d'avant en arrière.

— Ça recommence, annonça Lloyd.

— Note l'heure, ordonna JT à Evelyn.

Susan tint une des mains d'Amy, Jill l'autre, pendant que Peter, placé à ses pieds, empoignait ses chevilles.

— Respire, Amy, avertit Jill. Souviens-toi de ce que je t'ai dit. Respire avant que ça commence à faire mal. Inspire à fond, souffle à fond. Tu le peux.

— Ça fait déjà mal ! gémit Amy.

— Tu peux le faire, répéta Jill. Allez. Inspire à fond. C'est bien. Tu peux le faire.

Amy parvint à prendre une profonde inspiration, mais ne put contrôler l'expiration, et partit d'un hurlement perçant qui figea le sang dans les veines de JT.

— Essaie encore, s'écria Jill. Inspire à fond ! Fais comme moi !

Elle prit une longue inspiration bruyante pour faire la démonstration. Susan regardait, paralysée. Amy crispait les talons dans le sable.

Puis ce fut terminé.

— Deux minutes, annonça Evelyn.

— Mon petit, dit Lloyd en se penchant sur Amy. Tout va bien se passer. Nous allons prendre soin de toi et du bébé. Tu voudrais avoir un garçon ou une fille ?

Les yeux d'Amy volaient d'un point à un autre, emplis de terreur.

— Je sais, je sais. Je suppose que ça t'est égal, du moment que le bébé soit en bonne santé. Ne t'inquiète pas, on va prendre bien soin de toi, conclut-il d'un ton rassurant.

JT décida que la meilleure chose à faire était d'entrer dans le jeu de Lloyd.

— Lloyd a raison, dit-il à Amy. Tout ira bien. Tu n'as qu'à respirer. Juste comme Jill t'a montré.

À cet instant précis, Mitchell plongea la tête sous la toile, hors d'haleine.

— On a un médecin !

JT faillit bondir de joie. Il sortit à grands pas sous le soleil et se trouva nez à nez avec un homme arborant des lunettes de soleil et une barbe de dix jours.

— Voici Don, annonça Mitchell.

JT lui serra la main.

— Quelle sorte de médecin êtes-vous ?

— Je suis gastro-entérologue, répondit Don. Interne dans un hôpital. Je ne sais pas si je peux vous être utile.

— Je suis sûr que oui.

Après tout, c'était la même zone du corps humain. Pour le moment, ça lui suffisait.

— Et vous êtes certain qu'elle va accoucher ?

— Oui.

— Combien de semaines de grossesse ?

— Nous ne le savons pas, répondit JT. Elle n'a que dix-sept ans. Il y a une heure, elle ne savait pas qu'elle était enceinte.

— Quelle dilatation ?

La dilatation ! JT n'avait pas songé à ça. Et il revit les genoux pointus de Mac émergeant du drap et le médecin entre ses jambes, enfonçant un bras jusqu'à sa gorge.

— Personne n'a vérifié ça. Écartez-vous, tout le monde ! lança-t-il en se baissant pour entrer sous la tente. Voici Don. Il est médecin.

Lloyd acheva de se moucher dans un vieux bandana. Il le roula en boule et le remit dans sa poche pour le siècle à venir.

— Lloyd est médecin aussi, expliqua JT.

— Et comment s'appelle la jeune fille ?

— Amy.

— Bonjour, Amy, dit Don.

Il s'agenouilla à côté d'elle, et écarta une mèche de cheveux sur son front.

— Je m'appelle Don.

Amy se contenta de le fixer.

— Amy, reprit-il, ça t'ennuierait que je te touche l'estomac ?

Amy secoua la tête. Don mit la main sur l'étendue pâle et gonflée de son ventre. Le visage grave, il palpa ici et là, pressant doucement. JT l'imagina en train de lever les yeux, fronçant les sourcils d'un air surpris et disant : *Enfin, cette jeune fille n'est pas enceinte ! Il faut seulement qu'elle perde un peu de poids !*

— Qu'en pensez-vous ? s'enquit Lloyd.

Don se rassit sur ses talons.

— Pas grand-chose. J'ai fait un stage dans le service d'obstétrique il y a deux ans, et tout ce que je sais est basé là-dessus. Je ne peux pas dire exactement à quel stade en est la grossesse, mais je soupçonne qu'elle est plutôt avancée. Et il me semble que le bébé se présente la tête la première. C'est une bonne chose, dit-il à Amy. C'est exactement ce qu'il faut.

L'adolescente ne parut pas absorber cette information. Il aurait aussi bien pu lui parler d'une toute récente découverte mathématique.

— Mais j'aimerais savoir de combien tu es dilatée, poursuivit-il.

Le visage d'Amy demeura impénétrable.

— Pendant les contractions, le col de l'utérus se dilate, expliqua Don. Tu sais ce qu'est l'utérus ?

Il l'expliqua en termes médicaux, puis lui dit d'imaginer une poire la tête en bas.

— Là où se trouve la tige, c'est le col de l'utérus. Il faut qu'il s'ouvre pour laisser sortir le bébé. Ce processus s'appelle la dilatation.

Amy chassa un insecte qui s'était posé sur sa jambe.

— Et plus on est dilatée, plus la naissance est proche. Et moins on est dilatée… enfin, ça veut dire qu'on a plus de temps devant soi.

— Du temps ! marmonna Susan. Oh ! si seulement…

— Vous devriez peut-être expliquer comment on vérifie la dilatation, intervint Jill.

— Oh ! Eh bien, pour le savoir, poursuivit Don, il faudrait que je procède à un examen interne. Et ça veut dire qu'il faudrait que je fasse sortir tout le monde, et que j'introduise quelques doigts dans le col pour mesurer l'ouverture.

Arrivé là, il marqua une pause. Le visage d'Amy était toujours dénué d'expression, et Don regarda à tour de rôle les visages qui l'entouraient, comme s'il attendait un nouvel encouragement. Jill se pencha en avant et s'éclaircit la voix.

— Amy, dit-elle avec douceur, en lissant les cheveux de l'adolescente, il faut qu'on le sache. Ça sera peut-être un peu désagréable, mais ça n'a rien d'insupportable. Pas comparé aux contractions, en tout cas.

— Pour ce que j'en ai à…, murmura Amy sans ouvrir les yeux.

— Jill a raison, intervint Susan. Il faut que ce soit fait.

— Tais-toi, maman, rétorqua Amy.

Susan se redressa. Sans un mot, elle se leva et sortit de la tente.

— Allons-nous-en, dit JT au petit groupe qui restait. Laissons Amy et Don seuls. Lloyd, si vous alliez jeter un coup d'œil sur Ruth ? Assurez-vous qu'elle boit suffisamment. Je ne veux pas qu'elle soit déshydratée.

— Certainement.

— Peter, tu pourrais aller voir ce que font les garçons ?

— Oui, chef.

Cela faisait plaisir à JT de pouvoir déléguer de nouveau. Mais comme il se dégourdissait les jambes, il vit Lloyd, debout au soleil, qui se lissait les commissures des lèvres. Il s'approcha du vieil homme.

— Vous alliez jeter un coup d'œil sur Ruth, lui rappela JT.

Lloyd retira son chapeau, se passa les doigts dans les cheveux, et le remit. JT lui indiqua la table du déjeuner, où Ruth s'efforçait de réarranger les restes de viande froide en un plat appétissant pour ceux qui n'avaient pas encore mangé.

— Ah, oui, fit-il en se dirigeant vers la table d'un pas traînant.

— Lloyd, intervint JT.

Le vieil homme s'arrêta et se retourna, plissant les yeux.

— Je parie que vous étiez un excellent médecin.

Lloyd haussa les épaules.

— Je faisais mon boulot.

44

Jour 11
Au-dessous de Lava

Le pire, c'était que ça tombait si mal, se dit Susan. Ça et le contexte, être sur le fleuve et apprendre que sa fille était sur le point d'accoucher. Quelle qu'en soit la raison, quand Susan avait entendu Amy lui dire de se taire, elle avait eu l'impression qu'on lui enfonçait un couteau dans le ventre.

Eh bien, ce n'était pas très gentil de sa part, commenta la Salope.

Oh ! c'était mal élevé, aucun doute là-dessus ! Mais Amy lui disait tout le temps de se taire et, en général, ça ne l'ennuyait pas du tout. Quand Susan la complimentait pour un nouveau T-shirt, par exemple, ou essayait de compatir à son stress face aux cinq matières principales obligatoires au lycée. *Tais-toi, maman.* Aux yeux de Susan, c'était une sorte d'avertissement affectueux lui disant qu'elle en faisait un peu trop ; et bien qu'elle répugnât à l'admettre, ça lui donnait parfois l'impression d'appartenir à un cercle privilégié.

Mais pas ce jour-là. Ce jour-là, ces quelques mots lui avaient fendu le cœur, si tranchants, si douloureux qu'elle avait dû s'enfuir.

Elle se sentait non seulement rejetée par sa propre fille, mais humiliée, et totalement incompétente. Enfin ! Quelle mère pouvait ignorer que sa fille était enceinte ?

N'avait-elle pas remarqué qu'Amy prenait du poids ? Qu'elles achetaient moins de tampons ? Ne s'était-elle pas demandé pourquoi Amy vomissait avant d'aller au lycée ?

Non. Elle ne s'était même jamais demandé si Amy avait des relations sexuelles ! Quelle mère ne s'interrogeait pas là-dessus, à notre époque, avec tous les reportages télé, les articles des magazines sur la sexualité des adolescents, les maladies sexuellement transmissibles et les collégiennes pratiquant des fellations dans les toilettes ? Quelle mère ne se posait pas au minimum quelques questions ?

Susan, voilà qui. Et pourquoi ? Parce que Amy était grosse. Les grosses n'avaient pas de petits copains, et elles ne couchaient pas.

Avoir succombé à de pareilles idées reçues lui donnait envie de se jeter dans le fleuve.

Oh ! arrête ! Ce n'est pas comme si elle avait un cancer.

Susan en avait conscience. Elle savait aussi que le moment était mal choisi pour s'accabler de reproches ou se froisser de quelques mots cassants, mais elle ne pouvait s'empêcher d'avoir mal. Toutes les autres fois, *Tais-toi* signifiait *Oh ! maman ! c'est bon.* Ce jour-là, cela signifiait *Va-t'en. Je te déteste. Je ne veux pas de ton aide. Je ne veux pas de toi dans ma vie.*

— Susan ?

Elle se tourna et vit Jill debout derrière elle. Susan songea en un éclair à leurs stupides petites séances d'apéritif, à leurs conversations faussement importantes concernant les enfants, les maris ou n'importe quel sujet. Alors que sa propre fille était enceinte jusqu'aux yeux.

Jill posa une main sur son épaule. Susan croisa étroitement les bras sur sa poitrine et se dégagea.

— Ce sont des choses qui arrivent, dit Jill. J'ai lu des trucs là-dessus. N'importe qui aurait pu s'y tromper. N'importe qui…

— Arrête. Arrête. Je suis sa mère. J'aurais dû savoir.

Jill se tut, mais si Susan avait parlé trop sèchement, elle n'en avait cure. Tout le monde pouvait avancer des explications, lui trouver des excuses, mais personne n'était à sa place. Jill ne savait pas quel effet ça faisait de comprendre qu'on avait été aveugle au point de préparer le petit déjeuner de sa fille, de l'emmener au lycée, d'aller visiter des universités et de dormir à côté d'elle sous une tente minuscule sans rien deviner. Jill avait des garçons, pas des filles. Elle ne savait pas qu'à partir du moment où Amy était née, consciemment ou non, Susan avait attendu qu'elle soit enceinte, un jour, pour pouvoir se réjouir, compatir lui donner des conseils. Et tout cela était arrivé sans même qu'elle s'en aperçoive !

Du coin de l'œil, elle perçut un mouvement et vit Evelyn venir vers elles, une gourde pendue à son doigt. Susan se hérissa ; elle ne pensait pas pouvoir supporter la présence de cette femme étrange, sérieuse, titulaire d'un doctorat en biologie moléculaire mais totalement dépourvue du sens des relations humaines.

Evelyn hésita.

— Abo a cassé de la glace, annonça-t-elle. J'en ai donné à Amy quelques morceaux à sucer.

— Merci, Evelyn, dit Jill.

Evelyn s'attarda.

— Ne le dis pas, avertit Susan.

— Très bien.

Stupéfaite, Susan regarda la femme, qui se tenait là gauchement.

— Qu'est-ce que tu veux ?

Evelyn se contenta de lui tendre la gourde.

— C'est surtout de la glace. J'ai pensé que ça te ferait du bien à toi aussi.

Honteuse, Susan pressa la gourde contre sa poitrine. Cela la rafraîchit de la tête aux pieds.

— Merci, parvint-elle à dire.

— Asseyons-nous, suggéra Jill.

Susan secoua la tête d'un air malheureux mais s'assit, repliant les genoux contre sa poitrine. Jill et Evelyn prirent place chacune d'un côté.

— Bon, commença Jill. Tu ne savais pas. Tu n'as pas vu les signes. Mais Amy a besoin de toi en ce moment.

— Amy n'a pas besoin de moi, protesta Susan. Et elle ne veut pas de moi non plus.

Evelyn semblait inquiète.

— Je ne crois pas que ce soit vrai, dit-elle. Bien sûr qu'Amy a besoin de toi. Bien sûr qu'elle veut de toi. Comment peux-tu dire le contraire ?

— Peut-être parce que j'ai élevé une adolescente, riposta Susan.

Evelyn baissa les yeux, et Susan comprit qu'elle avait blessé cette femme sans enfants, qui ne serait jamais confrontée à ces situations embrouillées. Mais elle s'en moquait. Des larmes brûlantes roulèrent sur ses joues.

— Pourquoi est-ce qu'elle ne m'a rien dit ? sanglota-t-elle.

— Elle ne savait pas, intervint Jill.

— Mais pourquoi elle ne m'a pas dit qu'elle avait des relations sexuelles ? Elle pensait que j'allais me fâcher ? Lui dire qu'elle était trop jeune ? Elle l'était – elle l'est –, évidemment, mais je ne me serais pas fâchée ! Je l'aurais emmenée chez le médecin, et il l'aurait examinée, et on aurait su, et on ne serait pas ici, au bord du Colorado, alors qu'elle est sur le point d'accoucher !

Jill et Evelyn mirent toutes les deux une main sur son épaule.

— Je suis nulle.

— Certainement pas, protesta Evelyn.

— Oh ! si ! En fait, je suis tellement nulle que non seulement je ne sais pas que ma fille est enceinte, mais quand elle commence à avoir des contractions, je ne m'inquiète que d'une chose, d'être une mauvaise mère. Ce n'est pas le comble ?

Evelyn parut songeuse.

— Alors, ce que tu dis c'est que tu es nulle parce que non seulement tu as échoué envers ta fille, mais parce que, alors même que tu t'en apercevais, tu ne pouvais penser qu'à cet échec ?

Susan sanglota de plus belle.
— J'ai fait ça toute ma vie. Tout tourne toujours autour de moi. Pas étonnant qu'Amy ne veuille pas se confier – elle sait qu'il lui faudra m'écouter raconter comment c'était pour moi, à l'époque.
Evelyn et Jill restèrent un moment silencieuses, réfléchissant à ses paroles.
— J'ai fait tellement d'efforts pour avoir une vraie relation avec elle, continua Susan. Et rien n'a marché.
— Peut-être pas jusqu'à maintenant, répondit Jill avec douceur, mais tu ne peux pas te contenter de jeter l'éponge et l'abandonner au moment où elle a le plus besoin de toi. Il faut que tu sois la plus forte.
— Absolument ! renchérit Evelyn. Moi, je ferais la loi avec cette petite, ajouta-t-elle en abattant son poing sur sa paume. Je dirais, Amy, je me moque de ce que tu peux dire, je resterai à tes côtés du début à la fin !
Susan sourit faiblement ; c'était la première fois qu'elle voyait en Evelyn ce côté passionné. Elle se tamponna le nez.
— Je ne suis pas si sensible d'habitude, murmura-t-elle.
— Je pense que c'est le fait d'être sur le fleuve, dit Evelyn.
— Bien sûr, voir ta fille en pleines contractions a peut-être joué un rôle aussi, ajouta Jill.
Les trois femmes s'aidèrent mutuellement à se relever. Susan prit une profonde inspiration. Ses yeux lui piquaient, à cause du sel et du soleil, et elle eut de nouveau envie d'entrer dans l'eau et de se laisser emporter par le courant. Au lieu de quoi elle laissa échapper un petit rire incertain.
— Mon cœur, dit-elle d'une voix rauque. J'ai l'impression qu'il va déborder.
— Eh bien, fit Evelyn, il n'y a pas de mal à ça !

— Combien de temps avant que l'hélico arrive ? demanda JT à Abo.
— On est les suivants sur la liste.
JT inspira profondément.

— Tu fais un boulot sensass, chef, assura Abo.

— Continue à me dire ça.

— Comment est-ce qu'une fille peut ne pas savoir qu'elle est enceinte ?

— Aucune idée.

— Tu as déjà fait un accouchement dans le canyon ?

— Jamais. Mais on n'aura pas à le faire. L'hélico la transportera à l'hôpital et notre fête au club nautique des chutes de Lava aura lieu ce soir, comme prévu.

— Tu penses vraiment qu'on sera d'humeur à ça ?

— Non.

Abo marqua une pause, les sourcils froncés.

— Je ne comprends vraiment pas. Comment on peut ne rien savoir ?

Ruth tourna le couvercle du pot de moutarde et essuya le petit rond marron sur le bec verseur.

— Il est sûrement coincé dans un tourbillon, c'est tout, dit Mitchell aux garçons.

Ils se tenaient à l'extrémité de la plage en direction de l'aval. Matthew regardait dans les jumelles de Mitchell.

— Tu vois quelque chose ? s'enquit Sam.

— Non.

— Je peux regarder ?

Matthew tendit les jumelles à Sam. Mitchell lui montra patiemment comment les régler à sa vue.

— Tu n'as qu'à chercher le bandana rouge, dit-il. Il devrait être facile à repérer.

— Il portait son gilet de sauvetage, fit remarquer Sam tout en grimaçant derrière les lentilles. N'est-ce pas ?

— Bien sûr que oui, affirma Mitchell.

— Il nage très bien, renchérit Matthew.

— Alors, je suis sûr qu'on va le retrouver, conclut Mitchell.

45

Jour 11
Au-dessous de Lava

L'homme avait des yeux pleins de douceur et de bonté, et la première chose qu'il fit fut de couvrir la partie inférieure du corps d'Amy d'un drap propre et frais. Ensuite, il enfila un mince gant jetable.

— Je veux faire ça entre les contractions, dit-il. Est-ce que je peux te retirer ton short ?

Sans répondre, Amy souleva les hanches. Elle était dans le Grand Canyon, les gens pensaient qu'elle avait des contractions, et elle allait devoir laisser un médecin l'examiner pour prouver qu'elle n'était pas enceinte. Elle avait un kyste de la taille d'un pamplemousse, exactement comme la fille dont elle avait lu l'histoire dans le courrier des lectrices d'un magazine. Maintenant, elle était en train de l'expulser. Comme un calcul, quoi. Pour surmonter cet examen, elle ferait semblant d'être quelqu'un d'autre – une étudiante, par exemple, qui avait un copain et qui traversait le campus à vélo pour se soumettre à l'examen gynécologique de rigueur.

Assise près d'elle, sa mère étala un T-shirt humide sur sa poitrine. Le coton était frais et agréable contre sa peau. Elle avait du mal à imaginer qu'elle avait eu si froid après avoir nagé dans Lava.

— Comment ça va, mon chou ? demanda Susan.

— Pas terrible. Est-ce qu'il est…

Elle ne trouva pas le mot.

— Je ne suis pas obstétricien, expliqua Don en pliant le short et le mettant sur le côté, mais je pense pouvoir t'aider. Descends un peu vers moi. Remonte les genoux. Essaie de te détendre. Pardon, ajouta-t-il d'un ton penaud, je suppose que c'est comme de dire à quelqu'un de se détendre dans Lava.

D'un mouvement hésitant, Amy laissa ses genoux s'écarter. Elle était étudiante. Elle faisait ça tout le temps. Sa mère semblait calme, à côté d'elle. Amy était impressionnée qu'elle n'ait pas pété un plomb.

— On m'a dit que tu avais fait une bonne trempette, continua Don. Et je parie que le bébé a dit, ça suffit, je serai plus en sécurité tout seul.

Amy fut tentée de lui rappeler qu'il s'agissait d'un kyste, mais elle ne voulait pas qu'il se sente bête.

— Jetons un coup d'œil, reprit-il. Doucement. Respire à fond. On y va.

Amy eut l'impression qu'on lui enfonçait une batte de base-ball dans le ventre. Au moment où elle croyait qu'il n'irait pas plus loin, il le fit. Et elle eut mal. Comme une nouvelle contraction. Ou plutôt comme ce truc qui, d'après eux, était une contraction, mais n'en était pas vraiment une.

— Bon, murmura Don, plaçant l'autre main sur son estomac. Bon.

Il jeta un coup d'œil vers le fleuve. Amy sentait des continents dériver en elle. Elle attendit aussi longtemps qu'elle le put.

— Alors ?

Le pire, durant l'examen d'un médecin, est le silence. Amy s'efforça de repenser à ce que Don lui avait dit, ce qu'il allait vérifier. Quelque chose à propos de la dilatation. De son utérus. Il s'attendait à trouver un bébé, et elle un kyste, mais une troisième possibilité lui vint soudain à l'esprit : ce n'était peut-être ni un bébé ni un kyste ! C'était peut-être quelque chose de bien, bien pire !

Don retira sa main, ôta le gant et le plaça sur le short d'Amy.

— Tu disais que tu avais eu des maux d'estomac ?

— Ils n'étaient pas si terribles que ça.

— Depuis combien de temps ?

— Je ne sais pas. Une semaine, peut-être.

— Des nausées ? De la diarrhée ?

— Un peu.

— Des douleurs dans le dos ?

— Un peu.

Don se leva et lui pressa le genou.

— Je reviens tout de suite, dit-il, sur quoi il fit signe à Susan, et tous deux sortirent de la tente.

Amy les regarda s'approcher de JT et de Jill. Il leur dit quelque chose. Sa mère eut un geste en direction de la tente, et Don lui prit le bras pour la retenir.

Je suis mourante, pensa-t-elle. Ils le savent tous, et ils se demandent comment me l'annoncer.

J'aurais dû me noyer dans Lava.

La contraction suivante arriva sans crier gare, alors qu'elle était encore seule. Elle eut une brusque sensation de pincement, et avant qu'elle ait pu appeler à l'aide, son estomac s'était mué en un dôme dur comme de la pierre, étranger. À l'intérieur, c'était comme si de grosses machines s'étaient mises à lui labourer les entrailles. La douleur était pire qu'avant, ce qu'elle n'aurait pas cru possible. Quelqu'un poussa un cri, et aussitôt plusieurs personnes s'agenouillèrent à côté d'elle. On lui soutint la tête. Amy se tourna, vomit sur des genoux, et l'odeur nauséabonde flotta lourdement dans l'air. Elle eut peur de perdre le contrôle de ses intestins. Puis sentit quelque chose de frais sur sa joue, s'en saisit et mordit fermement dedans tout en bourrant le sol de coups de poing. Tout ça avec un bouchon coincé dans la gorge.

Puis les machines se turent et elle put respirer. Lorsqu'elle ouvrit les yeux, sa mère, Jill, Don et Peter l'entouraient. Peter retira doucement le bandana rose d'entre ses dents et Susan porta un gobelet d'eau fraîche à ses lèvres.

— Allez-y, dites-moi la vérité, énonça-t-elle calmement. Je suis en train de mourir, c'est ça ?

— Non, ce n'est pas ça, répondit Don. En fait, tu es dilatée de neuf centimètres. Ce qui signifie que ton bébé a plutôt hâte de faire son apparition. Je ne m'attendais pas que ce soit si avancé, mais je crois que tu es entrée dans le stade préliminaire du travail depuis une journée, peut-être même plusieurs jours. Cette douleur dans le dos. Les maux d'estomac qui allaient et venaient. À vrai dire, je suis surpris que tu aies si bien tenu le coup.

— Je ne suis pas enceinte, dit Amy. J'ai un kyste.

Don se pencha vers elle.

— Ce n'est pas un kyste, Amy. Tu es enceinte, c'est à cent pour cent sûr. Et tu es sur le point de mettre le bébé au monde.

— Non, rétorqua Amy. Non !

Le visage de sa mère apparut.

— Si, ma chérie. Et nous allons t'y aider.

— Non ! cria Amy, gagnée par la panique. Vous ne comprenez pas ! Je ne suis pas enceinte !

Elle refusait de céder. C'était impossible, tout simplement. Elle n'allait pas essayer de se souvenir de quoi que ce soit, ni quand, ni qui, ni où. Et elle n'allait pas céder à l'humiliation qui l'accablerait si elle devait admettre ce genre de chose. Parce que passer neuf mois sans se rendre compte qu'on est enceinte était vraiment le comble de la stupidité pour une fille. Et elle était intelligente. Elle avait brillamment réussi ses examens. L'automne venu, elle poserait sa candidature à de bonnes universités. Elle serait cette étudiante svelte qui traversait le campus à vélo pour aller rejoindre son copain.

— Amy, écoute-moi.

Le visage de Don surgit dans son champ de vision, et il la regardait droit dans les yeux.

— Tu VAS avoir un bébé. Bientôt. Il est déjà en route. Il n'y a pas d'autre solution que d'avoir ce bébé. C'est comme quand on franchit un rapide. Une fois engagé, on ne peut plus reculer.

Amy secoua la tête.

— Tu peux le faire, reprit Don, parce que tu DOIS le faire. Essaie de te reposer ; la nouvelle contraction ne va pas tarder.

— Non, sanglota Amy.

— Ne pleure pas ! ordonna Don d'un ton sec. Tu ne peux pas pleurer maintenant. Quand on aura sorti ce bébé, tu pourras pleurer tout ton saoul, mais pas maintenant.

Sa mère lui pressa la main.

— Il a raison. Garde tes forces. En ce moment, c'est le pire. Si tu peux surmonter ça, tu pourras surmonter n'importe quoi.

— Qu'est-ce que tu en sais ? demanda Amy d'un ton cassant.

Sa mère plia un bandana humide et le déposa sur le front d'Amy.

— Parce que je suis passée par là. Une fois que tu seras à dix centimètres, tu pourras commencer à pousser et ça fera mal aussi, mais moins que maintenant. Là, c'est l'enfer. Les contractions sont longues et intenses, et elles se suivent de très près.

En effet, une nouvelle contraction commençait – le resserrement, la sensation d'étouffement, l'explosion de douleur au fond d'elle. C'était comme si on l'étripait. Elle tenta de retenir un sanglot mais elle avait trop peur – peur de la douleur qui arrivait et de toute celle qui allait suivre. Don avait raison : il n'y avait pas d'échappatoire. Partout où elle se tournait, la douleur la guettait.

Des voix s'élevèrent, mais elles venaient d'un autre monde.

— Je ne peux pas faire ça ! hurla-t-elle.

— Si, tu peux, dit sa mère. Respire !

— Je ne peux pas !

— Amy.

Elle sentit que sa mère lui tournait le visage, la forçant à affronter son regard. Elle leva l'index, juste devant sa bouche.

— Amy. Regarde mon doigt. Tu le vois ? Imagine que c'est une bougie. Maintenant, souffle !

L'adolescente se dégagea brusquement, mais Susan la força à tourner la tête de nouveau, et continua à garder le doigt en l'air.

— Souffle, ordonna-t-elle.

Amy fit une moue et réussit à expirer faiblement.

— C'est ça ! Souffle ! Souffle la bougie, mon chou ! Respire à fond. Maintenant, expire à petits coups ! C'est bien, ma chérie. Très bien.

Amy serra le doigt de sa mère et essaya de souffler. La douleur était intérieure et extérieure. Elle tordait son corps, le tirait et le triturait dans tous les sens ; il n'y avait pas de répit, pas d'accalmie.

— Souffle, répéta Susan, et Amy éprouvait une telle colère envers la douleur qu'elle attrapa le doigt et le mordit fort.

Mordre faisait du bien. Mordre soulageait.

Quand ce fut enfin terminé, sa mère se redressa et secoua la main.

— Je suis désolée, dit Amy. Ça saigne ?

Susan leva le doigt. Il n'y avait pas de sang, rien qu'une rangée de marques roses de molaires.

— La prochaine fois, contente-toi de souffler.

— La prochaine fois, on lui donne un bout de bois, fit Peter.

Amy ne rit pas.

— Je peux avoir encore de la glace ?

Susan se leva.

— Je reviens tout de suite. Avant la prochaine.

Amy ne voulait pas qu'on lui rappelle qu'il y en aurait une autre. Elle ferma les yeux et s'efforça de se laisser aller. Des souvenirs étranges lui venaient de très loin. La voix de son professeur de chimie lorsqu'il avait distribué leur dernier examen ; l'odeur de la pluie sur le trottoir brûlant. L'absence de douleur à cet instant était fraîche et douce. Elle avait déjà perdu toute notion du temps, mais à présent elle flottait, et elle entendit un bourdonnement. Puis elle sentit quelque chose contre ses lèvres. Elle ouvrit les yeux et vit que Peter lui tendait une tasse. Sa barbe était emmêlée et ses cheveux se dressaient en pointes moites sur son crâne. Tous les autres étaient partis pour le moment.

Amy essaya de boire une gorgée mais éprouva une vague de nausée et émit un rot sonore.

— Ça fait tellement mal, lui dit-elle. Incroyablement mal.

— Tu peux le faire.

— Comment ?

— Tu vas y arriver, dit-il. C'est tout.

Amy avait entendu ces mots-là plusieurs fois, mais les entendre prononcer par Peter fut différent. Pour la première fois, elle les crut.

Cela dit, si quelqu'un, Peter compris, lui demandait qui était le père, elle se lèverait, entrerait dans l'eau et n'en ressortirait jamais. Vraiment.

— L'appareil photo ! s'écria-t-elle soudain. Je l'ai perdu. Toutes ces photos !

— On s'en fout.

Ça tombait sous le sens.

— Tu as vu ce que j'ai fait au doigt de ma mère ?

— Ouais, un peu. Ne t'approche pas.

Amy ferma les yeux. Peter lui tint la main, et alors qu'elle commençait à haleter (non, elle n'avait pas fait de progrès en la matière, il n'y avait tout simplement aucun autre moyen de respirer), elle sentit que d'autres personnes se rassemblaient autour d'elle.

Mais quelque chose de différent arrivait. Elle n'avait plus la sensation qu'on l'écartelait de l'intérieur, mais plutôt une envie folle d'aller aux toilettes. La douleur était de retour, aussi violente qu'avant, mais à présent le besoin d'aller aux toilettes dominait. C'était affreux. C'était le pire moment. Qu'allaient-ils faire si elle laissait des saletés sur le sable ? JT avait tant insisté pour qu'ils fassent attention tout le temps, pour qu'ils protègent le fleuve. Elle allait polluer toute la plage.

Mais ça venait déjà, et il n'y avait rien à faire, hormis y aller franco, grogner comme une bête et pousser.

46

Jour 11
Au-dessous de Lava

JT le sentit avant de l'avoir entendu, ce bourdonnement dans sa poitrine qui l'emplissait toujours de tension lorsqu'il était sur le fleuve. Il leva automatiquement les yeux vers le ciel. Abo l'imita.

— Pile à l'heure, chef, observa-t-il, juste avant qu'une série de déflagrations déchirent l'air.

Tout le monde tendit le cou et s'abrita les yeux. Une seconde plus tard l'hélicoptère surgit, bulle étincelante dans le couloir du canyon.

— Reculez tous ! cria JT en gesticulant. Par ici, vers les buissons. Sam ! Matthew ! Sortez de l'eau !

Avec Abo, il courut replier les panneaux orange qu'ils avaient déployés pour signaler leur position. L'hélicoptère resta suspendu en l'air un instant, puis se posa sur la plage, projetant du sable et troublant les eaux étales le long de la rive. Le pilote coupa le moteur, et un homme et une femme sautèrent du cockpit et se mirent à courir, baissés, vers l'endroit où se tenaient Abo et JT.

— Le bébé est là ? cria l'homme.

— Pas encore !

Ils se hâtèrent vers la tente.

— Je suis Andy. Voici Barb. Alors, qu'est-ce qui se passe ?

— Une fille de dix-sept ans, leur dit JT. Elle a traversé Lava à la nage et les contractions ont commencé.

— Il y a combien de temps ?

— Trois heures. Mais elle est déjà en train de pousser. Écoutez, je ne veux pas que ce bébé naisse ici, fit JT. Il faut que ce soit clair.

Avant qu'Andy ait pu répondre, Amy hurla de nouveau, et JT dut faire appel à toute sa volonté pour ne pas se boucher les oreilles comme un enfant. Il avait l'estomac bien accroché, et même lorsqu'il était confronté à des urgences effroyables il pouvait en général rester calme et serein, mais le cri d'Amy libérait un flot d'adrénaline qui lui donnait la nausée.

C'est pourquoi il resta devant la tente pendant qu'Andy et Barb se glissaient à l'intérieur, croisant les bras et fourrant les mains sous ses aisselles, se demandant ce qu'il devait faire. Abo et Dixie, demeurés près de l'hélicoptère, parlaient avec le pilote. On n'avait pas besoin de lui sous la tente et on n'avait pas besoin de lui à l'hélicoptère. Il se sentait comme un oncle de trop et fut pris de court quand Jill sortit de l'abri.

— S'il te plaît, murmura-t-il, dis-moi qu'ils vont pouvoir la sortir d'ici avant qu'elle ait ce bébé.

— J'aimerais bien, mais…

— L'hôpital de Flagstaff est à moins d'une heure. Ce n'est pas très loin.

— Il peut se passer beaucoup de choses en une heure.

— Ne dis pas ça.

— C'est toi le guide-chef, lui rappela-t-elle. Il faut que tu te prépares à cette éventualité.

Elle avait raison, bien sûr ; il était le chef de ce raid. Mais jamais il ne s'était senti si proche du passager lambda sur le raft d'un autre guide.

Jill dut percevoir son désarroi, car elle le prit par le bras et l'entraîna à l'écart de la tente, vers la rive. JT laissa ses pieds s'enfoncer dans la fraîcheur du sable mou et humide. Il avait envie d'entrer dans le fleuve et de s'immerger tout entier, jusqu'à ce que l'eau lui emplisse les oreilles et lui fasse mal à la tête, rien que pour noyer les mauvaises pensées qui essayaient de prendre forme.

— Je ne veux pas te blesser, JT, dit-elle prudemment, mais je ne crois pas que tu te rendes compte de ce qu'Amy éprouve en ce moment. Et il y a longtemps que je suis passée par là, Sam a douze ans maintenant, mais quand j'étais en train de pousser, si tu m'avais dit qu'on allait me faire monter dans un hélicoptère, je t'aurais mis un revolver sur la tempe.

— C'est aux ambulanciers de décider, non ?

— En théorie, répondit Jill. Mais si j'ai voix au chapitre, tu sais de quel côté je suis.

La gorge sèche, un goût amer dans la bouche, JT ne put soutenir le regard de Jill. Voilà une femme qui douze jours plus tôt n'avait été qu'un nom sur une liste, une mère de famille de trente-huit ans de Salt Lake City qui n'avait pas d'allergies et dont le but avoué était de faire oublier à ses fils pendant quelques jours qu'ils n'étaient pas allés en stage de basket. Pourtant, là, au-dessous de Lava, au terme de cette première descente, elle semblait douée d'une sagesse digne de Salomon. Qu'est-ce que cela révélait à son propre sujet ? Qu'avait-il appris, en cent vingt-cinq raids ? Comment franchir Crystal ? N'importe quel individu doté de bon sens aurait pu en faire autant. Comment nourrir des groupes nombreux en territoire désertique ? Il suffisait de lire un livre. Bon sang, Jill aurait pu faire tout cela, et davantage – elle aurait pu mettre ce bébé au monde, si les ambulanciers n'étaient pas arrivés.

Ce qu'il avait appris, pendant tous ses voyages, c'était à être seul. Et à cet instant, il n'y parvenait même pas très bien.

— Tu bois assez d'eau ? demanda Jill. Parce que tu n'as pas l'air très en forme.

JT rajusta la visière de sa casquette.

— Et tu souris toujours quand tu es en train de paniquer ?

JT mit les mains sur ses hanches. Comment le connaissait-elle aussi bien ? Elle soutint son regard jusqu'à ce qu'il détourne les yeux et fasse mine de contempler l'autre côté du fleuve. Il se sentait au bord des larmes, et pourtant il n'était pas homme à pleurer. Il ramassa une pierre, la lança dans l'eau et regarda le courant engloutir les rides.

— J'ai passé la moitié de ma vie sur ce fleuve, dit-il. J'ai vu des crises cardiaques, des crises d'appendicite, des morsures de serpent à sonnette, des jambes cassées avec l'os qui sortait de la peau. J'ai même été menacé par un type armé d'un couteau. Mais je n'ai jamais vu personne accoucher.

— Eh bien, je ne voulais pas te faire peur. Ce bébé a l'air décidé à arriver, mais tout va bien se passer.

— Ou pas.

— Si tu penses des choses comme ça, il vaut mieux aller faire un tour.

— Je ne bouge pas d'ici.

— Dans ce cas, calme-toi, conseilla Jill. Bois une bière si tu en as besoin. Mais tu devrais avoir honte de parler comme ça. On a un médecin et deux ambulanciers avec Amy. Les choses vont peut-être aller un peu plus vite qu'on l'aurait voulu, mais elles ne vont pas mal tourner. Et tu ne peux pas persister à penser cela. Parce que tu sais ce que ça signifie ?

— Quoi ?

— Quand on perd confiance en soi, on perd tout. C'est de toi.

— J'ai dit ça ?

— Plusieurs fois.

JT savait que c'était le cas, mais cela lui paraissait bien plus convaincant de la bouche de quelqu'un d'autre. En plaisantant, il lui demanda si elle voulait du boulot.

— C'est vachement mal payé, admit-il.

— Vous êtes de sacrés acteurs, vous, les guides.

— Je ne rigole pas. Je t'apprendrai tout, insista JT.

— C'est déjà fait.

Sa réponse les embarrassa tous les deux, et ils reportèrent leur attention sur Sam, qui se disputait avec Abo.

— Non, tu ne peux pas prendre un des rafts, disait Abo. Va jouer avec le chien.

— Justement, dit Sam.

Un seul coup d'œil à Amy suffit aux ambulanciers pour comprendre qu'ils n'iraient nulle part. Pas avant que le bébé soit né. Il n'était pas question de la sortir de la tente, de la mettre sur une civière et de prendre le risque de se trouver dans les airs quand il déciderait de faire son entrée dans le monde.

Pendant que Barb plaçait des tuyaux d'oxygène autour des oreilles d'Amy, Andy envoya un message radio à l'hôpital de Flagstaff et posa une perfusion. Peter, qui n'avait pas quitté le chevet d'Amy depuis le début, lui tint la main tandis qu'elle reprenait son souffle entre les poussées. Il ne savait que lui dire pour la réconforter. Toute l'affaire lui semblait être une véritable torture, et il essayait de ne pas penser à ce qui allait devoir se passer dans son corps pour que le bébé passe du point A au point B.

Pendant ce temps, les ambulanciers avaient ouvert leurs sacoches et en avaient sorti toute une panoplie de fournitures médicales : compresses, trousses, masques, oxygène, couvertures, et plus de pochettes plastique remplies de fluide transparent que Peter n'en imaginait nécessaires. Susan, qui soutenait la tête d'Amy, demanda à Don si, à présent qu'ils avaient installé une perfusion, ils pouvaient administrer à Amy un médicament contre la douleur.

— À vrai dire, sur ce point, je vais laisser la décision aux ambulanciers.

— Mais c'est vous le médecin, protesta Susan.

Don s'autorisa un mince sourire.

— Je suppose qu'ils ont plus d'expérience que moi en matière d'accouchements. En fait, il vaut mieux que vous preniez la direction des opérations, leur dit-il. Faites-moi seulement savoir si vous avez besoin d'un coup de main.

Andy se plaça entre les jambes d'Amy, tandis que Barbara continuait à surveiller la poche de perfusion et l'oxygène. Susan interrogea Barb du regard.

— Alors ? Elle peut avoir quelque chose ?

— Je ne voudrais pas me montrer sadique, dit Barb, mais si on lui donne un calmant, j'ai peur que ça ne ralentisse le processus.

— Mais c'est peut-être justement ce qu'on veut, répondit Susan. Dans ce cas, on pourrait la transporter à l'hôpital.

— Je ne vais pas pratiquer un accouchement à mille cinq cents mètres d'altitude, rétorqua Andy.

Amy recommença à gémir. Peter, qui se considérait désormais comme un expert dans ce domaine, annonça à tous qu'une nouvelle contraction arrivait.

— Bon, Amy, fit Andy. Fais un gros effort pour celle-là. Je veux voir la tête du bébé.

Amy grogna, tandis que Susan glissait les mains sous ses épaules et les calait sous ses coudes, lui offrant un support pendant qu'elle poussait. Peter et Don firent chacun de même avec ses jambes, passant les bras autour de ses cuisses et les tirant contre leur torse. C'était une position gauche, animale, et pourtant Peter se rendit compte qu'il n'était pas gêné le moins du monde. Quand la contraction se déclencha, Amy beugla pendant dix, quinze, vingt secondes.

— Je vois la tête, annonça Andy.

— Vous voyez la tête ? cria Susan. Amy, tu entends ? Il voit la tête.

— Beaucoup de cheveux, murmura Andy.

— Des cheveux ! s'émerveilla Susan.

Amy prit une profonde inspiration puis émit un nouveau son affreux, mi-geignement, mi-grognement.

— Pousse ! crièrent-ils tous. Pousse, Amy, pousse. Continue à pousser !

— OK, on arrête, maintenant, dit Andy. Vous voulez jeter un œil, mamie ?

Écrasant les larmes qui roulaient sur ses joues, Susan se hâta d'aller le rejoindre.

— Oh ! souffla-t-elle. Oh ! Amy ! La voilà. Ou le voilà. Oh ! mon chou, tu vas avoir un bébé !

— Je sais, maman ! cria Amy. Reviens ici et tiens-moi les bras !

Susan se dépêcha de reprendre sa place derrière sa fille mais se pencha pour lui chuchoter à l'oreille :

— Le bébé est magnifique, ma chérie.

— Je m'en fiche qu'il soit magnifique ! cria Amy. Sortez-le de là !

— Vous voulez regarder ? demanda Andy à Peter.

— Non, merci.

— Bon, alors, Amy, reprit Andy, à la prochaine poussée, je veux que la tête sorte. Mais pas trop vite. Il ne faut pas que tu te déchires.

— Ciseaux ? s'enquit Barb.

— Pas encore.

— Tu devrais regarder, Peter, conseilla Susan.

— Oh ! gémit Amy. J'ai l'impression qu'il est à moitié dedans et à moitié dehors !

— Pas encore, rétorqua Andy calmement. Mais on s'en approche.

— Juste un petit coup d'œil, dit Susan à Peter.

— Maman ! Tais-toi ! hurla Amy.

Elle se mit à haleter, et Susan, Peter et Don reprirent leurs positions antérieures. Amy prit une profonde inspiration, et pour Peter ce fut comme si elle essayait de les attirer tous contre son cœur. Elle se recroquevilla, grogna, et soudain Andy s'écria :

— La tête est sortie ! Maintenant, attends ! Ne pousse plus. Succion !

Aussitôt, Barb lui tendit une petite ampoule bleue. Peter ne put voir ce qu'Andy faisait avec, et d'ailleurs il n'en avait pas vraiment envie.

— Je ne peux pas le retenir ! cria Amy.

— Il le faut ! Souffle, c'est tout ! riposta Andy.

Peter, qui se sentait soudain membre d'une équipe comme jamais dans sa vie, relaya cet ordre à Amy et fut stupéfait quand elle obéit. Ses yeux étaient écarquillés par la terreur, à présent, et elle semblait dépendre entièrement de ses instructions.

— Souffle ! lui répétait-il.

La contraction terminée, Amy se mit à pleurer, et Peter songea que c'était affreux, affreux, d'avoir un bébé à moitié dedans, à moitié dehors !

— Tout va bien, affirma-t-il. Je crois que c'est presque fini.

— Un dernier effort, Amy, encouragea Andy.

— Oh ! sanglota-t-elle. Je ne peux pas, je ne peux pas, je ne peux pas...

Pourtant, elle prit l'inspiration la plus longue, la plus profonde de toutes, et poussa si fort que Peter n'osa regarder son visage, de peur que quelque chose n'éclate, et puis soudain, comme ça, un truc jaillit d'entre ses jambes, un phoque gris-bleu, avec une petite queue en tire-bouchon caoutchouteuse, si vite qu'Andy faillit le rater. Mais il l'attrapa bel et bien, et l'instant d'après, Andy berçait la créature cireuse et molle dans ses mains. C'était un garçon. Il était immobile, sans vie, étrange et silencieux, et ce qui surgit d'abord dans l'esprit de Peter n'eut rien à voir avec le miracle de la naissance mais la question de savoir qui dans le groupe allait avoir le courage de dire à Amy que son bébé était mort.

Andy retourna le nouveau-né sur le ventre et se mit à lui frotter le dos avec vigueur.

— Il ne pleure pas, dit Amy.

Andy marmonna quelque chose.

— Qu'est-ce qui se passe ? reprit l'adolescente, regardant tour à tour Susan et Peter. Quelqu'un va me dire ce qui se passe ?

Peter savait que la chose à faire à cet instant serait d'expliquer à Amy ce qu'il voyait, puisqu'elle était allongée sur le dos et que son ventre était tout aussi gros qu'avant que le bébé en sorte. Mais il ne voyait qu'Andy, lequel frottait si fort le dos du bébé qu'il semblait lui laisser des marques.

— Pourquoi il ne pleure pas ? chuchota Peter à Don.

— Tu crois que je ne t'entends pas ? hurla Amy. Pourquoi le bébé ne pleure pas ?

À cet instant précis s'éleva un faible son tremblant, une fragile petite plainte qui sembla passer d'oreille en oreille parmi les membres du groupe. Puis il surgit de nouveau, plus fort cette fois, et ce fut une explosion de cris de joie comme Peter n'en avait jamais entendu auparavant. La chair du bébé vira au rose, et avec un grand sourire Andy tendit les bras et le posa sur le ventre d'Amy.

Elle parut stupéfaite.

— Je peux le toucher ? demanda-t-elle.

Andy se mit à rire.

— Bien sûr.

Amy changea de position, et Peter eut le bon sens de l'aider à s'asseoir à demi pour qu'elle puisse tenir l'enfant. Il avait pour l'essentiel réussi à ne pas regarder les seins d'Amy durant toute cette épreuve, mais il ne pouvait s'empêcher de les fixer, maintenant, alors qu'Amy berçait le bébé. Jamais il n'avait vu des seins aussi énormes. Jamais non plus il ne s'était senti aussi libre de regarder.

Susan se pencha jusqu'à ce que sa joue effleure celle d'Amy.

— Un garçon, mon chou. Un petit garçon.

Encore sous le choc, Amy chatouilla la main du bébé de son petit doigt, et le nouveau-né le saisit. Peter s'assit sur ses talons. Nerveux, ému, épuisé et ravi, il avait aussi, sans savoir au juste pourquoi, l'impression d'avoir joué un grand rôle dans la naissance.

Entre-temps, Andy avait placé une pince en plastique bleu sur le cordon ombilical. Il avait dû supposer que Peter était le père, car il lui tendit une petite paire de ciseaux.

— Le cordon ?

C'était un honneur auquel le jeune homme ne pensait pas vraiment avoir droit. Il donna les ciseaux à Susan, qui n'essayait même plus d'essuyer ses joues. Elle renifla bruyamment, prit les ciseaux, les tint contre le tube caoutchouteux, marqua une brève pause et pinça. La longue queue tomba et Barb tamponna le moignon gris et enflammé à l'aide d'une lingette.

Dehors, tout le monde avait entendu les cris et s'était rassemblé autour de la tente.

— Lloyd ? fit Don. À vous l'honneur.

D'un geste solennel, Lloyd mit sa montre dans sa poche et sortit. Il s'éclaircit la gorge, et scruta les visages d'un air troublé.

— Ruthie ?

Ruth s'avança d'un pas.

— Je suis là, Lloyd.

La foule attendait. Lloyd avait la respiration un peu sifflante. Il s'abrita les yeux, regardant les gens à tour de rôle.

— Lloyd ? murmura Ruth en effleurant son bras.

— Je suis perdu, avoua-t-il. Qui sont tous ces gens ?

— Le bébé est né ? demanda-t-elle doucement.

— Oui.

— Il est en bonne santé ?

— Oh, oui.

— C'est un garçon ou une fille ?

Il y eut un long silence, tout le monde attendant sa réponse.

— Un garçon, dit-il enfin.

— Oh ! c'est merveilleux ! s'écria Ruth avec un large sourire.

L'annonce semblait avoir eu raison des dernières forces de Lloyd. Il traversa en boitant un coin de sable pour aller s'asseoir sur un rocher tout proche, sortit un mouchoir et s'épongea le front. Il tapota ses poches, et quand Ruth lui tendit la gourde, il but longuement, puis s'essuya la bouche en poussant de petits soupirs, comme s'il faisait un mauvais rêve.

— Lloyd, ça va ?

Il était devenu tout pâle. Il se tamponna le torse de son mouchoir, et Ruth vit qu'il transpirait abondamment. L'inquiétude la saisit.

— Lloyd ? Tu me vois ?

Il regarda autour de lui.

— Tu m'entends, Lloyd ?

Il tapota de nouveau ses poches et fronça les sourcils.

— Où sommes-nous ? demanda-t-il en levant les yeux. Comment sommes-nous arrivés ici ? Je suis tellement perdu, Ruthie. Je ne comprends rien à tout ça.

— Allons, allons, dit Ruth. Je suis là.

— Ne me laisse pas tout seul comme ça. Je ne connais personne ici !

— Là, dit-elle en lui caressant la tempe. Là.

Tout près, Peter les observait. Cela le peinait profondément de voir Lloyd dans cet état, mais en même temps, il songea qu'ils avaient de la chance d'être tous les deux. De faire ce raid. D'affronter ensemble les vicissitudes de la vieillesse. Il tenta de s'imaginer à leur place, et se rendit compte que ce n'était pas aussi difficile qu'il aurait pu s'y attendre deux semaines plus tôt, même si ce n'était pas Miss Ohio qui lui prenait la main et l'emmenait s'asseoir à l'écart pour se remettre de ses émotions.

47

Jour 11
Au-dessous de Lava

Ils n'avaient pas de couches, évidemment, mais les serviettes bleues high-tech que tout le monde avait apportées étaient juste de la bonne taille. Du ruban adhésif maintenait le tout en place, empêchant le bébé de faire pipi partout pendant que les ambulanciers préparaient le transport d'Amy.

Il y eut un moment de confusion, lorsque Susan insista pour l'accompagner. L'hélicoptère était trop petit pour la mère, la fille, le bébé et les deux ambulanciers. Cependant, Barb offrit de rester sur place et d'attendre que le pilote revienne la chercher.

Tout le monde se rassembla autour de la civière pour les adieux. Jill se pencha et déposa un baiser sur le front d'Amy. Dixie drapa son sarong bleu autour d'elle, et Peter la borda avec soin. Evelyn arborait un grand sourire, cherchant des mots qui ne vinrent pas. JT, légèrement en retrait, leva les pouces en guise de félicitations.

On hissa la civière à bord de l'appareil ; Susan suivit, et quand elle fut installée, Andy lui tendit le bébé.

Il était léger comme une plume, avec une bouche en cœur minuscule entre ses joues rondes et joufflues, et Susan fixa son curieux petit visage fâché. Elle avait une foule de questions pour Amy : qui, quand, comment et où, pour commencer ; et alors qu'elle regardait les traits du nouveau-né, elle cherchait machinalement une ressemblance avec les camarades de lycée d'Amy. Elle se réprimanda intérieurement, car cela n'avait pas d'importance, et d'ailleurs, c'était absurde, car quel bébé ressemblait vraiment à son père une heure après sa naissance ? À ses yeux, ils avaient tous l'air de petits vieux.

Mais comment ne pas continuer à s'interroger ?

Que se passerait-il à présent ? Amy voudrait-elle garder le bébé ou le faire adopter ? Si elle le gardait, comment réussirait-elle à faire sa dernière année de lycée, avec l'université qui se profilait à l'horizon ? Comment pourrait-elle se débrouiller à l'université, d'ailleurs ? Susan pensa avec un pincement de culpabilité à certains des projets qu'elle avait eus pour elle-même, une fois Amy partie ; s'entraîner pour un marathon, par exemple, ou suivre des cours d'espagnol. Si Amy gardait le bébé… eh bien, Susan se voyait faire beaucoup de baby-sitting pour boucher les trous.

Enfin, il y avait toutes ces questions auxquelles il était impossible de répondre. L'amour avait-il joué un rôle là-dedans ou s'était-il agi d'une aventure sans lendemain ? Susan avait-elle échoué à inculquer à Amy certaines réalités biologiques fondamentales ? Et comment avait-elle pu être aveugle à ce point ? Comment avait-elle raté tous les signaux d'alarme ? Quelle idiote !

Le moteur rugit, noyant toute tentative de conversation. Andy monta et prit place sur son siège. Avec un léger sursaut, l'hélicoptère s'éleva droit vers le ciel. Amy voulut regarder en bas, mais fit aussitôt la grimace et se laissa aller en arrière de nouveau tandis que l'appareil sortait du Canyon et prenait la direction de l'est. Le bébé blotti contre sa poitrine, Susan baissa les yeux. La vue était déjà magnifique, un panorama d'embranchements violets, roses et verts, d'où émergeait ici et là un minuscule ruban argenté. C'était exactement à ça que le Grand Canyon était censé ressembler, et pas du tout à ce qu'il était vraiment, tout au fond, sur le fleuve.

— Vous voyez Lava ? cria le pilote par-dessus son épaule, pointant le doigt vers une tache blanche.

Amy parvint à se hisser sur ses coudes pour contempler le paysage. Instinctivement, Susan eut un geste du bras pour protéger sa fille. Il fut brusque et surperflu, et d'ailleurs il n'aurait pas servi à grand-chose, mais il lui rappela le moment où sa propre mère, des années plus tôt, avait jeté son bras en travers du siège passager tout en écrasant la pédale de frein afin d'empêcher Susan d'être projetée contre le pare-brise.

À ce moment précis, le visage du nouveau-né se décomposa et il se mit à hurler. Susan le berça un peu. Amy observait la scène, le regard calme et dépourvu d'expression. Le bébé continua à pleurer.

Puis Amy tendit la main et lui caressa la joue, presque autant par curiosité qu'autre chose. Il fronça les sourcils dans sa direction et, sans guère y penser, elle glissa le bout de son petit doigt dans sa bouche et il se tut. Alors, Susan aperçut sur le visage d'Amy quelque chose qu'elle avait oublié : la prise de conscience soudaine, merveilleuse, du pouvoir magique de l'instinct maternel.

Enhardie, Susan se pencha en avant et replaça une mèche de cheveux derrière l'oreille d'Amy. Et, tout aussi hardiment, sa fille la regarda droit dans les yeux.

Au-dessous d'elles, sur la plage, tout le monde resta comme hébété tandis que l'hélicoptère s'envolait. Certains, telle Jill, se sentirent submergés par une bouffée d'émotion venue à retardement, pareille à un roulement de tonnerre. D'autres se racontèrent mutuellement les petits rôles qu'ils avaient tenus lors de l'accouchement – Dixie donnant son sarong bleu à Amy, par exemple, quand elle s'était mise à frissonner, ou Evelyn notant l'heure de chacune des contractions dans son carnet.

Seuls les deux garçons semblaient impatients de mettre l'événement derrière eux. Ils étaient contents de voir partir la grosse fille, parce que ça signifiait qu'ils pouvaient enfin recommencer à descendre le fleuve, et retrouver le chien.

48

Jour 11
Après Lava

Le soir d'après Lava était généralement un moment de fête. Les guides étaient contents d'être passés sains et saufs, les passagers avaient l'impression d'avoir réussi leur initiation et de faire partie d'un nouveau club, et tout le monde éprouvait le besoin intense de raconter encore et encore cette expérience – le V, les tourbillons, l'écopage, les éclaboussements, les cris, les glissades entrecoupées de secousses. Souvent, c'était l'occasion de se déguiser ; Abo avait apporté un sac plein de costumes, y compris une jupe en paille et un casque de Viking à cornes, et Dixie une collection de vernis à ongles qu'elle avait eu l'intention de sortir pour un concours des plus beaux orteils. Oh ! les choses pouvaient devenir gaies après Lava, avec des chansons, des sketches et la remise de diplômes débiles ! Les gens allaient se coucher en titubant, avec l'impression d'être vraiment devenus des vétérans du fleuve.

Pourtant, ce soir-là, la fête n'eut pas lieu. JT avait décidé de camper au-dessous de Lava, puisqu'ils avaient déjà déchargé la moitié de leur matériel. Le seau de margaritas fut accueilli avec plaisir (Mark refusa le sien mais en remplit une tasse pour Jill), cependant, pour l'essentiel, ils étaient simplement trop retournés par les événements de l'après-midi pour faire la fête. Par moments, certains se demandaient s'ils n'avaient pas imaginé cet accouchement ; et puis ils regardaient autour d'eux, et l'absence d'Amy et de Susan effaçait leurs doutes. Jill et Peter, qui avaient largement participé à l'événement, étaient d'accord pour admettre qu'ils se sentaient un peu floués. Après s'être personnellement tellement impliqués, ils se retrouvaient les mains vides.

— J'aurais juste voulu le tenir un peu plus longtemps, soupira Jill avec nostalgie. Il était si petit.

— J'ai cru qu'il était mort, avoua Peter. Tous les bébés sont gris comme ça ?

Et puis, bien sûr, il y avait la question du chien. Sam et Matthew refusaient d'abandonner l'espoir de le voir débouler en trottinant sur les rochers, remuant la queue, haletant, dans une scène tout droit sortie d'un film de Hollywood. Ils étaient certains qu'il avait échappé à la noyade, et nul ne tenait vraiment à les persuader du contraire.

— Mais ils ne devraient pas se faire trop d'illusions, confia JT à Mark. Je crois qu'il aurait réapparu, à l'heure qu'il est, s'il avait atteint la rive dans ce coin. Je suppose – enfin, j'espère – qu'il a été entraîné plus bas. Son gilet de sauvetage était bien serré. Avec un peu de chance, nous le retrouverons demain.

Le fait qu'il n'avait pas vu le chien passer par-dessus bord troublait grandement JT. En tant que guide chevronné, il s'enorgueillissait de savoir où se trouvait chacun des membres de son groupe à tout moment – surtout lorsqu'ils étaient sur l'eau. Mais il avait été tellement focalisé sur la chute d'Amy puis sur la nécessité de franchir Lava sans encombre qu'il n'avait remarqué la disparition du chien qu'après avoir accosté.

— Quelles sont les probabilités ? demanda Jill. Sois honnête.

— Je ne sais pas, admit-il.

Jill acquiesça gravement, digérant sa réponse.

— Je veux juste être préparée, dit-elle. Savoir ce qui peut nous attendre demain s'il ne reparaît pas. Les garçons n'ont jamais eu à affronter la mort jusqu'ici et je veux pouvoir dire les mots qu'il faut.

Mark l'attira contre lui.

— Hé ! On va rester positifs, tu te souviens ?

Tout le monde se sentait déboussolé. Mitchell et Lena se querellèrent en public, s'accusant l'un l'autre d'avoir perdu le shampooing bio, et Ruth et Lloyd se réfugièrent sous leur tente pour faire une sieste qui dura si longtemps que JT finit par aller agiter le rabat. Oh ! non ! songea-t-il, n'osant achever sa pensée. Par chance, Ruth émergea et avoua d'une voix ensommeillée qu'ils avaient un peu abusé des margaritas. JT, qui ne s'inquiétait normalement guère de la consommation d'alcool de ses clients, eut envie de les gronder comme s'il s'était agi de Sam et de Matthew. Vous prenez des médicaments ! Vous êtes frêles, fragiles ! Où aviez-vous la tête ?

Pour le dîner, il y eut un plat thaïlandais, et Abo se permit quelques libertés avec la recette, ajoutant une grosse cuillerée de beurre de cacahuètes aux haricots verts, si bien que Lena eut la gorge irritée. JT était furieux contre Abo, pas seulement à cause de son inattention, mais parce que maintenant ils devaient décider si oui ou non il fallait donner l'Epipen à Lena en pleine crise de toux. Le Benadryl ne semblait pas faire effet, et Mitchell allait exploser d'une seconde à l'autre.

Puis il arriva, la lumière de sa lampe frontale sautillant dans le noir.

— Je lui ai donné l'Epipen. Elle a vomi et elle respire mieux. Elle dit que sa gorge ne lui fait plus mal. Je vais la veiller cette nuit, ajouta-t-il, s'adressant à JT. Ça ira.

— Je suis vraiment désolé pour ce qui s'est passé, intervint Abo.

Mitchell haussa les épaules.

— On commet tous des erreurs. J'en ai fait ma part, c'est sûr.

JT fut si surpris par sa remarque qu'il fut incapable de trouver une réponse reconnaissante.

— Faut que je dise, reprit Mitchell, que vous m'avez tous beaucoup impressionné, avec Amy et tout ça cet après-midi.

— On a appelé de l'aide, rien de plus, répondit JT. Les ambulanciers ont fait tout le reste.

— Mais dans le fond c'est Amy l'héroïne, n'est-ce pas ? Je tire mon chapeau à cette gamine. Elle s'est vraiment montrée à la hauteur des événements. Non qu'elle ait eu le choix. Mais quel courage ! Dix-sept ans. J'espère seulement que ça ne l'empêchera pas d'aller à l'université.

— Tu vas mettre ça dans ton bouquin, Mitchell ? s'enquit Dixie.

— Non. Personne n'y croirait. Bon. Je vais veiller Lena. Mais je crois vraiment que ça ira.

JT suivit des yeux Mitchell qui s'éloignait dans l'obscurité. Il songea à part lui que, s'ils avaient décerné des diplômes ce soir-là, Mitchell aurait certainement obtenu celui de la personne le plus changée. Parce que entre refuser d'obéir aux instructions, insister pour ficher la frousse à tout le monde et menacer les guides d'un procès quand les choses n'allaient pas à son idée – entre ça et alléger le lourd fardeau qui pesait sur les épaules du chef du raid à la fin d'une journée vraiment difficile, il y avait un monde, ici, au fond du canyon.

Ils firent rapidement la vaisselle et rangèrent les provisions. JT retourna sur son raft et y étendit son sac de couchage. Il ne voulait pas s'autoriser à penser que le chien n'était pas là, à ses pieds, mais ne put s'en empêcher. Les garçons avaient-ils trop d'espoirs ? Lui aussi ? Car il devait admettre qu'une partie de lui s'attendait à trouver le chien le lendemain, sain et sauf. Il savait que c'était une pensée idiote, il se détestait d'y accorder la moindre attention, mais elle était là quand même.

Il défit ses sandales, plongea son gant dans l'eau et se lava les pieds, puis appliqua un peu de pommade entre ses orteils. Il pouvait au moins s'estimer heureux de ne pas avoir souffert de mycose pendant ce raid. De ne pas avoir eu à gérer une épidémie de grippe intestinale dans le camp. Et d'avoir passé dix jours agréables avec un chien venu de nulle part.

Il avait beaucoup de raisons de s'estimer heureux, mais aucune ne l'aida à s'endormir ce soir-là.

Le lendemain, JT prit Mitchell et les garçons dans son raft, pour qu'ils puissent tous scruter les berges à la recherche du chien – essayer d'apercevoir un éclair vert, peut-être, ou un bandana rouge dans les buissons.

Sam et Matthew étaient à l'avant, perchés sur les boudins, les jambes pendant par-dessus bord. L'eau était calme et ils n'avaient pas besoin de se tenir. Ils ne portaient pas leurs chapeaux et, de l'arrière, on aurait dit des jumeaux, avec leurs bras maigres sortant de leurs gilets, leurs caleçons de bain bouffant au-dessous.

Il y eut plusieurs fausses alertes qui emplirent les garçons d'espoir avant de se conclure par une déception.

— On va le retrouver, dit Mitchell après la troisième. Je suis sûr qu'on va le retrouver.

Sam fit volte-face pour le regarder.

— Qu'est-ce que vous en savez ? Pourquoi je devrais vous croire ? C'est vous qui l'avez lâché.

— Sam, avertit JT.

— Vous ne l'avez jamais aimé, depuis le début ! Vous vouliez le laisser sur la plage où on l'a trouvé ! Je vous ai entendu le dire ! Vous avez essayé de vous débarrasser de lui pendant tout le voyage !

— Allons, Sam.

— Sam a raison, intervint Matthew.

Le ton de sa voix rappelait qu'ils étaient frères ; que même s'ils se chamaillaient depuis le jour de la naissance de Sam, ils étaient, au fond, d'accord sur les choses qui comptaient vraiment. Et, s'agissant du chien et de la possibilité qu'un adulte soit responsable de sa mort, ils allaient se serrer les coudes.

— La descente de Lava a été rude, leur rappela JT. On ne peut pas reprocher à Mitchell d'avoir perdu le chien.

— Les garçons ont raison, avoua Mitchell. C'est moi qui l'ai perdu. Il était sous ma responsabilité, et je l'ai lâché. Mais je ne l'ai pas fait exprès. Je ne l'ai vraiment pas fait exprès.

Les garçons se retournèrent vers l'aval sans répondre.

— C'est vrai, insista Mitchell.

— Je sais, Mitchell.

— Mais je veux qu'ils me croient.

— Ils finiront par le faire, assura JT. Mais peut-être pas tout de suite.

Il y eut quelques instants de silence pendant que Mitchell changeait de position à l'arrière du raft. Quand JT jeta un coup d'œil en arrière, Mitchell ruminait sur son carnet fermé.

— Comment as-tu fait pour être aussi patient, JT ? demanda-t-il. Tu es né comme ça ?

— Cent vingt-cinq descentes, je suppose.

— Comment es-tu devenu guide, au fait ?

— Ça t'intéresse ?

— Seulement quand je me sens aventureux. Je regrette de ne pas avoir fait ce voyage plus jeune, tu comprends ? Avant que mon corps commence à tomber en ruine.

— Il n'est jamais trop tard pour commencer.

— Et toi ? Tu vas continuer jusqu'à la fin de tes jours ?

JT sourit.

— Je songeais à faire médecine. Obstétrique.

Tous deux restèrent silencieux, se souvenant des événements étranges de la veille.

— Je lui tire mon chapeau, dit Mitchell. Elle s'en est sortie avec les honneurs.

JT ne tenait pas à entrer dans une évaluation entre hommes de l'accouchement d'Amy. Il jeta un coup d'œil au carnet de Mitchell.

— Quel titre est-ce que tu vas donner à ce bouquin, à propos ?

— Aucune idée, dit Mitchell.

Pendant la demi-heure qui suivit, ils dérivèrent. Les garçons maintinrent un discours optimiste, se persuadant l'un l'autre que le chien était sain et sauf. Il portait son gilet de sauvetage ; il savait nager ; il savait se débrouiller dans le désert. Il se montrerait au campement ce soir-là ; CQFD.

JT ne voulait rien dire, mais ses espoirs s'amenuisaient à mesure que la matinée avançait. Même avec son gilet, le chien avait sans doute immédiatement été aspiré dans le rappel, et il avait passé un certain temps sous l'eau. Il ne fallait pas longtemps à un animal de cette taille pour se noyer dans Lava.

Il considérait comme son devoir de commencer à préparer les garçons, mais ils étaient occupés à échafauder des théories compliquées sur les capacités du chien à suivre une piste. Ils prenaient en compte les vents soufflant vers l'amont, vers l'aval, son besoin d'ombre et de repos ; Matthew, qui était bon en maths, calcula que, d'après la vitesse du courant et l'endroit où ils établiraient leur camp, le chien devrait arriver entre cinq et six heures du soir.

— Les chiens sont tellement intelligents, observa Sam.

— Tu penses qu'on devrait lui garder le même nom ?

— On peut sans doute trouver mieux, si tu veux.

— Je crois que j'aime bien Mixeur.

— Moi aussi.

Matthew donna un coup de pied dans l'eau.

— Mais maman ne lui permettra jamais de coucher dans notre chambre.

— Non.

— Il faudra qu'on le fasse entrer en douce.

— Papa nous aidera, je parie, fit Sam.

— Quand il ne sera pas au Japon.

— Il a dit à maman qu'il allait passer moins de temps au Japon.

— Ce serait cool, commenta Matthew.

49

Jour 11, la nuit
Flagstaff

Dans une petite chambre faiblement éclairée au premier étage de l'hôpital de Flagstaff, Amy était assise dans son lit, adossée à des oreillers, et s'efforçait de lire le dépliant sur l'allaitement. À côté d'elle, le bébé reposait dans son berceau en plexiglas, étroitement enveloppé d'une couverture en lainage. Il dormait depuis une demi-heure. L'infirmière avait conseillé à Amy d'essayer de dormir en même temps que lui, mais elle ne se sentait pas fatiguée. Sa mère était sortie leur chercher quelque chose à manger, si bien qu'Amy était seule.

Assurez-vous que le bébé a une bonne prise du sein afin de ne pas irriter les mamelons. Voir illustration.

Amy étudia le croquis de bon goût représentant la jolie maman au sein rose et rond et le bébé Cadum qui tétait avec enthousiasme, tandis qu'ils se regardaient avec adoration. Amy baissa les yeux. Ses nénés étaient énormes, blancs, veineux et plissés. Et ses mamelons étaient EFFRAYANTS, ils s'étaient transformés en grosses soucoupes marron boutonneuses, avec un bouton en caoutchouc au milieu. Si elle avait été un bébé, un seul coup d'œil dessus aurait suffi pour avoir envie de fuir.

Elle avait tenté de le faire téter, un peu plus tôt ; il avait agité maladroitement la tête, et embrassé et sucé, mais elle ne savait pas si ça comptait comme une bonne prise. C'était quoi, d'ailleurs ? Un spécialiste en allaitement était censé venir la voir le lendemain matin. Ils lui avaient dit de le faire téter, même si elle n'était pas sûre de le garder. Amy aurait voulu que l'infirmière de nuit vienne lui dire si elle faisait comme il fallait, mais celle-ci avait trois autres mères dont elle devait s'occuper.

Chatouillez la joue de votre bébé pour stimuler son réflexe de tétée.

Elle se redressa et regarda dans le berceau. Son bébé avait la tête allongée et pointue – à franchement parler, plutôt laide. Près de sa tête se trouvait un carton bleu sur lequel figuraient le nom d'Amy et celui de son médecin ; pour le nouveau-né, on s'était contenté de noter « Bébé Van Doren ».

Elle jugea sage de ne pas songer à des prénoms.

Buvez un verre entier d'eau ou de jus de fruits chaque fois que vous donnez la tétée.

On lui avait donné une grande tasse isotherme portant le logo de l'hôpital, et elle était remplie régulièrement. Sur le fleuve, l'eau potable avait toujours été tiède. Amy avait oublié combien l'eau glacée était délicieuse, et elle buvait, buvait, buvait. Elle avait eu tellement soif dans l'hélicoptère ! Durant le vol, elle avait essayé de regarder le paysage, mais elle était coincée sur le dos, et elle n'avait vu que le ciel bleu et quelques nuages vaporeux. C'était la première fois qu'elle montait dans un hélicoptère et elle avait été déçue de ne pas être en état d'apprécier le voyage. Lorsqu'ils avaient atterri à l'hôpital, elle avait eu l'impression de se trouver dans une émission de télé, avec tous ces gens qui couraient à leur rencontre. Avant qu'elle ait eu le temps de dire quoi que ce soit, ils avaient emporté le bébé et elle avait paniqué à la pensée qu'elle n'avait pas laissé sur lui la moindre marque distinctive pour empêcher le genre d'échanges accidentels dont on parlait dans les magazines. Et s'ils se trompaient de bébé ? Saurait-elle faire la différence ? L'avait-elle regardé assez longtemps pour savoir s'il y avait eu une substitution ?

Les aliments épicés tels que l'ail, les oignons, les piments peuvent affecter le goût de votre lait. Si votre bébé semble rechigner, envisagez de les éliminer de votre régime.

Elle avait espéré que sa mère rapporterait des enchiladas ; à présent, elle se demandait si c'était une bonne idée. D'un autre côté, autant faire le test et voir si ça gênait le bébé. Peut-être qu'il aimerait le lait aux enchiladas.

Des pas se firent bientôt entendre dans le couloir, et Susan apparut avec un sac Subway. Elle était encore vêtue de sa tenue de descente, mais avait retiré son chapeau ; ses cheveux étaient emmêlés et plus sombres que d'habitude, bordés à la racine par une bande de chair blanche.

— De la dinde, dit-elle à Amy en lui tendant le sac. Il faut faire attention au début.

Affamée, Amy déballa le sandwich et mordit dedans. Il avait un goût de réfrigéré, mais il était bon quand même. Des morceaux de laitue tombèrent sur sa poitrine, qu'elle ramassa et mangea.

— Où est l'infirmière ? s'enquit Susan en approchant une chaise.

— Occupée, répondit Amy entre deux bouchées.

— Le bébé dort depuis combien de temps ?

— Une demi-heure.

— Tu t'es reposée ?

— Non, mais j'ai lu un truc sur la quantité de liquide que je dois boire. Tu m'as pris un Coca ?

Susan lui tendit un grand gobelet avec une paille. Amy but une longue gorgée, puis jeta un coup d'œil à sa mère.

— Tu ne t'es rien acheté ?

— J'ai pris un sandwich. Je l'ai déjà mangé.

Susan replaça les couvertures sur le lit. Amy regarda ses doigts minces et se souvint de leur caresse, plus tôt, dans l'hélicoptère. Elle n'aurait jamais dit cela tout haut ; elle aurait voulu que sa mère non seulement écarte les mèches tombées sur son front mais lui passe la main dans les cheveux, en commençant par les tempes – encore et encore, comme elle le faisait autrefois, lorsque Amy était malade.

— Comment te sens-tu ?

— Ça va.

— Tu as mal ?

— Un peu.

— Ils te laisseront peut-être prendre un bain de siège.

Amy revit la cuvette en plastique qu'elle trouvait parfois fixée au rebord du siège des toilettes dans la salle de bains de sa mère. L'objet l'avait toujours intriguée, mais soudain elle en appréciait l'utilité.

— Tu sais, je me demande..., commença sa mère, et Amy songea : ça y est, c'est parti.

Qui est le père ?

Comment est-ce arrivé ?

Tu n'as pas remarqué que tu n'avais plus tes règles ?

Qu'est-ce que tu vas faire de lui ?

Au lieu de quoi Susan continua :

— Je me demande s'ils ont un bain à remous. Il y en avait un, dans l'hôpital où j'ai accouché de toi. Je crois que je vais aller voir. Je reviens tout de suite.

Non, reste, aurait voulu dire Amy, mais sa mère était déjà sortie.

Le bébé s'agita. Amy le vit arquer le dos et faire la grimace. Pourquoi donc les enveloppait-on si serré ? Elle se pencha par-dessus le berceau, glissa les mains sous le paquet minuscule et le souleva avec précaution. Il ne pesait rien du tout ! Elle ouvrit sa chemise d'hôpital, l'approcha de sa poitrine et lui chatouilla la joue, exactement comme le disait le livre. Il tordit sa bouche sur le côté à la manière d'un gangster miniature. Elle enfonça l'énorme mamelon entre ses lèvres, mais il fit de petits bruits de respiration bizarres. Elle eut peur de l'étouffer, alors elle le remit debout, et il recommença à pleurer, et elle l'imita. Elle avait les seins tout irrités, et elle aurait voulu que sa mère reste, et elle aurait voulu se retrouver la veille, avant Lava, quand elle n'était pas mère, pas enceinte, qu'il n'y avait pas de bébé, qu'il s'agissait juste d'un problème d'estomac, pénible mais temporaire.

Elle entendit un bruit de kleenex et ouvrit les yeux. Susan était debout à son chevet, offrant à Amy le spectacle le plus désolant qu'elle ait jamais vu de sa vie : celui de sa mère qui pleurait. Amy sanglota de plus belle.

Susan prit le bébé pendant qu'Amy se mouchait, mais elle ne le tint pas longtemps ; dès qu'Amy fut prête, elle le lui rendit. Puis, avec son propre doigt, Susan ouvrit doucement les lèvres du bébé et, en même temps, elle guida sa tête vers le sein d'Amy, l'aidant à mettre le mamelon dans sa bouche minuscule. Il la referma et Amy sentit quelque chose tirer à l'intérieur alors que le bébé commençait à téter.

— C'est ça qu'ils veulent dire par « la prise du sein », dit Susan gentiment.

Pendant que le bébé tétait, elle saisit un kleenex et tamponna les yeux d'Amy, qui se remit aussitôt à pleurer. Elle caressa le crâne duveteux du bébé, se sentant plus nue que lorsqu'elle lui avait donné naissance.

— Pourquoi faut-il que je le fasse téter même si je ne compte pas le garder ?

— Parce que c'est bon pour lui, répondit Susan.

— Si c'est bon pour lui, alors je devrai continuer à le faire, ce qui veut dire que je ne devrai pas le faire adopter. Et si je l'allaite, je ne pourrai pas le faire adopter. Je voudrai encore davantage le garder.

— Chut.

Susan tendit un nouveau mouchoir à Amy, puis lui dit de se pencher un peu. Elle se plaça derrière elle et, sortant un peigne d'un emballage en plastique, entreprit de lui démêler doucement les cheveux.

— Toutes ces choses vont se résoudre d'elles-mêmes. Tu n'es pas obligée de décider tout de suite.

— Je ne sais pas qui est le père, murmura Amy.

— Ce n'est pas grave.

— Si, maman, c'est grave, protesta Amy.

Susan posa le peigne.

— Tu veux m'en parler ?

— Non. Parce que ça veut dire que je me rappellerai des choses que je préfère oublier.

Mais les souvenirs revenaient déjà, qu'elle le veuille ou non.

— Je ne vais pas faire une crise de nerfs, affirma Susan. Je te le promets.

— Si.

Et cela fit soudain mal à Amy de penser combien sa mère allait souffrir en entendant le récit de ce qui s'était passé.

— Amy, murmura Susan. Je viens de t'aider à accoucher. J'imagine déjà le pire. Autant me le raconter.

— Te raconter comment je me suis soûlée ? Tu sais, je n'ai sans doute pas tous les détails, à cause de ça.

— Crois-moi, mon chou, je ne veux sans doute pas entendre tous les détails.

Reconnaissante que sa mère soit derrière elle, Amy changea le bébé de position. Il s'était rendormi et transpirait contre son sein.

— Tu te rappelles Halloween ?

— Oui, dit Susan prudemment. Oui.

Sa voix était méfiante et Amy regretta d'avoir commencé, mais savait qu'elle ne pouvait pas s'arrêter maintenant.

— Je ne comptais pas sortir ce soir-là, j'allais rester à la maison et distribuer des bonbons. Et puis tu t'es déguisée en Fifi Brindacier.

Susan cessa de la peigner.

— J'aimais bien ce déguisement !

— Ouais. Bon, sauf que tu insistais pour que je me déguise aussi. Tu te souviens ? Tu avais une perruque d'Annie la Petite Orpheline et tu voulais que je la mette.

— C'est vrai ?

— Oui.

Il était hors de question qu'elle se coiffe d'une perruque. Par conséquent, elle était allée dans une cafétéria, où elle avait commandé un chocolat chaud et lu un chapitre de *Walden*. Vers dix heures, des types étaient entrés ; l'un d'eux était dans sa classe en maths. Ils avaient dû avoir pitié d'elle parce qu'ils avaient demandé ce qu'elle faisait là toute seule, et elle avait répondu qu'elle s'avançait en anglais. C'est alors qu'ils avaient parlé en plaisantant de l'enlever. Les gens ne plaisantaient pas avec elle, d'ordinaire, et elle s'était sentie flattée.

— Bref, on est allés dans un parc. Ils avaient de la vodka. Ils n'essayaient pas d'être cruels, ils croyaient seulement que je savais boire.

— Tu as bu beaucoup ?

— Comme si je me le rappelais, maman, répondit Amy.

— Tu te souviens de m'avoir téléphoné pour me dire que tu couchais chez Sarah ?

— C'est ce que je t'ai dit ?

— Oui. Et je l'ai cru.

— Pardon.

— Ça ne fait rien. Ce n'est pas comme si je n'avais jamais menti à mes parents.

Après, les choses devenaient encore plus floues. Elle se souvenait être montée à l'arrière d'une voiture, et qu'on l'avait portée à l'intérieur d'une maison. Elle se souvenait de la moquette rugueuse contre son visage. Quelques filles l'avaient aidée à se lever et emmenée dans la chambre, où il y avait un grand lit à deux personnes couvert de manteaux. Elle s'était réveillée dans la nuit, la bouche pâteuse et les pieds glacés. Ses jambes étaient moites et poisseuses et sa culotte était devant derrière.

Sans savoir pourquoi, elle avait compris qu'il y en avait eu plus d'un.

Elle raconta tout cela à sa mère, hormis la partie concernant sa culotte. Et le nombre. Qu'elle ignorait vraiment. Sauf qu'il s'agissait d'un pluriel.

— Qui était-ce ? demanda Susan au bout d'un moment.

— Tu avais dit que tu ne demanderais pas.
— Je n'ai pas dit ça.
— Maman.
— Ma chérie, nous…
— *Maman.*

De retour à la maison, elle avait pris une douche. Elle avait mal partout, et oui, l'idée lui était passée par la tête mais elle l'avait chassée, parce qu'il y avait des choses plus pressantes auxquelles penser, telles que des visites aux universités pendant l'hiver et ses examens au printemps.

— Tu n'as pas senti que tu prenais du poids ?
— Je prends tout le temps du poids.
— Mais ça ne t'a pas semblé différent ?
— Si. Non. Je ne sais pas.

Ne t'en fais pas, aurait-elle voulu dire. *La prochaine fois que je coucherai avec l'équipe de football*, pensa-t-elle amèrement, *je ferai un test de grossesse.*

— Et ces filles ne t'ont pas aidée ? demanda Susan brusquement. Elles ne savaient pas qu'elles n'auraient pas dû te laisser seule dans cet état ? Je croyais que les filles veillaient les unes sur les autres ?

— Ça ne se passe pas comme ça, maman.

— Je voudrais leur tordre le cou, reprit Susan. Et celui de ce garçon aussi.

— Maman. Tu m'as dit que tu pouvais tenir le coup.

— Je n'ai pas dit que je n'allais pas me mettre en colère, protesta Susan. Ça me révolte. Pas seulement ce que ce garçon t'a fait. Personne ne s'est occupé de toi ? Tu avais perdu connaissance. Tu aurais pu t'étouffer dans ton propre vomi. Mais qu'est-ce qu'ils ont, les jeunes, maintenant ?

Amy haussa les épaules. Elle avait été le sujet de messes basses pendant environ un mois – jusqu'à Thanksgiving, en fait, où quelqu'un d'autre avait fait quelque chose d'idiot et fourni une nouvelle matière à commérages.

Adossée à son oreiller, elle regarda sa mère faire les cent pas. Elle aurait désespérément voulu la réconforter à cet instant. Je suis en vie, eut-elle envie de dire. J'ai survécu. Mais elle savait que Susan avait le cœur brisé, et qu'aucun argument ne pourrait y remédier. Elle se détesta de s'être enivrée ce soir-là, d'avoir fait ça à sa mère.

— Maman. Arrête. Je vais bien.

Susan prit une profonde inspiration, s'assit à côté d'elle et plongea son regard dans le sien.

— Ce n'est pas facile à entendre, dit-elle. Mais tu as raison. Je t'ai promis de ne pas faire de crise de nerfs, et je n'en ferai pas. Il faut juste que je me libère un peu. Mais je vais gérer ça. Et toi aussi. Ça ne te gâchera pas la vie. Tu ne te puniras pas. On trouvera la meilleure solution. Ce ne sera peut-être pas évident dans les jours, ni même les semaines qui viennent, mais on y arrivera. Tu te souviens de ce que JT a dit ? Quand on perd confiance en soi, on perd tout.

Elle se tut un instant.

— Mon Dieu, soupira-t-elle, et si on n'était jamais venues sur le fleuve ? Si tout ça était arrivé à Mequon ? Je ne sais pas si j'aurais pu en sortir intacte. Peut-être que oui. Mais ce n'est pas sûr.

Elle prit le visage d'Amy entre ses mains et hocha la tête de nouveau.

— On trouvera une solution, répéta-t-elle.

— D'accord, dit Amy.

Et même elle pensa que ce mot, « d'accord », semblait différent quand il était prononcé, comme cette fois, sans colère ni sarcasme.

JOURS 12 et 13

Miles 179-225
Lava – Diamond Creek

50

Jours 12 et 13
Miles 179-225

Tout le monde avait une théorie à propos du chien.

Evelyn était sûre qu'il était mort. Elle se souvenait des chutes de Lava, de ces paquets d'eau. Automatiquement, elle opéra dans sa tête une combinaison de facteurs – volume, masse corporelle, durée d'immersion, température – et sut qu'il était tout simplement impossible que le chien ait survécu.

Jill était du même avis. Pas en raison de quelque calcul de probabilités, mais à cause de la foi qu'elle avait toujours – en dépit de ce raid sur le fleuve – en sa loi de Murphy personnelle : rien de ce qui pourrait rendre ses fils éternellement heureux n'arrivait jamais. Elle commençait à se reprocher de ne pas avoir permis aux garçons d'avoir un chien avant – dans ce cas, ils ne se seraient peut-être pas autant attachés à Mixeur. Elle se demandait quelle période de deuil elle devrait respecter avant de suggérer une visite au refuge pour animaux de Salt Lake City.

Mark, en revanche, était persuadé que le chien avait survécu, et que c'était seulement une question de temps avant qu'il réapparaisse.

— Ce chien a neuf vies, déclara Mark, juste devant les garçons, et Jill ne put retenir une grimace à la pensée qu'il leur donnait de faux espoirs.

Surtout, elle priait pour qu'ils ne trouvent pas de cadavre.

Ruth, dont le jardin était plein de tombes d'animaux de compagnie, était plus philosophe. Peut-être parce qu'elle avait vu tant d'animaux aller et venir ; peut-être parce qu'elle savait que ce n'était qu'un chien, après tout, et qu'en ce moment d'autres choses – la naissance, les maladies dégénératives, pour n'en citer que quelques-unes – lui semblaient plus importantes. Lloyd, pour sa part, avait déjà complètement oublié le chien ; il ne comprenait pas pourquoi on en faisait toute une histoire. « Les chiens ne sont pas autorisés dans le canyon », rappelait-il constamment aux gens, laissant entendre que quatorze personnes avaient imaginé l'existence de Mixeur.

Quant à Mitchell, hanté par un sentiment de culpabilité, il s'était réfugié dans un silence morose. Il ne cessait de revivre le passage de Lava. À quel moment au juste le chien lui avait-il échappé ? Dans le V ou au-dessous ? Assis sous le soleil brûlant à l'arrière du raft de JT, il fixait ses mains et cherchait à comprendre comment elles avaient lâché prise. Et pourquoi il n'avait pas coincé plus solidement l'animal entre ses cuisses, comme JT le lui avait recommandé. Pourquoi n'avaient-ils pas songé à l'attacher à une des cordes, d'ailleurs ? Il y avait un millier de choses que Mitchell, avec le recul et l'angoisse, aurait faites différemment.

À la fin de leur dernière journée pleine, il n'y avait toujours aucun signe du chien. Ils dressèrent leur campement sur une grande plage dégagée, et leur attention se trouva brièvement détournée quand Evelyn partit vers l'aval à la recherche d'un coin isolé et revint en courant, criant qu'elle avait vu un serpent à sonnette long d'un bon mètre lové dans le sable ; tous voulurent voir le monstre. JT n'était pas très chaud, mais ils partirent quand même, appareils photo en main, et revinrent suffisamment secoués pour rapprocher leurs matelas du centre de la clairière avant la nuit.

Pendant le dîner, ils parvinrent à se concentrer sur les récits de mésaventures, gaffes et farces passées dont JT les régala. Tout le monde rit. Mais pendant qu'on débarrassait, au moment où le chien serait venu quémander des miettes, il leur manqua à tous, comme s'ils l'avaient élevé depuis tout petit, et ils éprouvèrent du chagrin à la pensée qu'ils ne sauraient peut-être jamais ce qu'il était devenu.

— Parce qu'il pourrait arriver dans la nuit, expliqua Sam à son père, qui lui demandait pourquoi il gardait sa lampe frontale pour se coucher.

— Bien sûr, répondit Mark.

— Papa ?

— Oui ?

— Si quelqu'un d'autre le trouvait, il l'emmènerait dans un refuge après son voyage, non ? Il ne le garderait pas, quand même ?

Mark dit qu'à son avis, c'est ce que ferait n'importe quelle bonne âme, en effet.

— Alors on pourrait le retrouver quand on retournera à Flagstaff ?

— Peut-être. Mais je ne veux pas que tu te fasses trop d'illusions.

— Non, papa. Je peux laisser ma lampe allumée ?

— Bien sûr, dit Mark.

Quand il se baissa pour souhaiter une bonne nuit à Sam et lui donner un baiser, son fils noua les bras autour de son cou, et ne le lâcha pas avant un long moment.

— Je déteste lui donner de faux espoirs, observa Jill lorsque Mark vint s'allonger près d'elle.

— Que lui dirais-tu ?

Jill réfléchit un instant, puis soupira.

— La même chose, j'imagine.

Elle tâtonna dans le sable, à la recherche de la main de Mark, et mêla ses doigts aux siens.

— Mais j'essaierais de ne pas trop l'encourager.

— Je ne crois pas l'avoir fait, dit Mark.

— Non. Je ne crois pas que tu l'aies fait non plus. Tu es très sensible aux nuances.

— Tu crois ?

— Oui, murmura-t-elle.

— Merci, murmura-t-il en retour. Tu sais, je crois vraiment qu'il est vivant.

— Continue à le penser, alors, dit-elle en lui pressant la main.

Avant de se coucher, Peter s'approcha du raft de Dixie.

— Salut, Peter, lança-t-elle. Qu'est-ce qui se passe ?

Le jeune homme resta sur la plage.

— Tout va bien ? s'enquit-elle.

— Oh ! bien sûr !

— Tu as besoin de quelque chose ?

— Non. Je voulais seulement te dire merci.

— De rien, fit-elle d'un ton léger. Quelle aventure, hein ?

— Ce n'est pas ce que je voulais dire, mais merci pour ça aussi. Ce que je voulais dire, c'est que, eh bien... tu l'as peut-être remarqué, ou peut-être pas, mais j'ai eu un faible pour toi pendant tout le raid. Je crois que tu es une des femmes les plus belles que j'aie jamais connues. Et tu es guide de rivière ! J'étais fichu à l'instant où JT nous a présentés, là-haut, à Lee's Ferry.

Dixie s'assit.

— Je ne te dis pas ça pour la raison que tu pourrais imaginer. Je sais que tu as un copain à Tucson. Je sais qu'on va se dire au revoir demain et que je ne te reverrai sans doute jamais. Je voulais seulement te dire merci de m'avoir laissé être amoureux de toi pendant deux semaines.

Dixie tritura le cheval en métal torsadé pendu à son cou.

— C'est tout, dit Peter.

À bord de son raft, JT s'allongea sur son matelas. L'air était immobile et la lune, à présent entrée dans son dernier quart, baignait le fleuve de sa lumière perlée. Le lendemain, ils couvriraient les derniers miles qui les séparaient du point de sortie, à Diamond Creek. Ils déchargeraient les rafts ; il y aurait un bus et un camion, et un grand déjeuner les attendrait.

Après déjeuner, les guides chargeraient le camion et les passagers monteraient l'un après l'autre dans le bus...

Et ce serait terminé. Fin du raid. Finito.

JT croisa les bras. D'ordinaire, il pensait déjà avec enthou siasme à la descente suivante : quelques jours de congé, puis un nouveau gros chargement, une nouvelle série de passagers, de présentations et de discours sur le b.a.-ba de la vie sur le fleuve. D'ordinaire, il ne se permettait pas d'être trop sentimental à Diamond Creek, car il savait que le fleuve serait toujours là, et qu'il reviendrait toujours.

Pourtant, il s'était senti très fragilisé au cours de ce voyage. Et il appréhendait de dire au revoir à ce groupe, pour des raisons qu'il ne pouvait s'expliquer. En pleine nuit, il s'éveilla en sursaut. Son cœur cognait dans sa poitrine. Et une nouvelle pensée s'imposa à lui : il était un charlatan. Pour qui se prenait-il, pour s'imaginer qu'il pouvait guider les gens sur le fleuve ? Oh ! il connaissait le parcours, il connaissait les randonnées, il connaissait assez d'anecdotes et de faits historiques pour écrire un livre. Mais en fin de compte, il n'était qu'un homme qui adorait le fleuve, qui faisait un pacte avec les étoiles chaque soir et qui s'éveillait chaque matin l'âme bercée par le courant. Pour les personnes comme lui, la descente du fleuve signifiait bien plus que cela. C'était un voyage infiniment plus vaste, l'exploration d'un temps plus simple, d'une âme plus simple. JT eut soudain le sentiment qu'en faisant descendre le fleuve à tous ces gens, il brisait quelque chose en eux, quelque chose qui avait peut-être besoin d'être brisé mais aussi reconstruit ; et alors qu'il était doué pour briser, pour les emmener de l'autre côté du chaos, il avait l'impression qu'il ne leur donnait rien avec quoi se reconstruire après le voyage.

Un charlatan doublé d'un démolisseur.

*

Le débarquement à Diamond Creek le lendemain matin se déroula aussi bien que possible. Tout le monde fut aussi prompt à aider que le premier jour, à Lee's Ferry – sauf que maintenant ils n'essayaient d'impressionner personne ; ils faisaient simplement ce qu'il y avait à faire, déposant le matériel en piles bien nettes le long de la rive rocheuse. Le déchargement terminé, ils rincèrent les rafts, les traînèrent sur la plage et ouvrirent les valves ; puis les garçons passèrent dix minutes exaltantes à sauter dessus pour en expulser jusqu'au dernier centimètre cube d'air.

Jill regarda avec consternation les guides plier les rafts de six mètres en trois petits paquets étroits. Ça ne tenait donc qu'à cela ?

— À table ! cria Abo. LAVEZ-VOUS LES MAINS !

Pendant qu'ils se rassemblaient autour de la table, JT roula ses cordes et ses sangles et les fourra avec les mousquetons dans un sac de marin usagé. Il avait chaud et faim, et éprouva l'envie soudaine de boire un Coca glacé. Il allait se diriger vers l'aire de pique-nique ombragée quand il leva les yeux et vit les kayakistes qui descendaient le fleuve. Six embarcations minuscules comme des jouets flottant sur l'eau scintillante, suivies par le gros raft de matériel. Même de loin, JT repéra Bud, avec son épaisse barbe blanche.

Comme ils approchaient de la plage, Bud lui fit signe avec sa pagaie, et JT attendit.

Le kayak de Bud fila rapidement vers la rive et heurta la plage caillouteuse. Mais au lieu de décrocher sa jupe et de descendre, il reposa sa pagaie en travers du cockpit.

— *Señor*, fit JT en le saluant d'un signe de tête.

Quelque chose dans la posture de l'homme le troublait.

— Tout va bien ?

— Je voulais vous dire, commença Bud en plissant les yeux vers JT. Nous avons trouvé notre gilet de sauvetage.

— Votre gilet de sauvetage, répéta JT.

— Celui qu'on vous a prêté.

— Celui du chien, vous voulez dire.
— Oui.
— Le vert ?
— Ouais.
JT sentit ses pensées s'emballer. Il débattait déjà avec lui-même : cela ne signifiait rien, le chien avait pu s'extraire du gilet et être encore en vie malgré tout. Hein, il avait déjà pensé à ça, à la possibilité que l'animal ait perdu son gilet dès le début, là-haut, dans Lava ; cela n'avait rien prouvé la veille, cela ne prouvait rien aujourd'hui.
— Écoutez, je ne sais pas si je devrais vous le dire, mais un membre d'un autre groupe a remarqué un rassemblement de vautours urubus, du côté de Pumpkin Spring, continua Bud. Je ne sais pas ce qu'ils avaient vu.
JT réfléchit un instant.
— Ç'aurait pu être un bassaris mort, dit-il à Bud. Ou un tas d'autres choses.
— Possible. Mais j'ai pensé que je devais vous le dire.
Les oreilles de JT bourdonnaient. Il ne voulait pas partager ces mauvaises nouvelles avec le groupe. Mais Mitchell avait déjà vu les kayakistes et il s'approchait, un sandwich préparé à la va-vite dans la main.
— Bonjour, dit-il.
— Bonjour, répondit Bud.
— Vous n'auriez pas vu le chien par hasard ?
À cet instant précis, le raft de matériel vint heurter la rive. Là, tout en haut de la pile, se trouvait le gilet vert.
— Hé ! C'est...
Mitchell s'interrompit, et son regard passa d'un visage à l'autre.
JT tenta de l'entraîner à l'écart, mais le mot « chien » avait dû résonner, car les garçons arrivaient déjà en courant. En voyant l'expression de Mitchell, ils ralentirent, et s'arrêtèrent devant le nez du kayak.
JT plaça une main sur l'épaule osseuse de Sam. Sa peau était lisse et hâlée, après treize jours de soleil.
— Vous ne l'avez pas, hein ? fit Sam à Bud.

Bud secoua la tête.

— Mais c'est son gilet.

Bud hocha la tête de nouveau.

— Bon, fit Sam avec conviction, ça ne prouve rien.

— Non, renchérit JT.

Il voyait l'esprit du garçon analyser les preuves, tout comme il venait de le faire. Un gilet seul n'était pas synonyme d'un chien mort. Bud ne mentionna pas les vautours, et JT décida sur-le-champ de lui offrir une descente gratuite du fleuve à sa convenance, en récompense de sa discrétion.

À présent, les autres kayakistes accostaient, et JT lisait sur les visages qu'ils avaient discuté de l'affaire et étaient parvenus à leurs propres conclusions. Un à un, les membres du groupe de JT délaissèrent la table du déjeuner pour venir les rejoindre. Un silence grave descendit sur eux lorsque JT leur expliqua que le gilet de sauvetage du chien avait été retrouvé.

— Ça ne prouve rien, ni dans un sens ni dans l'autre, affirma JT. Je ne veux pas qu'on en tire des conclusions hâtives. Je suppose que nous ne saurons jamais vraiment.

Le groupe attendit.

Quoi, on va faire une danse de la pluie ? se demanda JT.

— Neuf vies, murmura Mark.

— Même dans ce cas..., fit Evelyn.

— Peut-être qu'on pourrait laisser un message sur la table de pique-nique, suggéra Ruth.

— Avec notre numéro de téléphone, dit Mark.

— Non, Mark, se hâta de dire Jill.

— Les chiens ne sont même pas autorisés ici, leur rappela Lloyd.

Ce fut Sam qui remarqua que Mitchell avait disparu. Ils regardèrent autour d'eux et finirent par apercevoir son chapeau marron à bord mou dans les fourrés épais qui bordaient la berge en direction de l'aval.

Puis sa tête disparut, et un moment plus tard ils entendirent un son affreux de haut-le-cœur. En d'autres circonstances, on aurait supputé un virus intestinal, ou un excès d'alcool la veille au soir, ou une gloutonnerie excessive au déjeuner. Pas ce jour-là.

Sam se dirigea vers les buissons.

— Laisse-le, avertit Mark.

Mais Sam continua à marcher vers celui d'entre eux qui avait le plus besoin de réconfort.

51

Jour 13
En sortant du Canyon

La route qui monte au plateau depuis Diamond Creek est raide, caillouteuse et creusée de profondes ornières par les crues éclair. C'est un trajet de dix miles qui peut prendre une heure, même lorsque les conditions sont favorables ; et quand on a glissé sur l'eau pendant deux semaines, les heurts et secousses se font sentir sur les articulations.

Abo et Dixie étaient assis à l'arrière de la cabine, et JT se trouvait devant, avec le chauffeur. Il essayait de réfléchir à ce qu'il dirait, ce soir, lorsque tous se retrouveraient pour un dîner d'adieu dans un pub du centre de Flagstaff. Il avait un discours standard en réserve, mais ça n'avait pas exactement été un raid standard.

Il envisagea de tomber malade. Un mal de gorge. Un virus intestinal. Il envisagea de dire à Abo que Colin était en ville pour ce soir seulement. Qu'un cambrioleur avait mis sa maison à sac.

— Hé ! chef, lança Abo derrière lui. Quelles parties de ce raid tu vas mentionner dans le rapport ?

— Je dirai toute la vérité, répondit JT. Rien que la vérité.

— Ne va pas raconter que j'ai mis du beurre de cacahuètes dans les haricots.

— Et qu'est-ce qui t'empêchera de recommencer ?

— Ben enfin, JE TIRE LA LEÇON de mes erreurs.

Dixie soupira.

— Tu la mets en sourdine, Abo ?

Abo l'entoura de ses bras et déposa fermement un baiser humide sur sa joue.

— Faisons une autre descente ensemble !

— L'année prochaine, peut-être, rétorqua Dixie.

Le camion peinait dans la côte, tanguant dangereusement. Le chauffeur devait tenir le volant fermement, car les nids-de-poule menaçaient d'entraîner le véhicule hors de sa trajectoire s'il ne faisait pas attention. À un moment donné, il dut frôler le bas-côté pour éviter un rocher tombé sur la route, et JT se retrouva en train de regarder droit dans le fond asséché du canyon.

Une ombre. Mouvante.

— Hé ! Arrête le camion ! ordonna JT.

— Impossible, dit le chauffeur. Je ne pourrai jamais repartir.

— Arrête le camion, répéta JT.

Le véhicule fit un bond en avant dans un couinement, puis s'arrêta d'un coup, projetant des nuages de poussière tout autour. JT ouvrit sa portière, qui grinça bruyamment, et mit le pied sur la terre durcie. Il y avait moins de trente centimètres entre le camion et l'à-pic. Lorsque la poussière se dissipa, il baissa les yeux, songeant qu'il avait dû l'imaginer.

Il était là, trottinant le long du lit de la rivière.

— Qu'est-ce qu'il y a ? demanda Abo en descendant à son tour. Qu'est-ce que tu as vu ?

JT plissa les yeux pour être sûr. Comment, bordel ?

Dixie passa la tête par la vitre.

— Qu'est-ce qu'il y a ?

JT secoua la tête, stupéfait.

— Foutu chien, va, murmura-t-il.

Remerciements

Ce livre n'aurait jamais vu le jour si je n'étais pas tombée du raft dans Deubendorff Rapid au cours de ma première expédition dans le Grand Canyon. Cela peut sembler curieux, étant donné que je n'ai passé que trente terrifiantes secondes dans l'eau. Mais la terreur s'est accompagnée d'une euphorie que je n'avais pas ressentie depuis une éternité, si bien que, même avant de m'être séchée, j'étais déjà en train d'écrire. Je ne saurais que bien plus tard qu'un roman se trouvait là, mais l'expérience de ce jour-là nourrit l'essentiel de ce que j'ai écrit depuis.

Par conséquent, je tiens à adresser tout de suite mes remerciements et meilleurs vœux à Ed Hasse, chez Arizona Rafting Adventures. Ed était mon guide lorsque nous sommes sortis de la trajectoire prévue dans Deubendorff. Comme le raft se cabrait, j'ai basculé par-dessus bord. En l'espace de quelques secondes, Ed m'a retenue par la cheville, puis il m'a laissée partir, au sens physique comme spirituel. Beaucoup de gens ont écrit des récits très éloquents sur l'expérience que constitue la traversée d'un grand rapide à la nage ; à mes yeux, la comparaison la plus appropriée est celle de la machine à laver. J'ai été aspirée par le fond, entraînée dans un tourbillon avant d'être enfin expulsée à la lumière du jour, après quoi j'ai vraiment eu le sentiment que je venais de renaître de manière inattendue. Donc, merci, Ed, de m'avoir laissée partir. Merci aussi pour tes conseils et tes commentaires détaillés sur le manuscrit.

Cette première descente a éveillé chez moi une passion durable pour le fleuve. Plusieurs années plus tard, j'ai eu l'occasion de faire un nouveau raid – cette fois en tant que guide auxiliaire. Chez Arizona Raft Adventures, je remercie Rob Elliott, Diane Ross et Katherine Spillman pour cette offre de dernière minute, qui m'a donné un aperçu fort nécessaire de la vie d'un guide. Des remerciements chaleureux à mes fantastiques guides : Bill Mobley, Jan Sullivan, Jerry Cox, Jessica Cortright et Jon Harned. Avec beaucoup de patience (et pas mal de taquineries), ils m'ont appris à charger un raft, déchiffrer un rapide, monter une cuisine et préparer un repas classe pour vingt-cinq personnes dans l'un des plus beaux environnements du monde. Puissiez-vous tous continuer à accueillir d'autres voyageurs dans l'univers magique du Canyon.

Mon éducation en matière de fleuve a été énormément enrichie par une grande amitié avec l'artiste Scott Zeumann, maître zen de l'Eau-qui-Coule. Merci à Scott d'avoir lu et critiqué le manuscrit, et d'avoir toujours été disponible pour répondre à mes questions, banales ou plus profondes. Pourquoi utilise-t-on quatre seaux pour faire la vaisselle ? Demandez à Scott. Qu'est-ce qu'une descente de fleuve a de si génial ? Demandez à Scott.

Maureen Ryan, de Grand Canyon Dories, a également été une précieuse source de renseignements. Je te remercie d'avoir réfléchi à mes questions hypothétiques et de m'avoir fait entrer dans l'esprit d'un guide. Je te serai à jamais reconnaissante pour nos séances chez Vic, ta lecture et tes remarques précises sur le manuscrit en cours et ton amitié.

À tous les membres de notre fabuleux atelier d'écriture : Marilyn Krysl, Gail Storey, Julene Blair, Lisa Jones et Janis Hallowell. Qu'aurais-je fait sans vous ? Je vous transmets toute mon affection et mes remerciements sincères pour votre écoute critique, vos sages commentaires, semaine après semaine, et votre amitié sans faille.

Certaines personnes n'ont peut-être pas conscience d'avoir joué un rôle aussi important dans ce projet, et je souhaite leur témoigner ma gratitude : mes beaux-parents, John et Madeleine Schlag, qui les premiers ont suggéré cette descente ; Graham Fogg, professeur de géologie à l'université de Davis, pour m'avoir détournée d'un scénario peu plausible ; Artie, Patty, Renee, Kees et Scott, qui m'ont emmenée dans le Green ; et surtout mes parents, John et Betty Hyde, pour toutes ces promenades dans le canoë rouge qui, en dépit de sa regrettable disparition, doit faire le bonheur de quelqu'un, sur quelque lac ou rivière.

À mon équipe de New York : des remerciements à genoux à mon agent, Molly Friedrich, pour m'avoir incluse dans sa vie si occupée ; à mon éditeur, Jordan Pavlin, qui a cru à ce roman alors qu'il n'était encore qu'une pensée dans mon esprit ; à Lucy Carson, pour ses relectures attentives de nombreuses versions ; et à Leslie Levine, qui s'est occupée de tous les détails à chaque étape de la publication.

Merci au Vic's Café, à Boulder, non seulement pour toute la caféine qu'il m'a dispensée, mais aussi pour m'avoir fourni un lieu spacieux et tranquille où travailler.

Et enfin merci à mon mari, Pierre, dont le rôle central remonte à un déjeuner sur la véranda de notre maison un jour d'été. C'était environ un an après notre premier raid, et j'étais toujours obsédée par ce souvenir. À l'époque, j'écrivais *La Fille du Dr Duprey* et je voulais à toute force que l'un de mes personnages soit guide de rivière. Mais j'avais du mal à voir comment celui-ci pouvait se transformer en inspecteur. J'ai donc demandé l'aide de Pierre et nous nous sommes tous deux creusé les méninges une heure durant.

« Laisse tomber, m'a-t-il enfin conseillé. Écris plutôt tout un roman sur le fleuve. »

C'est ce que j'ai fait.

Composition et mise en pages : Facompo, Lisieux